FOCO

DANIEL
GOLEMAN, ph.D.

FOCO

A atenção e seu papel fundamental para o sucesso

Tradução
Cássia Zanon

27ª reimpressão

Grafia atualizada segundo o Acordo Ortográfico da Língua Portuguesa de 1990, que entrou em vigor no Brasil em 2009.

Título original
Focus

Capa
Adaptação de Bárbara Estrada sobre design original de Milan Bozic

Imagem da p. 86
Clipart.com
Designed by William Ruoto

Revisão
Joana Milli
Raquel Correa
Fernanda Hamann de Oliveira

CIP-Brasil. Catalogação na fonte
Sindicato Nacional dos Editores de Livros, RJ

G58f
Goleman, Daniel
Foco: a atenção e seu papel fundamental para o sucesso / Daniel Goleman; tradução Cássia Zanon. — 1ª ed. — Rio de Janeiro: Objetiva, 2014.

Tradução de: Focus.
ISBN 978-85-390-0535-2

1. Relações humanas. 2. Inteligência – Aspectos sociais. 3. Emoções – Aspectos sociais. I. Título

13-03230 CDD: 158.2
CDU: 316.47

EDITORA SCHWARCZ S.A.
Praça Floriano, 19, sala 3001 — Cinelândia
20031-050 — Rio de Janeiro — RJ
Telefone: (21) 3993-7510
www.companhiadasletras.com.br
www.blogdacompanhia.com.br
facebook.com/editoraobjetiva
instagram.com/editora_objetiva
twitter.com/edobjetiva

Para o bem-estar das futuras gerações

SUMÁRIO

Parte quatro: O contexto maior

Parte cinco: Prática inteligente

Parte seis: O líder bem focado

Parte sete: O quadro mais amplo

1

A HABILIDADE SUTIL

Observar o segurança John Berger de olho nos clientes que percorrem o primeiro andar de uma loja de departamentos no Upper East Side de Manhattan é testemunhar a atenção em ação. Vestindo um terno preto discreto, camisa branca e gravata vermelha e o walkie-talkie sempre em punho, John se movimenta sem parar, o foco sempre em um ou outro cliente. Podemos dizer que ele é os olhos da loja.

É um desafio imenso. Há mais de cinquenta pessoas no andar a todo momento, indo de um balcão de joalheria a outro, examinando as echarpes Valentino, selecionando as bolsas Prada. Enquanto os clientes analisam os produtos, John analisa os clientes.

John parece fazer uma dança por entre os clientes, como uma partícula em movimento browniano. Por alguns segundos, fica parado atrás de um balcão de bolsas com os olhos grudados num possível comprador, então vai rapidamente para um ponto de observação ao lado da porta, apenas para em seguida mover-se furtivamente até um canto de onde consegue ter uma visão privilegiada de um trio potencialmente suspeito.

Enquanto os clientes veem apenas as mercadorias, indiferentes ao olhar atento de John, ele examina detalhadamente a todos.

Há um ditado na Índia que diz: "Quando um batedor de carteiras encontra um santo, tudo o que ele vê são os bolsos." Em qualquer aglomeração, o que John vê são os batedores de carteiras. O olhar dele vai de um lado a outro como um holofote. Sou capaz de imaginar seu rosto se transformando em um globo ocular gigantesco, lembrando um ciclope e seu único olho. John é a personificação do foco.

O que ele procura? "É um jeito de mexer os olhos ou um movimento do corpo" que lhe dão a indicação de haver a intenção de roubar, John me diz. Ou os clientes andando em bandos, ou aquele olhando ao redor furtivamente. "Faço isso há tanto tempo que simplesmente reconheço os sinais."

Quando se concentra num cliente entre os cinquenta, John consegue ignorar os outros 49 — e todo o resto. Uma proeza de concentração em meio a um mar de distração.

Essa consciência panorâmica, alternada com a constante vigilância por um sinal revelador, exige diversos tipos de atenção — a atenção seletiva, a alerta, a orientada e a que administra tudo isso —, todos baseados em teias de circuitos cerebrais distintamente singulares e cada um deles sendo uma ferramenta mental essencial.[1]

O exame contínuo e atento de John em busca de algo extraordinário representa uma das primeiras facetas da atenção a serem estudadas cientificamente. A análise do que nos ajuda a ficarmos vigilantes se intensificou durante a Segunda Guerra Mundial, estimulada pela necessidade militar de operadores de radar capazes de se manterem em alerta máximo durante horas a fio.

No auge da Guerra Fria, me lembro de ter visitado um pesquisador que havia sido encarregado pelo Pentágono para estudar níveis de vigilância durante períodos de privação de sono de três a cinco dias — aproximadamente o tempo que os oficiais militares enfurnados em bunkers precisariam se manter acordados durante a Terceira Guerra Mundial. Felizmente, a experiência nunca precisou ser testada na prática, embora sua encorajadora descoberta tenha sido de que mesmo depois de três ou mais noites sem sono as pessoas ainda são capazes de prestar bastante atenção, caso suas motivações sejam fortes o suficiente (caso contrário, caem no sono imediatamente).

Muito recentemente, a ciência da atenção floresceu para muito além da vigilância. Essa ciência diz que nossa capacidade de atenção determina o nível de competência com que realizamos determinada tarefa. Se ela é ruim, nos saímos mal. Se é poderosa, podemos nos sobressair. A própria destreza na vida depende dessa habilidade sutil. Embora a conexão entre atenção e excelência permaneça oculta a maior parte do tempo, ela reverbera em quase tudo que tentamos realizar.

Essa ferramenta flexível se adapta a inúmeras operações mentais. Uma pequena lista de alguns pontos básicos inclui compreensão, memória, aprendizagem, percepção do que sentimos e por que, leitura das emoções dos outros e interação harmoniosa. Trazer à tona esse fator invisível de eficiência nos permite visualizar os benefícios de aprimorar essa faculdade mental e compreender melhor como fazer isso.

Através de uma ilusão de ótica da mente, costumamos registrar os produtos finais da atenção — nossas ideias boas e más, uma piscada de olhos reveladora ou um sorriso convidativo, o aroma do café recém-passado — sem percebermos o sinal da própria consciência.

Apesar da importância que ela tem para a forma como levamos a vida, a atenção, em todas as suas variantes, representa um recurso mental subestimado e pouco percebido. Meu objetivo aqui é realçar essa vaga e depreciada habilidade no contexto das operações mentais e destacar seu papel na experiência de uma vida satisfatória.

Nossa jornada começa pela exploração de alguns pontos básicos da atenção. A atenção vigilante de John é apenas um deles. A ciência cognitiva realiza um amplo conjunto de estudos sobre concentração, atenção seletiva e consciência aberta, e também sobre como a mente direciona a atenção para dentro a fim de inspecionar e gerenciar operações mentais.

Capacidades fundamentais derivam desses mecanismos básicos da nossa vida mental. A autoconsciência, por exemplo, promove a autogestão. A empatia, por sua vez, é a base da habilidade de se relacionar. São pontos fundamentais da inteligência emocional. Como veremos, a fraqueza desses pontos pode sabotar uma vida ou uma carreira, enquanto a força aumenta a realização e o sucesso.

Para além desses domínios, a ciência dos sistemas nos leva a dimensões mais amplas de foco ao observarmos as coisas ao nosso redor, nos sintonizando aos sistemas complexos que definem e restringem nosso mundo.[2] Esse foco externo nos impõe o desafio oculto que é nos ligarmos a esses sistemas vitais: como nosso cérebro não foi projetado para essa tarefa, nos atrapalhamos. No entanto, estar consciente desses sistemas pode nos ajudar a compreender o funcionamento de uma organização, uma economia ou os processos globais que sustentam a vida neste planeta.

Tudo isso pode ser resumido em uma tríade: o foco interno, o foco no outro e o foco externo. Uma vida bem vivida exige que dominemos os três.

A boa notícia sobre a atenção vem dos laboratórios de neurociências e das salas de aula, onde descobertas apontam para as formas pelas quais podemos fortalecer esse músculo vital da mente. A atenção funciona como um músculo: pouco utilizada, ela definha; bem utilizada, ela melhora e se expande. Veremos como um treinamento inteligente pode desenvolver e refinar o músculo da nossa atenção e até mesmo reabilitar cérebros carentes de foco.

Para que obtenham resultados, líderes precisam dos três tipos de foco. O foco interno nos põe em sintonia com nossas intuições, nossos valores principais e nossas melhores decisões. O foco no outro facilita nossas ligações com as pessoas das nossas vidas. E o foco externo nos ajuda a navegar pelo mundo que nos rodeia. Um líder fora de sintonia com seu mundo interno será um desorientado; um líder cego para o mundo dos outros será um desinformado; os líderes indiferentes aos sistemas maiores dentro dos quais operam serão pegos de surpresa.

E não são apenas os líderes que se beneficiam de um equilíbrio neste foco triplo. Todos vivemos em ambientes intimidadores, cheios de tensão, metas competitivas e as tentações da vida moderna. Cada um dos três tipos de atenção pode nos ajudar a encontrar um equilíbrio com o qual podemos ser ao mesmo tempo felizes e produtivos.

A atenção, do latim *attendere*, entrar em contato, nos conecta ao mundo, moldando e definindo a nossa experiência. Como escrevem os neurocientistas cognitivos Michael Posner e Mary Rothbart, a atenção fornece os mecanismos "que sustentam nossa consciência do mundo e a regulação voluntária dos nossos pensamentos e sentimentos".[3]

Anne Treisman, uma autoridade nessa área de pesquisa, lembra que o modo como aplicamos nossa atenção determina o que vemos.[4] Ou, como diz Yoda: "O seu foco é a sua realidade."

O MOMENTO HUMANO AMEAÇADO

A cabeça da menininha ia apenas até a cintura da mãe, a quem ela abraçava com força durante um trajeto de balsa até uma ilha de veraneio. A mãe, porém, não reagia à filha, nem sequer parecia notá-la: passou o tempo todo absorta em seu iPad.

Houve uma reprise dessa cena alguns minutos depois, quando entrei numa van junto com nove integrantes de uma irmandade universitária que aquela noite viajavam para um fim de semana fora. Um minuto depois de se sentarem na van escura, luzinhas se acenderam, e todas as moças começaram a mexer nos seus iPhones ou tablets. Conversas aleatórias pipocavam enquanto enviavam mensagem ou navegavam pelo Facebook. Mas na maior parte do tempo houve silêncio.

A indiferença daquela mãe e o silêncio entre as moças são sintomas de como a tecnologia captura a nossa atenção e interrompe as nossas conexões. Em 2006, a palavra "pizzled" entrou no léxico inglês. Combinação de "puzzled" (perplexo) e "pissed off" (irritado), capturava a sensação que se tinha quando se estava com alguém e essa pessoa pegava o Blackberry para começar a conversar com outra. Na época, as pessoas se sentiam magoadas e indignadas diante disso. Hoje, é a norma.

Os adolescentes, a vanguarda do nosso futuro, são o epicentro. No começo desta década, a contagem de mensagens de texto mensais disparou para 3.417, o dobro do número de apenas poucos anos atrás. Enquanto isso, o tempo que passam ao telefone caiu.[5] O adolescente médio americano recebe e envia mais de cem mensagens de texto por dia, cerca de dez a cada hora acordado. Já vi um garoto escrevendo uma mensagem enquanto andava de bicicleta.

Um amigo me contou: "Fui visitar uns primos em Nova Jersey recentemente, e os filhos deles tinham todos os aparelhos eletrônicos conhecidos pelo homem. Tudo o que vi foi a cabeça deles. Passavam o tempo todo conferindo os iPhones para ver quem havia lhes mandado mensagens e o que havia sido atualizado no Facebook ou ficavam perdidos em algum video game. Eles ignoram completamente o que está acontecendo ao redor e não fazem ideia de como interagir com alguém durante qualquer período de tempo."

As crianças de hoje estão crescendo numa nova realidade, na qual estão conectados mais a máquinas e menos a pessoas de uma maneira que jamais aconteceu antes na história da humanidade. Isso é perturbador por diversos motivos. Por exemplo: o circuito social e emocional do cérebro de uma criança aprende através dos contatos e das conversas com todos que ela encontra durante um dia. Essas interações moldam o circuito cerebral. Menos horas passadas com gente — e mais horas olhando fixamente para uma tela digitalizada — são o prenúncio de déficits.

Todo esse envolvimento digital cobra um custo no tempo dedicado a pessoas de verdade — o meio em que aprendemos a "ler" sinais não verbais. A nova safra de nativos do mundo digital pode ser muito hábil nos teclados, mas é completamente desajeitada quando se trata de interpretar comportamentos alheios frente a frente, em tempo real — principalmente de sentir o incômodo dos outros quando eles param para ler um texto no meio de uma conversa.[6]

Um estudante universitário observa a solidão e o isolamento que acompanham uma vida reclusa ao mundo virtual de *tweets*, atualizações de status e "postagens de fotos do meu jantar". Ele lembra que seus colegas estão perdendo a habilidade de manter uma conversa, sem falar nas discussões profundas capazes de enriquecer os anos de universidade. E acrescenta: "Nenhum aniversário, show, encontro ou festa pode ser desfrutado sem que você se distancie do que está fazendo" para que aqueles no seu mundo virtual saibam instantaneamente como você está se divertindo.

Existem os fundamentos da atenção, o músculo cognitivo que nos permite acompanhar uma história, concluir uma tarefa, aprender ou criar. De algumas maneiras, como veremos, as intermináveis horas que os jovens passam olhando fixamente para aparelhos eletrônicos pode ajudá-los a adquirir habilidades cognitivas específicas. Mas há preocupações e questões sobre como essas mesmas horas podem levar a déficits de habilidades emocionais, sociais e cognitivas essenciais.

Uma professora da oitava série me contou que, por muitos anos, ela fez turmas sucessivas de alunos lerem o mesmo livro: *Mitologia*, de Edith Hamilton. Seus alunos adoravam o livro — até mais ou menos cinco anos atrás. "Comecei a ver que as crianças não estavam tão empolgadas, e nem mesmo os grupos com alto desempenho conseguiam se envolver", ela me falou. "Eles dizem que a leitura é difícil demais, que as frases são complicadas demais, que é preciso muito tempo para se ler uma página."

Ela se pergunta se, talvez, a capacidade de leitura de seus alunos tenha sido, de alguma maneira, prejudicada pelas mensagens de texto curtas e picotadas que eles recebem. Um aluno confessou que, no ano anterior, passou 2 mil horas jogando video game. Ela acrescenta: "É difícil ensinar as regras de utilização da vírgula quando você está competindo com o *World of Warcraft*."

Levando essa questão ao extremo, Taiwan, Coreia e outros países asiáticos veem o vício em internet — em games, mídias sociais, realidades virtuais — entre a juventude como um problema de saúde nacional, isolando os jovens. Cerca de 8% dos jogadores de video game norte-americanos entre 8 e 18 anos parecem se encaixar nos critérios diagnósticos da psiquiatria para o vício. Estudos cerebrais revelam mudanças em seus sistemas de recompensa neural enquanto jogam semelhantes aos encontrados em viciados em álcool e drogas.[7] Ocasionalmente, histórias terríveis relatam casos de jogadores viciados que dormem o dia todo e jogam a noite inteira, raramente parando para comer ou fazer higiene pessoal, e chegam até mesmo a se tornar violentos quando membros da família tentam fazê-los parar.

Uma relação empática exige atenção conjunta — foco mútuo. A necessidade de fazermos um esforço para termos esse tipo de momento humano nunca foi maior, levando em consideração o oceano de distrações que todos enfrentamos diariamente.

O EMPOBRECIMENTO DA ATENÇÃO

Há também um preço a ser pago pela diminuição da atenção entre os adultos. No México, a executiva de contas de uma grande rede de rádio reclama: "Alguns anos atrás, podíamos fazer um vídeo de cinco minutos para apresentarmos a uma agência de publicidade. Hoje, precisamos nos limitar a, no máximo, um minuto e meio. Se não prendermos a atenção nesse período, todo mundo começa a checar mensagens."

Um professor universitário que leciona cinema me contou que está lendo uma biografia de um de seus heróis, o lendário diretor francês François Truffaut. Mas ele diz: "Não consigo ler mais de duas páginas por vez. Sinto uma necessidade incontrolável de entrar na internet e ver se recebi novos e-mails. Acho que estou perdendo a minha capacidade de manter a concentração em qualquer coisa séria."

A incapacidade de resistir a conferir o e-mail ou o Facebook em vez de nos focarmos na pessoa que está conversando conosco leva ao que o sociólogo Erving Goffman, um magistral observador da interação social, chamou de um "fora", um gesto que diz à outra pessoa que "não estou interessado" no que está acontecendo aqui e agora.

Na terceira conferência *All Things D(igital)* (Todas as coisas digitais), em 2005, os anfitriões desligaram o wi-fi do salão principal por causa do brilho das telas dos laptops, indicando que as pessoas da plateia não estavam atentas à ação no palco. Estavam distantes, num estado que um dos participantes chamou de "atenção parcial contínua", uma confusão mental induzida por uma sobrecarga de input de informação dos palestrantes, das outras pessoas no ambiente e do que eles estavam fazendo em seus laptops.[8] Para combater tal foco parcial, hoje algumas empresas do Vale do Silício baniram laptops, celulares e outras ferramentas digitais durante reuniões.

Quando fica muito tempo sem conferir o celular, uma executiva da indústria editorial confessa que fica com uma "sensação irritante. A gente perde aquele barato que sente quando há uma mensagem. Sabemos que não é legal ficar checando o celular quando estamos com alguém, mas é viciante". Assim, ela e o marido têm um pacto. "Quando chegamos em casa do trabalho, guardamos os telefones numa gaveta. Se o aparelho fica na minha frente, eu fico ansiosa, simplesmente preciso conferir se não chegou nada. Mas agora tentamos estar mais presentes um para o outro. Conversamos."

O nosso foco está continuamente lutando contra distrações, tanto internas quanto externas. A questão é: o que as nossas distrações estão nos custando? Um executivo de uma empresa financeira me disse: "Quando percebo que a minha mente esteve em outro lugar durante uma reunião, me pergunto quais oportunidades eu perdi ali mesmo."

Os pacientes estão dizendo a um médico conhecido meu que estão se "automedicando" com drogas para transtorno de déficit de atenção ou narcolepsia para continuarem trabalhando. Um advogado lhe disse: "Se eu não tomasse, não conseguiria ler contratos." Antes, os pacientes precisavam de um diagnóstico para tais receitas; agora, esses medicamentos se tornaram melhoradores de desempenho rotineiros. Um número crescente de adolescentes finge ter sintomas de déficit de atenção a fim de conseguir prescrições para estimulantes, uma via química para a atenção.

E Tony Schwartz, um consultor que treina líderes sobre como administrar melhor a energia, me diz: "Fazemos as pessoas se tornarem mais conscientes do modo como usam a atenção, que é *sempre* ruim. A atenção é hoje o problema número um nas mentes dos nossos clientes."

A enxurrada de dados que nos atinge leva a atalhos desleixados, como selecionar e-mails pelo assunto, pular muitas das mensagens de voz, ler por alto mensagens e memorandos. Não é apenas que tenhamos desenvolvido hábitos de atenção que nos tornam menos eficientes, mas que o peso das mensagens nos deixa muito pouco tempo para simplesmente refletir a respeito do que elas realmente significam.

Tudo isso foi previsto há muito tempo, lá em 1977, pelo economista vencedor do Nobel Herbert Simon. Ao escrever sobre o mundo que estava se tornando rico em informações, ele alertou para o fato de que o que a informação consome é "a atenção de quem a recebe. Eis por que a riqueza de informações cria a pobreza de atenção".[9]

PARTE UM

•

A ANATOMIA DA ATENÇÃO

2

NOÇÕES BÁSICAS

Quando era adolescente, adquiri o hábito de fazer os deveres de escola ouvindo os quartetos de cordas de Béla Bartók — que eu achava ligeiramente cacofônico, mas ainda assim apreciava. De alguma forma, ignorar aqueles tons dissonantes me ajudava a me concentrar, digamos, na equação química do hidróxido de amônio.

Anos depois, quando me vi escrevendo artigos para o *New York Times*, me lembrei daquele exercício inicial de ignorar Bartók. No *Times*, eu trabalhava no meio da editoria de ciência, que naqueles anos ficava enfurnada num ambiente do tamanho de uma sala de aula, na qual haviam sido enfiadas mesas para uma dúzia de jornalistas de ciência e meia dúzia de editores.

Havia sempre um zumbido de cacofonia à Bartók. Por perto, podia haver três ou quatro pessoas conversando. Era possível entreouvir o final de uma conversa telefônica — ou várias — de repórteres fazendo entrevistas. Editores gritavam para o outro lado da sala perguntando quando um artigo estaria pronto. Eram raros, se é que havia, os sons do silêncio.

Ainda assim, nós, os jornalistas de ciência, entregávamos fielmente no horário nossos textos prontos para serem editados, dia após dia. Ninguém jamais pedia: "Por favor, façam silêncio", para poder se concentrar. Todos apenas redobrávamos nosso foco, abstraindo o barulho ao redor.

Esse foco em meio a um ruído constante indica atenção seletiva, a capacidade neural de mirar em apenas um alvo ao mesmo tempo que ignora um mar atordoante de estímulos chegando, cada um sendo ele próprio um foco potencial. Foi o que William James, um dos fundadores da psicologia moderna, quis dizer quando definiu a atenção como "a repentina tomada de posse pela mente, de forma clara e vívida, de um dos vários objetos ou linhas de pensamento que parecem simultaneamente possíveis".[1]

Há dois tipos principais de distrações: sensorial e emocional. Os distratores sensoriais são simples: enquanto lê estas palavras, você está abstraindo as margens em branco ao redor deste texto. Outro exemplo: perceba por um instante a sensação da sua língua no céu da boca — este é apenas um em meio a uma interminável onda de estímulos que seu cérebro elimina do contínuo fluxo de sons, formas e cores de fundo, sabores, cheiros, sensações e assim por diante.

Mais desanimadoras são os distratores do segundo tipo: sinais carregados emocionalmente. Embora você possa achar fácil se concentrar para responder um e-mail em meio ao zum-zum-zum de um café, se ouvir alguém dizendo seu nome (eis uma poderosa isca emocional) é quase impossível abstrair a voz que o pronunciou — a sua atração alerta automaticamente para escutar o que está sendo dito a seu respeito. Esqueça aquele e-mail.

O maior desafio até mesmo para os mais focados, no entanto, vem do tumulto emocional das nossas vidas, como o recente fim de um relacionamento que não para de interferir em seus pensamentos. Tais pensamentos entram sem pedir licença por um bom motivo: eles nos fazem pensar o que fazer sobre o que está nos incomodando. A linha divisória entre uma ruminação infrutífera e uma reflexão produtiva está no fato de chegarmos a alguma solução experimental ou algum insight que nos permita abandonar esses pensamentos — ou se, por outro lado, simplesmente continuamos obcecados em torno da mesma preocupação.

Quanto mais o nosso foco é interrompido, pior nos saímos. Por exemplo: uma pesquisa encontrou uma correlação significativa entre a tendência de atletas universitários a terem a concentração interrompida pela ansiedade e o desempenho deles na temporada seguinte.[2]

A capacidade de manter o foco em um alvo e ignorar todo o resto opera na região pré-frontal do cérebro. O circuito especializado desta área aumenta a força dos sinais em que queremos nos concentrar (*aquele e-mail*) e diminui a força do que escolhemos ignorar (*aquelas pessoas tagarelando na mesa ao lado*).

Como o foco exige que abstraiamos as distrações emocionais, nossa estrutura neural para a atenção seletiva inclui a inibição da emoção. Isso significa que quem tem melhor foco é relativamente imune a turbulências emocionais, tem mais capacidade de se manter calmo durante crises e de se manter no prumo apesar das agitações emocionais da vida.[3]

A incapacidade de abandonar um foco para tratar de outros pode deixar a mente perdida num ciclo de ansiedade crônica. Em casos clínicos extremos, isso pode significar ficar perdido no desamparo, na desesperança e na autopiedade de um quadro depressivo, ou no pânico e na ideação catastrófica de um transtorno de ansiedade, ou nas incontáveis repetições de pensamentos ou comportamentos ritualísticos (*tocar na porta cinquenta vezes antes de sair de casa*) de um transtorno obsessivo-compulsivo. A capacidade de tirar nossa atenção de uma coisa e transferi-la para outra é essencial para o nosso bem-estar.

Quanto mais poderosa é a nossa atenção seletiva, maior a nossa capacidade de nos mantermos absortos no que estamos fazendo: sermos arrebatados por uma cena de um filme ou acharmos o verso de uma poesia estimulante. Um foco poderoso permite que as pessoas se percam no YouTube ou no dever de casa a ponto de ficar indiferente a qualquer tumulto que possa estar ocorrendo por perto — ou aos pais chamando para o jantar.

É possível localizar os sujeitos focados numa festa: eles são capazes se envolver completamente numa conversa, os olhos presos à outra pessoa e completamente absortos em suas palavras — apesar do alto-falante tocando Beastie Boys a toda altura ao seu lado. Os sem foco, ao contrário, estão continuamente em ação, com os olhos gravitando para qualquer coisa que possa atraí-los, com a atenção à deriva.

Richard Davidson, neurocientista na Universidade de Wisconsin, cita o foco como uma das diversas capacidades essenciais da vida, cada uma delas baseada num sistema neural separado, que nos guiam através da turbulência de nossas vidas interiores, nossos relacionamentos e quaisquer desafios que a vida apresentar.[4]

Enquanto dura o foco seletivo, segundo Davidson, o circuito principal do córtex pré-frontal fica sincronizado com o objeto daquele feixe de consciência que ele chama de "captura de fase".[5] Se as pessoas estão focadas em apertar um botão quando ouvem determinado tom, os sinais elétricos de sua área pré-frontal disparam em sincronia precisa com o som em questão.

Quanto melhor for a sua captura, mais forte é a sua captura neural. Mas se, em vez de concentração, houver um emaranhado de pensamentos, a sincronia desaparece.[6] Basta essa queda na sincronia para distinguir as pessoas com transtorno de déficit de atenção.[7]

Aprendemos melhor com a atenção focada. Quando nos focamos no que estamos aprendendo, o cérebro situa aquela informação em meio ao que já sabemos, fazendo novas conexões neurais. Se você e um bebê dividem a atenção em relação a algo cujo nome você pronuncia, o bebê aprende esse nome. Se o foco dele divaga quando você diz o nome, ele não aprende.

Quando nossa mente divaga, nosso cérebro ativa uma porção de circuitos neurais que murmuram sobre coisas que não têm nada a ver com o que estamos tentando aprender. Sem foco, nenhuma lembrança clara do que estamos aprendendo fica armazenada.

FORA DO AR

Hora de um questionário rápido:

1. Qual é aquele termo técnico para a sincronia entre um feixe de consciência e um som que você escuta?
2. Quais são os dois principais tipos de distração?
3. Qual aspecto da atenção se correlaciona com a qualidade do desempenho dos atletas universitários?

Se você consegue responder a essas três perguntas de cabeça, esteve mantendo o foco enquanto lia — as respostas estavam algumas páginas antes (e podem ser lidas na parte de baixo desta página).*

Se você não consegue se lembrar das respostas, talvez estivesse fora do ar, de vez em quando, enquanto lia. E você não é o único a passar por isso.

A mente de um leitor divaga tipicamente entre 20% e 40% do tempo em que lê um texto. A consequência disso para os estudantes, o que não surpreende, é que, quanto mais eles divagam, menos compreendem.[8]

Mesmo quando nossas mentes não estão divagando, se o texto fica sem sentido — por exemplo, *Precisamos ganhar circo para o dinheiro*, em

---

* Respostas: 1. captura de fase; 2. sensoriais e emocionais; 3. a capacidade dos atletas de se concentrar e ignorar distrações.

vez de *Precisamos ganhar dinheiro para o circo* — cerca de 30% dos leitores continuam lendo por um bom tempo (uma média de 17 palavras) antes de identificar a troca.

Quando lemos um livro, um blog ou qualquer narrativa, nossa mente constrói um modelo mental que nos permite compreender o que estamos lendo e faz uma ligação com o universo de modelos que já temos sobre o mesmo assunto. Essa rede de compreensão em expansão é a alma da aprendizagem. Quanto mais nós divagamos enquanto construímos essa rede, e quanto mais cedo ocorre o lapso depois que começamos a ler, mais buracos teremos.

Quando lemos um livro, nosso cérebro constrói uma rede de caminhos e incorpora aquele conjunto de ideias e experiências. Comparemos essa compreensão profunda com as interrupções e distrações típicas da sempre sedutora internet. O bombardeio de textos, vídeos, imagens e miscelânea de mensagens que recebemos on-line parece o inimigo da compreensão, mais completa, que vem do que Nicholas Carr chama de "leitura profunda", a qual exige que o leitor se concentre constantemente e mergulhe num assunto, em vez de ficar pulando de um tema a outro, beliscando factoides desconexos.[9]

Conforme a educação migra para formatos baseados na web, cresce o perigo de que a massa multimídia de distrações que chamamos de internet prejudique a aprendizagem. Lá atrás, nos anos 1950, o filósofo Martin Heidegger alertou contra uma crescente "maré de revolução tecnológica" que poderia "cativar, enfeitiçar, deslumbrar e divertir o homem de tal forma que o pensamento computacional pode algum dia se tornar... a única forma de pensar".[10] Isso viria com a perda do "pensamento meditativo", uma forma de reflexão que ele via como a essência da nossa humanidade.

Escuto o alerta de Heidegger nos termos do declínio de uma capacidade central à reflexão, a capacidade de manter a atenção numa narrativa em andamento. Pensar profundamente exige manter a mente focada. Quanto mais distraídos estamos, mais superficiais são as nossas reflexões. Da mesma forma, quanto mais curtas as nossas reflexões, mais triviais elas tendem a ser. Caso estivesse vivo hoje, Heidegger ficaria horrorizado se lhe pedissem para tuitar.

A ATENÇÃO ENCOLHEU?

Uma banda de suingue de Xangai toca música *lounge* numa sala de convenções suíça lotada, com centenas de pessoas andando de um lado para outro. No meio do público superagitado, absolutamente imóvel numa pequena mesa de bar redonda, Clay Shirky está mergulhado em seu laptop, digitando furiosamente.

Conheci Clay, especialista em mídias sociais vinculado à New York University, há alguns anos, mas raramente tenho a oportunidade de encontrá-lo pessoalmente. Durante vários minutos fico parado a cerca de um metro de distância de Clay, à sua direita, o observando — posicionado em sua visão periférica, para o caso de ele ter alguma amplitude de atenção sobrando. Mas Clay não percebe nada até eu dizer seu nome. Então, espantado, levanta os olhos e começamos a conversar.

A atenção é uma capacidade limitada: a concentração arrebatada de Clay chega ao seu limite, até que ele a desvia para mim.

"Sete mais ou menos dois" blocos de informação são considerados o limite máximo do raio de atenção desde os anos 1950, quando George Miller propôs o que chamou de "número mágico" num dos artigos mais influentes da psicologia.[11]

Mais recentemente, porém, alguns cientistas cognitivos argumentaram que quatro blocos são o limite máximo.[12] Isso chamou a atenção limitada do público (por um breve instante, pelo menos), quando o novo meme espalhou que a capacidade mental havia encolhido de sete para quatro fragmentos de informação. "Encontrado o limite da mente: quatro fragmentos de informação", proclamou um site de notícias científicas.[13]

Houve quem interpretasse a suposta redução do que podemos guardar na mente como indicativo da distração da vida cotidiana no século XXI, censurando o encolhimento dessa capacidade mental fundamental. Mas os dados foram mal interpretados.

"A memória de trabalho não encolheu", disse Justin Halberda, cientista cognitivo da Universidade Johns Hopkins. "Não é que a TV tenha tornado a nossa memória de trabalho menor" — que nos anos 1950 todos tivéssemos um limite máximo de sete mais ou menos dois fragmentos de informação e agora tenhamos apenas quatro.

"A mente tenta aproveitar ao máximo seus recursos limitados", explicou Halberda. "Assim, nós usamos estratégias que ajudam" — como combinar diferentes elementos, como 4, 1 e 5 num único bloco, o código de área 415. "Quando realizamos uma tarefa de memória, o resultado pode ser sete mais ou menos dois fragmentos. Mas isso resulta num limite fixo de quatro, mais três ou quatro mais o que as estratégias de memória acrescentam. Assim, tanto quatro quanto sete estão corretos, dependendo de como medimos."

Então, há o que muita gente considera "dividir" a atenção em multitarefas, o que a ciência cognitiva nos mostra ser uma ficção também. Em vez de ter um balão de atenção elástico para usar em conjunto, temos um canal fixo e estreito para repartir. Em vez de dividi-la, nós, na realidade, trocamos rapidamente. Essa troca enfraquece a atenção do envolvimento completo e concentrado.

"O recurso mais precioso de um sistema de computador não é mais o processador, a memória, o disco ou a rede, mas a atenção humana", aponta um grupo de pesquisa da Universidade Carnegie Mellon.[14] A solução proposta pelo grupo para esse gargalo humano depende de minimizar as distrações: o Projeto Aura propõe nos livrarmos de pequenas falhas chatas de sistema, para não perdermos tempo com transtornos.

O objetivo de um sistema de computadores livre de problemas é louvável. Esta solução, no entanto, pode não nos levar tão longe: não precisamos de uma solução tecnológica, mas cognitiva. A fonte das distrações não na tecnologia que usamos, mas no ataque frontal à nossa capacidade de concentração, por parte de uma crescente maré de distrações.

O que me leva de volta a Clay Shirky e especialmente à sua pesquisa sobre mídias sociais.[15] Embora nenhum de nós possa focar em tudo ao mesmo tempo, todos juntos criamos uma amplitude coletiva de atenção que podemos acessar individualmente quando necessário. Como a Wikipédia.

Como Shirky afirma em seu livro *Lá vem todo mundo*, a atenção pode ser vista como uma capacidade distribuída entre muitas pessoas, assim como a memória ou qualquer expertise cognitiva. Os temas da moda indexam como estamos alocando nossa atenção coletiva. Embora alguns argumentem que a aprendizagem e a memória facilitadas pela tecnologia nos emburrecem, também é possível afirmar que eles podem criar uma prótese mental que expanda o poder da atenção individual.

Nosso capital social — e o alcance da nossa atenção — se amplia conforme aumentamos o número de laços sociais através dos quais recebemos informações essenciais, como conhecimento tácito de "como as coisas funcionam por aqui", seja numa organização ou numa nova vizinhança. Conhecidos casuais podem funcionar como pares de olhos e ouvidos extras no mundo, fontes-chave da orientação de que precisamos para funcionar em complexos ecossistemas sociais e de informação. A maioria de nós tem um punhado de laços fortes — amigos próximos e de confiança —, mas podemos ter centenas dos tais laços fracos (por exemplo, nossos "amigos" do Facebook). Laços fracos têm muito valor como multiplicadores da nossa capacidade de atenção, e como fonte de dicas para boas oportunidades de compras, possibilidades de empregos e parceiros amorosos.[16]

Quando coordenamos o que vemos e o que sabemos, nossos esforços conjuntos multiplicam nossa riqueza cognitiva. Embora a qualquer momento nossa quota de memória de trabalho se mantenha pequena, o total de dados que podemos transferir por essa amplitude limitada se torna imenso. Essa inteligência coletiva, a soma total do que todos podem contribuir num grupo distribuído, promete foco máximo, a soma do que múltiplos olhos são capazes de perceber.

Um centro de pesquisa sobre inteligência coletiva do MIT vê esta capacidade emergente como incitada pelo compartilhamento da atenção na Internet. O exemplo clássico: milhões de sites lançam seus destaques junto a pequenos nichos — e uma busca na web seleciona e direciona nosso foco de modo que podemos colher todo aquele trabalho cognitivo com eficiência.[17]

A questão básica do grupo do MIT: "Como podemos conectar pessoas e computadores para agirmos coletivamente com mais inteligência do que qualquer pessoa ou grupo isolado?"

Ou, como dizem os japoneses: "Todos somos mais inteligentes do que qualquer um de nós."

VOCÊ AMA O QUE FAZ?

A grande questão: quando acorda de manhã, você fica feliz em ir trabalhar, estudar ou fazer o que quer que ocupe o seu dia?

Uma pesquisa conduzida por Howard Gardner, de Harvard, William Damon, de Stanford, e Mihaly Csikszentmihalyi, de Claremont, se concentrou no que eles chamam de "bom trabalho", uma mistura poderosa daquilo em que as pessoas são excelentes, do que as engaja e da sua ética — aquilo em que acreditam ter importância.[18] Essas são vocações altamente absorventes: as pessoas amam o que fazem. Absorção total no que fazemos é bom, e o prazer é o marcador emocional para a entrega.

As pessoas raramente se entregam na vida cotidiana.[19] Ao fazer amostragens aleatórias dos humores das pessoas, descobrimos que, na maior parte do tempo, elas estão ou estressadas ou entediadas, apenas com períodos ocasionais de entrega. Somente cerca de 20% das pessoas têm momentos de entrega pelo menos uma vez por dia. Aproximadamente 15% das pessoas jamais entram em estado de entrega durante um dia típico.

Um segredo para se ter mais entrega na vida é alinhar o que fazemos com o que gostamos, como ocorre com aqueles felizardos cujos empregos lhes dão muito prazer. Pessoas de sucesso em qualquer área — os sortudos, de qualquer maneira — acertaram nessa combinação.

Além de uma mudança de carreira, há vários caminhos para a entrega. Um desses se abre quando encontramos uma atividade que desafia nossa capacidade ao máximo — uma demanda "apenas administrável" pelas nossas competências. Outra porta de entrada se abre através daquilo por que somos apaixonados. A motivação nos faz fluir. De qualquer forma, o caminho final em comum é o foco total: são ambos caminhos para ampliar a atenção. Não importa como se chega lá, um foco equilibrado dá a partida na entrega.

Esse estado ideal do cérebro para realizar bem um trabalho é marcado pela harmonia neural — uma interconexão rica de diversas áreas do cérebro.[20] Nesse estado, os circuitos necessários para a tarefa em questão estão altamente ativos enquanto os irrelevantes se mantêm inativos, com o cérebro precisamente direcionado às exigências do momento. Quando nossos cérebros estão nessa zona ideal, nos entregamos, desempenhando da melhor maneira possível qualquer que seja nosso objetivo.

Pesquisas em locais de trabalho, no entanto, demonstram que um grande número de pessoas se encontra num estado cerebral muito diferente: sonham acordadas, desperdiçam horas navegando na Internet ou no YouTube e fazem o mínimo necessário. Sua atenção se dispersa. Tamanhas desmotivação e indiferença ocorrem em demasia, principalmente entre trabalhos repetitivos e pouco exigentes. Para aproximar o trabalhador desmotivado do campo do foco, é preciso elevar sua motivação e seu entusiasmo, evocando um senso de propósito e acrescentando uma dose de pressão.

Por outro lado, outro grupo grande está preso no estado que os neurobiólogos chamam de "exaustão", em que o estresse constante sobrecarrega o sistema nervoso com montes de cortisol e adrenalina. A atenção dessas pessoas se fixa nas preocupações, não no trabalho. Essa exaustão emocional pode levar ao esgotamento.

O foco total nos dá uma entrada para a entrega. Mas quando optamos por nos focar em uma coisa e ignorar o resto, revelamos uma tensão constante — normalmente invisível — entre uma grande divisão neural, em que a parte de cima do cérebro briga com a parte de baixo.

3

ATENÇÃO SUPERIOR E ATENÇÃO INFERIOR

"Voltei minha atenção ao estudo de algumas questões aritméticas, aparentemente sem muito sucesso", escreveu Henri Poincaré, matemático francês do século XIX. "Aborrecido com meu fracasso, decidi passar alguns dias à beira-mar."[1]

Numa manhã, durante uma caminhada num penhasco acima do mar, ele de repente teve o insight "de que as transformações aritméticas de formas ternárias quadráticas indeterminadas eram idênticas àquelas da geometria não euclidiana".

As especificidades dessa prova não são relevantes aqui (felizmente: eu não conseguiria sequer começar a compreender a matemática). O que é intrigante a respeito dessa iluminação é *como* Poincaré chegou a ela: com "brevidade, rapidez e certeza imediata". Ele foi tomado de surpresa.

A história da criatividade é repleta de casos semelhantes. Karl Gauss, um matemático do século XVIII, empenhou-se para provar um teorema durante quatro anos, sem solução. No entanto, um dia, a resposta veio a ele "tão rápido quanto um clarão de luz". Não soube descrever o fio de pensamento que ligava os anos de trabalho duro àquele lampejo.

Por que a surpresa? Nosso cérebro tem dois sistemas mentais semi-independentes, amplamente separados. Um tem grande capacidade computacional e trabalha constantemente, funcionando silenciosamente para resolver nossos problemas, nos surpreendendo com uma solução repentina para raciocínios complexos. Como trabalha além do horizonte da percepção consciente, não enxergamos seu funcionamento. Este sistema nos apresenta o fruto de seus vastos trabalhos como se surgissem do nada, numa profusão de formas, seja guiando a sintaxe de uma frase ou construindo provas matemáticas extremamente complexas.

Esta atenção do fundo da mente costuma se tornar o centro do foco quando acontece o inesperado. Você está falando ao celular enquanto dirige (a parte da direção está no fundo da mente) e de repente uma buzina faz você se dar conta de que o farol ficou verde.

Muito dessa estrutura neural fica na parte inferior do nosso cérebro, no circuito subcortical, embora os frutos de seus esforços venham à consciência ao sair lá de baixo e avisar nosso neocórtex, ou seja, as camadas mais altas do cérebro. Através de suas reflexões, Poincaré e Gauss colheram progressos das camadas mais baixas do cérebro.

"De baixo para cima", ou "ascendente", se tornou a expressão da ciência cognitiva para tais funcionamentos desta máquina neural da parte inferior do cérebro.[2] Da mesma forma, "de cima para baixo", ou "descendente", se refere à atividade mental, principalmente no neocórtex, que pode monitorar e impor seus objetivos ao funcionamento subcortical. É como se houvesse duas mentes trabalhando.

A mente de baixo para cima é:

- mais veloz em tempo cerebral, que opera em milissegundos;
- involuntária e automática: está sempre ligada;
- intuitiva, operando através de redes de associação;
- impulsiva, movida pelas emoções;
- executora de nossas rotinas habituais e guia de nossas ações;
- gestora de nossos modelos mentais do mundo.

Em contrapartida, a mente de cima para baixo é:

- mais lenta;
- voluntária;
- esforçada;
- a sede do autocontrole, que pode (às vezes) suplantar rotinas automáticas e anular impulsos com motivações emocionais;
- capaz de aprender novos modelos, fazer novos planos e assumir o controle do nosso repertório automático — até certo ponto.

A atenção voluntária, a força de vontade e a escolha intencional envolvem operações mentais de cima para baixo. A atenção reflexiva, o impulso e os hábitos rotineiros envolvem operações mentais de baixo para cima (assim como a atenção capturada por uma roupa estilosa ou um anúncio criativo). Quando decidimos entrar em sintonia com a beleza de um pôr do sol, nos concentrar no que estamos lendo ou conversar com alguém, entramos em uma modalidade de funcionamento descendente. O olhar da nossa mente executa uma dança contínua entre a atenção capturada por estímulos e o foco voluntariamente direcionado.

O sistema ascendente é multitarefa, acompanha uma profusão de informações em paralelo, incluindo detalhes do que nos cerca e que ainda não entraram completamente em foco. Ele analisa o que está em nosso campo de percepção antes de nos deixar saber o que selecionou como relevante para nós. Nossa mente descendente leva mais tempo para deliberar sobre o que lhe é apresentado, avaliando uma coisa de cada vez e aplicando análises mais ponderadas.

Através do que equivale a uma ilusão de ótica da mente, aceitamos o que está na nossa consciência para igualar o total das operações da mente. Mas, na realidade, a maioria absoluta das operações mentais ocorre nos bastidores da mente, em meio ao funcionamento dos sistemas ascendentes.

Muito (alguns dizem que tudo) do que a mente descendente acredita ter escolhido focalizar, pensar e fazer são na realidade planos ditados pelos circuitos ascendentes. Se isso fosse um filme, o psicólogo Daniel Kahneman observa ironicamente, a mente descendente seria uma "personagem coadjuvante que se vê como a heroína".[3]

Voltando milhões de anos na evolução, os velozes e reflexivos circuitos ascendentes favorecem o pensamento em curto prazo, o impulso e as decisões rápidas. Os circuitos descendentes, na frente e na parte de cima do cérebro, são uma adição posterior, com maturação plena ocorrida há meras centenas de milhares de anos.

As conexões descendentes acrescentam talentos como autoconsciência, reflexão, deliberação e planejamento ao repertório das nossas mentes. Esse foco intencional oferece à mente uma alavanca para administrar nosso cérebro. Enquanto desviamos nossa atenção de uma tarefa, plano, sensação etc. a outras coisas, o circuito cerebral relacionado se acende. Traz à mente a lembrança feliz de uma dança, e os neurônios da alegria e do movimento ganham vida. Com a recordação do funeral de alguém amado, o circuito da tristeza é ativado. O ensaio mental de uma tacada de golfe faz com que os axônios e os dendritos que orquestram esses movimentos se conectem com um pouco mais de força.

O cérebro humano está entre os designs bons o bastante, mas não perfeitos, da evolução.[4] Os mais antigos sistemas ascendentes do cérebro aparentemente trabalharam bem durante a maior parte da pré-história humana — mas seu design provoca alguns problemas hoje. Em quase tudo na vida, o sistema mais antigo dá conta do recado, normalmente para nossa vantagem, mas às vezes em nosso detrimento: gastos em excesso, vícios e direção irresponsável em alta velocidade são sinais desse sistema fora de compasso.

As exigências de sobrevivência do começo da evolução equiparam nossos cérebros com programas ascendentes destinados a procriação e criação de filhos, para o que é prazeroso e o que é desagradável, para correr do perigo ou na direção do alimento e coisas do gênero. Avancemos para o mundo bastante diferente de hoje: frequentemente precisamos navegar a vida de cima para baixo apesar da constante contracorrente de caprichos e impulsos de baixo para cima.

Um fator surpreendente faz constantemente a balança pender para o sistema ascendente: o cérebro economiza energia. Esforços cognitivos como aprender a usar sua última atualização tecnológica demandam atenção ativa, a um custo de energia. Mas quanto mais passamos por uma rotina inicialmente desconhecida, mais ela se transforma em hábitos arraigados e se deixa dominar pelo circuito ascendente, especialmente as redes neurais nos gânglios da base, uma massa do tamanho de uma bola de golfe aninhada na parte de baixo do cérebro, logo acima da medula espinhal. Quanto mais praticamos uma rotina, mais um gânglio da base a assume de outras partes do cérebro.

Os sistemas ascendente e descendente distribuem tarefas mentais entre eles para que consigamos fazer o mínimo de esforço e obtenhamos ótimos resultados. Conforme a familiaridade torna uma rotina mais fácil, ela passa de descendente a ascendente. Da forma como vivemos essa transferência neural, cada vez precisamos prestar menos atenção — e, afinal, nenhuma atenção —, até que ela se torna automática.

O auge do automatismo pode ser visto quando a expertise gera um bom resultado de atenção sem esforço para uma alta demanda, seja numa partida de xadrez profissional, numa corrida da Nascar ou na elaboração de um quadro a óleo. Se não praticamos o suficiente, tudo isso exigirá foco deliberado. Mas se dominamos as habilidades necessárias a um nível que se equipara à demanda, elas não exigirão qualquer esforço cognitivo extra — liberando nossa atenção para os extras encontrados apenas por quem está nos níveis mais altos.

Como atestam campeões mundiais, nos níveis mais altos, quando seus oponentes praticaram tantas milhares de vezes quanto você, qualquer competição se torna um jogo mental: o seu estado mental determina o quanto você conseguirá focar e quão bem poderá se sair. Quanto mais puder relaxar e confiar nos movimentos ascendente, mais liberada ficará a mente para ser ágil.

Consideremos, por exemplo, os grandes *quarterbacks* de futebol americano que têm o que os analistas esportivos chamam de "grande capacidade de enxergar o campo": eles conseguem ler as formações defensivas dos times adversários para perceber suas intenções de movimento e, quando a jogada começa, se ajustam instantaneamente a esses movimentos, ganhando um ou dois segundos valiosos para escolher um jogador livre e fazer um passe. Tal "visão" exige enorme prática, para que o que inicialmente exige muita atenção — *desviar daquele jogador* — ocorra automaticamente.

De uma perspectiva de computação mental, encontrar um jogador a quem dar um passe sob a pressão de vários corpos de mais de 100 quilos correndo na sua direção de diferentes ângulos não é pouca coisa: o *quarterback* precisa ter sempre em mente as linhas de passe de vários receptadores em potencial ao mesmo tempo que processa e reage aos movimentos de todos os 11 jogadores oponentes — um desafio que é mais bem administrado por circuitos ascendentes quando bem ensaiados (e que seria esmagador, caso ele tivesse de pensar conscientemente cada movimento).

RECEITA PARA UM FRACASSO

Lolo Jones estava ganhando a corrida de obstáculos de 100 metros na categoria feminina, rumo a uma medalha de ouro nas Olimpíadas de 2008 em Pequim. Na liderança, estava vencendo os obstáculos sem esforço — até que alguma coisa deu errado.

Inicialmente, foi muito sutil: ela teve a sensação de que os obstáculos estavam vindo em sua direção muito rapidamente. Com isso, Jones pensou: "Cuidado para não relaxar na sua técnica... Tenha certeza de que suas pernas estão afiadíssimas."

Pensando assim, ela se esforçou demais, ficando um pouco mais tensa do que o necessário — e atingiu o nono dos dez obstáculos. Jones terminou em sétimo lugar e caiu na pista aos prantos.[5]

Quando estava prestes a tentar novamente nas Olimpíadas de 2012 em Londres (onde acabou terminando a corrida dos 100 metros em quarto lugar), Jones conseguia se lembrar daquele momento de derrota com clareza absoluta. E se você perguntasse aos neurocientistas, conseguiriam diagnosticar o erro com igual certeza: quando ela começou a pensar nos detalhes da técnica em vez de simplesmente deixar o trabalho para os circuitos motores que haviam praticado aqueles movimentos até dominá-los, Jones deixou de confiar em seu sistema ascendente e assim abriu a porta para que o sistema descendente começasse a interferir.

Estudos do cérebro demonstram que um atleta campeão começar a pensar em técnica durante o desempenho é uma receita certa para o fracasso. Quando craques de futebol correm com uma bola contornando cones de trânsito — e precisam pensar qual lado do pé está controlando a bola —, cometem mais erros.[6] O mesmo acontece quando jogadores de beisebol tentam identificar se o taco está se movendo para cima ou para baixo durante a tacada de uma bola.

O córtex motor, que num atleta experiente tem esses movimentos profundamente gravados em seus circuitos graças a milhares de horas de treino, funciona melhor quando funciona sozinho. Quando o córtex pré-frontal é ativado e começamos a pensar em como estamos nos saindo — ou, pior, em como fazer o que estamos fazendo —, o cérebro entrega parte do controle a circuitos que sabem pensar e se preocupar, mas não sabem como realizar o movimento em si. Seja nos 100 metros, no futebol ou no beisebol, esta é uma receita universal para tropeçar.

É por isso que, como me diz Rick Aberman, que gerencia altas performances do time de beisebol Minnesota Twins: "O treinador rever jogadas de um jogo anterior focando apenas no que *não* deve ser feito é uma receita para os jogadores se saírem mal."

Isso não ocorre apenas nos esportes. Fazer amor é algo que vem à mente como outra atividade em que analisar demais atrapalha. Um artigo de jornal sobre "efeitos irônicos de tentar relaxar sob estresse" sugere ainda outro exemplo: o esforço intencional para relaxar.[7]

Relaxar e fazer amor funcionam melhor quando simplesmente deixamos as coisas acontecerem — não tentamos forçá-las. O sistema nervoso parassimpático, que entra em campo durante essas atividades, normalmente age independentemente do executivo do nosso cérebro, que pensa nelas.

Edgar Allan Poe apelidou a infeliz tendência mental de trazer à tona algum tema sensível que se decidiu não mencionar como "o demônio da perversidade". Um artigo adequadamente intitulado "Como pensar, dizer ou fazer exatamente a pior coisa para qualquer ocasião", do psicólogo de Harvard Daniel Wegner, explica o mecanismo cognitivo que anima esse demônio.[8]

Wegner descobriu que erros aumentam de acordo com o grau em que estamos distraídos, estressados ou de alguma outra forma sobrecarregados mentalmente. Nessas circunstâncias, um sistema de controle cognitivo que normalmente monitora erros que possamos cometer (como *não falar sobre aquele assunto*) pode inadvertidamente agir como um apogeu mental, aumentando a probabilidade exatamente desse erro (como *falar sobre aquele assunto*).

Quando Wegner fez com que voluntários experimentais tentassem *não* pensar numa palavra em particular, e então os pressionava para responder rapidamente a uma tarefa de associação de palavras, eles frequentemente respondiam justamente com a palavra proibida.

Sobrecarregar a atenção entorpece o controle mental. É nos momentos em que nos sentimos mais estressados que nos esquecemos de nomes de pessoas que conhecemos bem, sem falar em seus aniversários, aniversários de casamento e outras informações socialmente cruciais.[9]

Mais um exemplo: obesidade. Pesquisadores descobriram que a prevalência da obesidade nos Estados Unidos ao longo dos últimos trinta anos acompanha a explosão dos computadores e dos equipamentos tecnológicos na vida das pessoas — e suspeitam que não seja uma relação acidental. A vida imersa em distrações digitais cria uma quase constante sobrecarga cognitiva. E essa sobrecarga mina o autocontrole.

Esqueça aquela determinação em fazer dieta. Perdidos no mundo digital, vamos irracionalmente em busca das batatas Pringles.

O ERRO DESCENDENTE

Uma pesquisa feita entre psicólogos perguntava se poderia haver "alguma coisa incômoda" que eles não compreendiam sobre si mesmos.[10]

Um disse que por duas décadas ele havia estudado o quanto o clima ruim faz com que toda a vida de alguém pareça triste, a menos que a pessoa tome consciência do quanto o clima ruim piora seu humor, mas que mesmo que compreendesse tudo isso, céus cinzentos ainda o faziam se sentir mal.

Outro se mostrou intrigado com sua compulsão por escrever artigos que demonstram como algumas pesquisas são muito mal orientadas e como ele continua fazendo isso mesmo que nenhum pesquisador relevante tenha prestado muita atenção.

E um terceiro disse que, embora tenha estudado a "tendência de percepção exagerada masculina" — a interpretação equivocada da cordialidade de uma mulher como interesse romântico —, ele ainda sucumbe a essa tendência.

O circuito ascendente aprende vorazmente — e em silêncio —, absorvendo lições continuamente ao longo do dia. Esse aprendizado implícito nunca precisa se tornar consciente, embora funcione como um leme na vida, para o bem e para o mal.

O sistema automático funciona bem na maior parte do tempo: sabemos o que está acontecendo e o que fazer, e somos capazes de atravessar as exigências do dia bem o bastante enquanto pensamos em outras coisas. Mas este sistema também tem suas fraquezas: nossas emoções e motivações criam distorções e desvios em nossa atenção que normalmente não percebemos, e não percebemos que não percebemos.

A ansiedade social, por exemplo. Em geral, pessoas ansiosas se fixam em qualquer coisa que seja vagamente ameaçadora. As pessoas com ansiedade social se voltam compulsivamente para o menor sinal de rejeição, como uma fugaz expressão de desagrado no rosto de alguém — um reflexo da suposição habitual de que elas são socialmente fracassadas. A maior parte dessas transações emocionais ocorre fora da consciência, levando as pessoas a evitar situações em que possam ficar ansiosas.

Um método engenhoso para remediar essa inclinação de baixo para cima é tão sutil que as pessoas não têm ideia de que seus padrões de atenção estão sendo reprogramados (da mesma forma como não faziam ideia de que aquela primeira programação estava sendo feita quando a adquiriram). Chamada modificação cognitiva do comportamento, esta terapia invisível faz pessoas que sofrem de grave ansiedade social olharem para fotos de uma plateia — e são orientadas a apertar um botão o mais rapidamente possível quando surgem flashes de luz.[11]

Os flashes nunca aparecem nas áreas ameaçadoras das fotos, como expressões carrancudas. A intervenção se mantém em segredo, sem entrar na consciência. Porém, ao longo de várias sessões, o circuito de baixo para cima aprende a dirigir a atenção a sinais não ameaçadores. Embora as pessoas nem desconfiem da sutil reprogramação de sua atenção, o nível de ansiedade delas em situações sociais diminui.[12]

Este é um uso benigno desse circuito. Há também a propaganda. As tradicionais estratégias para obter atenção em um mercado saturado — o que há de novo, o que há de melhor, o que há de surpreendente — ainda funcionam. Porém, uma míni-indústria de estudos do cérebro a serviço do marketing gerou estratégias baseadas na manipulação da nossa mente inconsciente. Um desses estudos descobriu, por exemplo, que se são mostrados artigos de luxo às pessoas ou se elas apenas são levadas a pensar em itens de luxo, se tornam mais autocentradas em suas decisões.[13]

Uma das áreas mais ativas da pesquisa sobre escolhas inconscientes está centrada no que nos faz ir em busca de algum produto quando vamos às compras. Os marqueteiros querem saber como mobilizar nosso cérebro de baixo para cima.

Uma pesquisa de marketing, por exemplo, descobriu que quando as pessoas são expostas a alguma bebida ao lado de rostos sorridentes que vão passando numa tela rápido demais para a imagem ser registrada conscientemente — embora seja percebida pelos sistemas ascendentes —, elas bebem mais do que quando essas imagens fugazes são de rostos irritados.

Uma revisão dessa pesquisa concluiu que somos "massivamente inconscientes" dessas forças sutis de marketing, mesmo quando elas definem a forma como compramos.[14] A percepção de baixo para cima nos transforma em trouxas vulneráveis a influências externas por meio de estímulos subconscientes.

Atualmente, a vida parece regida pelo impulso num grau preocupante. Uma inundação de anúncios publicitários nos estimula, de baixo para cima, a desejarmos uma infinidade de bens e a gastarmos hoje sem pensar em como pagaremos amanhã. Para muitos, o reino do impulso vai além dos gastos e empréstimos excessivos, chega ao ponto do comer excessivo ou de outros hábitos característicos de adições — como entupir-se de doces ou passar horas intermináveis olhando fixamente para algum tipo de tela digital.

SEQUESTROS NEURAIS

Ao entrar no escritório de alguém, qual a primeira coisa que você nota? Eis uma pista do que está guiando o seu foco de baixo para cima naquele momento. Se estiver com algum objetivo financeiro, poderá imediatamente perceber um gráfico de receitas na tela do computador. Se tiver aracnofobia, irá se fixar naquela teia empoeirada no canto da janela.

São escolhas subconscientes da atenção. Tal captura da atenção ocorre quando o circuito da amígdala, a sentinela do cérebro para significados emocionais, encontra algo que considera importante. Aranhas, expressões irritadas ou bebês fofos dão uma ideia das configurações do cérebro para tais interesses instintivos.[15] Esta estrutura do sistema ascendente, situada no mesencéfalo, reage muito mais rapidamente em tempo neural do que a região pré-frontal descendente, enviando sinais para cima a fim de ativar caminhos corticais mais altos, que alertam os centros executivos (relativamente) lentos para despertarem e prestarem atenção.

Os mecanismos de atenção do nosso cérebro evoluíram ao longo de centenas de milhares de anos para sobreviverem com unhas e dentes numa selva onde ameaças se aproximavam de nossos ancestrais dentro de um conjunto de fatores e de um alcance visual específicos — algum ponto entre o bote de uma cobra e a velocidade de um tigre saltando. Os nossos ancestrais cujas amígdalas eram rápidas o bastante para ajudá-los a se esquivar daquela cobra e fugir daquele tigre passaram seu design neural para nós.

Cobras e aranhas, dois animais que o cérebro humano parece preparado para perceber com susto, chamam a atenção mesmo quando suas imagens são exibidas tão rapidamente que não temos noção consciente de tê-los visto. Os circuitos ascendentes os percebem mais rapidamente do que objetos neutros e nos mandam um alarme (se exibirmos essas imagens a um especialista em cobras ou aranhas, ele também terá sua atenção capturada — mas sem sinal de susto).[16]

O cérebro considera impossível ignorar expressões emocionais, principalmente as de irritação.[17] Expressões irritadas têm supersaliência: o cérebro ascendente monitora o que está acontecendo longe dos holofotes da atenção consciente, perscrutando continuamente em busca de ameaças. Examine uma multidão e alguém com a expressão irritada irá se destacar. A parte de baixo do cérebro identificará inclusive um personagem de desenho animado com sobrancelhas em forma de V (como os meninos do South Park) mais rapidamente do que um rosto feliz.

Somos programados para prestar atenção reflexiva a "estímulos supernormais", quer seja por segurança, nutrição ou sexo — da mesma forma que um gato não consegue deixar de caçar um rato falso preso a um fio. No mundo atual, anúncios publicitários que agem sobre essas mesmas inclinações pré-programadas também nos cutucam no sistema ascendente, conquistando nossa atenção reflexiva. Basta vincular sexo ou prestígio a um produto e é possível ativar esses mesmos circuitos para nos influenciar a comprar por motivos que sequer percebemos.

Nossas propensões particulares nos tornam ainda mais vulneráveis. Alcoólatras ficam fascinados por anúncios de vodca; depravados, por pessoas sensuais num comercial turístico.

Isso é atenção ascendente pré-selecionada. Essa busca por foco de baixo dos nossos circuitos neurais é automática, uma escolha involuntária. Somos mais suscetíveis a emoções guiarem nosso foco dessa maneira quando nossas mentes estão vagando, quando estamos distraídos ou quando estamos sobrecarregados de informação — ou todas as três alternativas.

Então nossas emoções saem do controle. Ontem, eu estava escrevendo exatamente este texto, sentado diante do computador, quando do nada senti uma crise de dor incapacitante na lombar. Talvez não tenha sido do nada: vinha se formando silenciosamente desde a manhã. Mas, sentado à mesa de trabalho, a dor de repente tomou conta do meu corpo, indo da parte baixa da espinha até os centros de dor do meu cérebro.

Quando tentei me levantar, a pontada de dor foi tão forte que me encolhi de novo na cadeira. E, pior, minha mente começou a pensar em tudo de pior que poderia acontecer: "Isso vai me deixar aleijado para o resto da vida", "Vou precisar tomar injeções de esteroides regularmente"... e essa linha de pensamento levou minha mente em pânico a se lembrar de que um fungo numa indústria farmacêutica mal administrada havia levado à morte 27 pacientes por meningite depois de tomarem justamente essas injeções.

Acontece que eu havia acabado de apagar um bloco de texto sobre um ponto relacionado, que pretendia mover para mais ou menos esta parte do livro. Mas com a atenção voltada à dor e à preocupação, me esqueci completamente do que estava fazendo — e o bloco de texto desapareceu num buraco negro. Quando somos dominados por fortes emoções, elas guiam nosso foco, fixando nossa atenção no que é mais perturbador e fazendo com que nos esqueçamos do resto.

Sequestros emocionais como este são disparados pela amígdala, o radar de ameaças do cérebro, que está constantemente rastreando o entorno em busca de perigos. Quando esses circuitos encontram uma ameaça (ou o que poderia ser uma ameaça — pois frequentemente se enganam), uma ampla via de circuitos neuronais subindo para as áreas pré-frontais envia um bombardeio de sinais que faz com que a parte mais baixa do cérebro guie a parte mais alta: nossa atenção se estreita, colada ao que está nos perturbando; nossa memória se reembaralha, tornando mais fácil recordar qualquer coisa que seja relevante à ameaça em questão. E nosso corpo entra em marcha acelerada enquanto uma enxurrada de hormônios do estresse prepara nossos membros para lutar ou correr. Nós nos fixamos naquilo que é perturbador e esquecemos o resto.

Quanto mais forte a emoção, maior a nossa fixação. Os sequestros emocionais são a supercola da atenção. Mas a questão é: por quanto tempo nosso foco se mantém capturado? Acontece que isso depende do poder da região pré-frontal esquerda para acalmar a amígdala excitada.

Essa ampla via neuronal da amígdala à região pré-frontal tem ramificações para a esquerda e para a direita do córtex pré-frontal. Quando somos emocionalmente sequestrados, os circuitos da amígdala capturam o lado direito e assumem o comando. Mas o lado esquerdo pode enviar sinais para baixo a fim de suavizar o sequestro.

A resiliência emocional se resume à rapidez com que conseguimos nos recuperar de problemas nesses casos. Pessoas altamente resilientes —

que reagem imediatamente — podem ter até trinta vezes mais ativações da região pré-frontal esquerda do que as que são menos resilientes.[18] A boa notícia é que, como veremos na Parte Cinco, podemos aumentar a força do circuito pré-frontal esquerdo, capaz de tranquilizar a amígdala.

A VIDA NO AUTOMÁTICO

Meu amigo e eu estamos concentrados numa conversa num restaurante lotado, já no final do almoço. Ele está imerso na própria narrativa, falando de um momento particularmente intenso que viveu recentemente.

Ele está tão focado em me contar sua história que ainda não terminou de comer. Meu prato já está vazio há um tempo.

A essa altura, a garçonete vem até nossa mesa e lhe pergunta: "O senhor está satisfeito com o almoço?"

Ele mal percebe a presença dela e resmunga um indiferente "Não, ainda não", e continua a contar sua história sem dar uma pausa sequer.

É claro que a resposta do meu amigo não foi para o que a garçonete realmente perguntou, mas para o que garçons *normalmente* perguntam a essa altura de uma refeição: "O senhor já terminou?"

Esse pequeno engano tipifica o ponto negativo de uma vida conduzida pelos sistemas ascendentes, no automático: deixamos passar o instante da forma como ele realmente nos chega, apenas reagindo a partir de um modelo fixo de deduções sobre o que está acontecendo. E perdemos a graça do momento:

Garçom: "O senhor está satisfeito com o almoço?"

Cliente: "Não, ainda não."

Na época em que em muitos escritórios era comum que se formasse uma longa fila para usar a copiadora, a psicóloga de Harvard Ellen Langer pediu que algumas pessoas fossem até o começo da fila e dissessem simplesmente: "Preciso fazer algumas cópias."

É claro que todo mundo na fila estava lá para fazer cópias também. No entanto, com bastante frequência, quem estava no primeiro lugar da fila deixava essa pessoa passar na frente. Isso, diz Langer, exemplifica a desatenção, a atenção no automático. Uma atenção ativa, ao contrário, poderia levar quem estava no primeiro lugar da fila a questionar se aquela pessoa realmente tinha alguma necessidade privilegiada de urgência por suas cópias.

O envolvimento ativo da atenção significa uma atividade descendente, um antídoto para o risco de se atravessar o dia com um automatismo de zumbi. Podemos reagir a comerciais, ficar alertas ao que está acontecendo ao nosso redor, questionar rotinas automáticas ou melhorá-las. Essa atenção focada e frequentemente orientada a resultados inibe hábitos descuidados. É um foco ativo.[19]

Portanto, embora as emoções possam desviar nossa atenção, com esforço ativo também conseguimos administrar as emoções descendentes. Assim, as regiões pré-frontais assumem o controle da amígdala, diminuindo sua potência. Um rosto irritado, ou mesmo aquele bebê fofo, pode não conseguir capturar nossa atenção quando os circuitos do controle descendente assumem as escolhas do cérebro sobre o que levar em consideração e o que ignorar.

4

O VALOR DE UMA MENTE À DERIVA

Vamos recuar um pouco e considerar novamente o pensamento. No que escrevi até agora, há um viés implícito: aquela atenção focada e orientada a resultados tem mais valor do que a percepção aberta e espontânea. Mas a conclusão simples de que a atenção precisa estar a serviço da solução de problemas ou do alcance de objetivos subestima a fertilidade da tendência de a mente divagar sempre que é deixada à sua própria sorte.

Todo tipo de atenção tem sua utilidade. O simples fato de que cerca de metade dos nossos pensamentos são devaneios espontâneos sugere que esta pode ter sido uma vantagem evolutiva para uma mente que é capaz de considerar o imaginário.[1] Somos capazes de modificar nossas próprias ideias sobre uma "mente divagando" ao pensarmos que, em vez de estarmos divagando para longe do que é importante, podemos perfeitamente estar divagando na direção de alguma coisa de valor.[2]

Pesquisas do cérebro sobre a divagação da mente enfrentam um paradoxo singular: é impossível instruir alguém a ter um pensamento espontâneo — ou seja, fazer sua mente divagar.[3] Se quisermos capturar pensamentos divagando ao natural, é preciso apanhá-los onde eles aparecem. Eis uma estratégia de pesquisa preferencial: enquanto as pessoas estão tendo os cérebros examinados, pergunte em momentos aleatórios o que elas estão sentindo. Isso produz uma mistura desordenada dos conteúdos da mente, incluindo uma boa porção de divagação.

O impulso interno para se afastar do foco intencional é tão forte que cientistas cognitivos veem a mente divagadora como o modo-padrão do cérebro — aonde ele vai quando não está trabalhando em alguma tarefa mental. O circuito dessa "rede-padrão", como descobriu uma série de estudos de neuroimagem, é centrado na região medial, ou intermediária, do córtex pré-frontal.

Exames cerebrais mais recentes revelaram uma surpresa: durante a divagação da mente, duas grandes regiões do cérebro se ativam, não apenas a faixa medial que tem sido associada com a mente à deriva.[4] A outra região — o sistema executivo do córtex pré-frontal — era considerada fundamental para nos manter focados numa tarefa. Ainda assim, os exames parecem mostrar ambas as regiões ativadas enquanto a mente divaga.

Isso é um pouco intrigante. Afinal, a divagação da mente, por natureza, tira o foco do que está sendo feito e prejudica nosso desempenho, especialmente em questões cognitivamente exigentes. Os pesquisadores resolveram esse enigma de modo experimental, ao sugerir que a divagação da mente prejudica o desempenho ao tomar o sistema executivo emprestado para outros assuntos.

Isso nos leva de volta à pergunta: *para onde* a mente deriva? Com bastante frequência, para as nossas preocupações pessoais e nossas questões não resolvidas — coisas em que precisamos trabalhar. Embora a divagação da mente possa prejudicar nosso foco imediato em alguma tarefa específica, ela funciona a serviço de resolver problemas importantes para as nossas vidas.

Uma mente à deriva permite que nossa essência criativa flua. Enquanto nossas mentes divagam, nos tornamos melhores em qualquer coisa que dependa de um lampejo de insight, de jogos de palavras criativos a invenções e ideias originais. Na verdade, pessoas que realizam muitas tarefas mentais que demandam controle cognitivo e intensa memória de trabalho — como resolver equações matemáticas complexas — podem sentir dificuldade para terem insights criativos se tiverem problemas para desligar o foco completamente concentrado.[5]

Entre as outras funções positivas da divagação da mente, estão a geração de cenários para o futuro, a autorreflexão, a capacidade de se relacionar em um mundo social complexo, a incubação de ideias criativas, a flexibilidade do foco, a ponderação do que se está aprendendo, a organização das lembranças ou a mera meditação sobre a vida — e também a possibilidade de dar aos nossos circuitos de foco mais intensivo uma pausa revigorante.[6]

Uma reflexão momentânea me leva a acrescentar mais duas funções: a de me lembrar de coisas que preciso fazer para que elas não se percam na desordem da mente e a de me entreter. Tenho certeza de que você pode sugerir algumas outras utilidades se deixar sua mente vagar um pouco.

A ARQUITETURA DA SERENDIPIDADE

Um conto de fadas persa conta a história dos Três Príncipes de Serendip, que "estavam sempre fazendo descobertas, por obra do acaso e sagacidade, de coisas pelas quais não estavam procurando".[7] A criatividade ao natural também funciona dessa maneira.

"Novas ideias não irão surgir se você não se der essa permissão", me diz o CEO da Salesforce, Marc Benioff. "Quando eu era vice-presidente na Oracle, viajei um mês para o Havaí apenas para relaxar. Ao fazer isso, abri minha carreira para novas ideias, perspectivas e direções."

Naquele espaço ao ar livre, Benioff se deu conta dos usos potenciais da computação em nuvem que o fizeram sair da Oracle, começar a Salesforce numa sala e preconizar o que na época ainda era um conceito radical. A Salesforce foi pioneira no que agora é uma indústria de muitos bilhões de dólares.

Em contrapartida, um cientista determinado demais a confirmar sua hipótese corre o risco de ignorar descobertas que não estão de acordo com suas expectativas — dispensando-as como ruído ou erro em vez de tratá-las como novas descobertas —, e assim deixa passar dados que poderiam se tornar teorias mais frutíferas. E aquele sujeito que diz não nas reuniões de brainstorm, que sempre derruba qualquer ideia nova, destrói insights inovadores na raiz.

A consciência aberta cria uma plataforma mental para descobertas criativas e insights inesperados. Na consciência aberta, não temos advogado do diabo, nem cinismo ou julgamento — apenas receptividade absoluta para o que quer que surja na mente.

Mas uma vez que topamos com um ótimo insight criativo, precisamos assumir um foco apurado para capturar nosso prêmio e avaliar como vamos aplicá-lo. A serendipidade vem primeiro com a abertura à possibilidade, e depois com a concentração em aplicar um insight.

Os desafios criativos da vida raramente vêm na forma de enigmas bem-formulados. Na verdade, normalmente precisamos reconhecer até mesmo a necessidade de encontrar uma solução criativa, para começo de conversa. A sorte, como disse Louis Pasteur, favorece uma mente preparada. O devaneio incuba a descoberta criativa.

Um modelo clássico dos estágios da criatividade representa três modalidades de foco: o *foco orientado*, quando buscamos e mergulhamos em qualquer tipo de dado; a *atenção seletiva*, no desafio criativo específico; e a *consciência aberta*, quando nos entregamos à associação livre para permitir que surja uma solução — e então nos concentramos na solução.

Os sistemas cerebrais envolvidos na divagação da mente também foram observados em atividade pouco antes de pessoas examinadas chegarem a um insight criativo — e apresentam atividade incomum em quem sofre de Transtorno de Déficit de Atenção e Hiperatividade, ou TDAH. Adultos com TDAH, comparados com adultos sem o transtorno, também mostram níveis maiores de pensamento criativo original e mais realizações criativas reais.[8] O empresário Richard Branson, fundador do império corporativo construído a partir da Virgin Air e outras empresas, se ofereceu como garoto propaganda para a ideia de que alguém pode ter sucesso com TDAH.

O centro de controles de doenças do governo federal norte-americano diz que quase 10% das crianças têm o transtorno numa forma misturada com a hiperatividade. Em adultos, a hiperatividade diminui, restando o déficit de atenção. Cerca de 4% dos adultos parecem enfrentar o problema.[9] Quando são desafiados com uma tarefa criativa, como encontrar novos usos para um tijolo, pessoas com TDAH se saem melhor, apesar de sua tendência à divagação mental — ou talvez por causa dela.

Todos podemos aprender alguma coisa nesse ponto. Numa experiência em que voluntários foram desafiados com a tarefa de novos usos, os que deixaram as mentes vagarem — em comparação com aqueles cuja atenção estivera totalmente concentrada — apresentaram 40% mais ideias originais. E quando pessoas que haviam empreendido realizações criativas — como um romance, uma patente ou uma mostra de arte — foram testadas na habilidade de deixar de fora informações irrelevantes para se focarem numa tarefa, suas mentes divagaram com mais frequência do que as de outros — uma consciência aberta que pode ter lhes servido bem no trabalho criativo.[10]

Em nossos momentos criativos menos frenéticos, pouco antes de um insight, o cérebro costuma descansar em um foco aberto e relaxado, caracterizado por um ritmo alfa. Isso sinaliza um estado de devaneio ou sonho acordado. Como o cérebro armazena diferentes tipos de informações em circuitos de amplo alcance, uma consciência vagando livremente aumenta as chances de associações com serendipidade e novas combinações.

Rappers imersos no *freestyling*, quando improvisam letras na hora de cantar, demonstram uma atividade aumentada no circuito de divagação mental, entre outras partes do cérebro — permitindo novas conexões entre redes neurais distantes.[11] Nesta espaçosa ecologia mental, temos mais propensão a fazermos novas associações, à sensação *arrá!* que marca um insight criativo — ou uma boa rima.

Num mundo complexo, no qual quase todos têm acesso à mesma informação, surge um novo valor da síntese original, da união de ideias de forma inovadora e das perguntas inteligentes que ativam potenciais intocados. Insights criativos implicam a junção de elementos de um modo útil e original.

Imagine por um instante uma mordida numa maçã crocante: a tonalidade das cores na casca, os sons da dentada, os sabores, os cheiros e as texturas. Pare um momento para experimentar essa maçã virtual.

Quando esse momento imaginário ganhou vida em sua mente, o seu cérebro quase que certamente gerou um pico gama. Esses picos gama são velhos conhecidos dos neurocientistas. Eles ocorrem rotineiramente durante operações mentais como esta mordida numa maçã virtual — e logo antes de insights criativos.

Seria excessivo considerar as ondas gamas como algum tipo de segredo da criatividade. Mas o *local* do pico gama durante um insight criativo parece revelador: uma área associada aos sonhos, a metáforas, à lógica da arte, do mito e da poesia. Esses elementos operam na linguagem do inconsciente, uma esfera onde tudo é possível. O método da associação livre de Freud, em que falamos o que quer que nos venha à mente sem censura, abre uma porta para esta modalidade de consciência aberta.

Nossa mente tem infinitas ideias, lembranças e associações potenciais esperando para ser feitas. Mas a probabilidade de a ideia certa se ligar com a lembrança correta dentro do contexto adequado — e tudo isso ser capturado pelo holofote da atenção — diminui drasticamente quando estamos ou hiperfocados ou sobrecarregados demais por distrações para percebermos o insight.

Além disso, há também o que está armazenado no cérebro de outras pessoas. Durante cerca de um ano, os astrônomos Arno Penzias e Robert Wilson pesquisaram o universo com equipamentos novos e poderosos, muito mais potentes do que qualquer outro que já tivesse sido usado para vasculhar a vastidão dos céus. Ficaram sobrecarregados por um mar de dados originais e tentaram simplificar o trabalho ignorando uma estática sem significado, que supuseram se dever a problemas no equipamento.

Um dia, um encontro casual com um físico nuclear lhes deu o insight (e, por fim, um Prêmio Nobel) que os levou a perceber que o que eles vinham interpretando como "ruído" era na realidade um sinal fraco das contínuas reverberações do big bang.

O CASULO CRIATIVO

"A mente intuitiva é um dom sagrado e a mente racional, um servo fiel", disse um dia Albert Einstein. "Criamos uma sociedade que honra o servo e se esqueceu do dom."[12]

Para muitos de nós, é simplesmente um luxo conseguir durante o dia alguns momentos particulares sem interrupções em que possamos nos recostar e refletir. No entanto, esses são alguns dos momentos mais valiosos do dia, principalmente quando se trata de criatividade.

Mas há algo mais exigido para essas associações frutificarem numa inovação viável: a atmosfera correta. Precisamos de tempo livre no qual possamos manter uma consciência aberta.

O fluxo ininterrupto de e-mails, textos, contas a pagar — a "catástrofe completa" da vida — nos deixa num estado cerebral contrário ao foco aberto no qual as descobertas com serendipidade prosperam. Em meio ao tumulto das nossas distrações diárias e das nossas listas de tarefas, a inovação trava; nos tempos livres, ela floresce. É por isso que os anais das descobertas são repletos de histórias sobre insights brilhantes que acontecem durante uma caminhada ou um banho, num passeio longo ou nas férias. O tempo livre deixa o espírito criativo florescer. Agendas apertadas o matam.

Tomemos como exemplo o falecido Peter Schweitzer, um dos fundadores do campo moderno de avaliação da criptografia — códigos cifrados que parecem não ter sentido para olhos destreinados, mas protegem o sigilo de tudo desde os registros de um governo à senha do seu cartão de crédito.[13] A especialidade de Schweitzer: decifrar códigos com um teste amigável de criptografia que lhe diz se algum inimigo, como um hacker mal intencionado, pode invadir o seu sistema e roubar os seus segredos.

Este desafio hercúleo exige que seja gerada uma enorme gama de novas soluções potenciais para um problema extraordinariamente complicado, e depois exige que cada solução seja testada, passando por um metódico número de passos.

O laboratório de Schweitzer para essa tarefa intensa não era uma sala sem janelas e à prova de som. Ele normalmente ficava pensando num código criptografado dando uma longa caminhada ou simplesmente pegando sol, de olhos fechados. "Parecia alguém tirando uma soneca, mas estava fazendo complexos cálculos matemáticos mentalmente", comenta um colega. "Ficava deitado tomando banho de sol e, enquanto isso, a mente funcionava a zilhões de quilômetros por hora."

A relevância desses casulos no tempo e no espaço surgiu de um estudo da Harvard Business School sobre a forma de trabalho interno de 238 membros das equipes de projetos criativos, que recebiam como tarefas desafios de inovação que iam de solucionar complexos problemas de TI a inventar equipamentos de cozinha.[14] O progresso nos trabalhos desse tipo exige um fluxo constante de pequenos insights criativos.

Dias considerados bons para insights não tinham nada a ver com avanços impressionantes ou grandes vitórias. A chave se revelou nas pequenas vitórias — inovações menores e solução de problemas perturbadores — em passos concretos rumo a um objetivo maior. Insights criativos fluíam melhor quando as pessoas tinham objetivos claros, mas também liberdade nos meios usados para atingi-los. E, o mais importante, tinham períodos de tempo reservados — o bastante para realmente pensarem livremente. Um casulo criativo.

5

ENCONTRANDO O EQUILÍBRIO

"A faculdade de trazer de volta voluntariamente uma atenção divagadora, muitas e muitas vezes, é a própria raiz do juízo, do caráter e da vontade", observou o fundador da psicologia americana, William James.

Mas se você perguntar a alguém: "Você está pensando em alguma coisa além do que está fazendo no momento?", há 50% de chances de que a mente dela esteja divagando.[1]

Essa porcentagem muda imensamente dependendo de qual seja a atividade do momento. Uma pesquisa aleatória feita com milhares de pessoas descobriu que o foco no aqui e agora era compreensivelmente muito maior quando estavam fazendo amor (mesmo entre aquelas que responderam essa consulta mal catalogada, feita a partir de um aplicativo de telefone). Numa segunda posição mais distante estavam os exercícios, seguidos por conversar com alguém e jogar. Em contrapartida, a divagação da mente era mais frequente durante o trabalho (patrões, prestem atenção), no computador de casa ou no decorrer do trajeto casa-trabalho-casa.

Em média, os humores das pessoas normalmente pioravam quando suas mentes divagavam. Até mesmo pensamentos de conteúdos aparentemente neutros eram encobertos por um tom emocionalmente negativo. A divagação da mente por si só parecia ser motivo de infelicidade.

Para onde nossos pensamentos divagam quando não estamos pensando em nada em especial? Basicamente, são todos sobre o eu. O "eu", conforme propôs William James, unifica nosso senso de self ao nos contar a nossa história — encaixando pedaços aleatórios de vida numa narrativa coesa.

Esta narrativa *é-tudo-sobre-mim* fabrica uma sensação de permanência por trás das nossas experiências momento a momento, em constante mutação.

O "eu" reflete a atividade de uma área-padrão, aquele gerador da mente inquieta, perdido num fluxo de pensamento divagador que tem pouco ou nada a ver com a situação presente e tudo a ver com, bem, o "eu". Este hábito mental se instala sempre que damos à mente um descanso após alguma atividade focada.

Associações criativas à parte, a divagação da mente tende a nos centrar em nosso eu e em nossas preocupações: *todas as várias coisas que eu preciso fazer hoje, a coisa errada que eu disse para aquela pessoa, o que eu deveria ter dito em vez daquilo.* Embora a mente às vezes divague para alguns pensamentos ou fantasias agradáveis, normalmente parece gravitar em torno de ruminações e preocupações.

O córtex pré-frontal medial dispara, e nosso solilóquio e nossas ruminações geram um contexto de baixo nível de ansiedade. Mas durante a concentração total, uma área próxima, o córtex pré-frontal lateral, inibe essa área medial. Nossa atenção seletiva *des*seleciona esses circuitos de preocupações emocionais, o tipo mais poderoso de distração. Reagindo aos acontecimentos, ou a algum tipo de foco ativo, nossa atenção seletiva desliga o "eu", enquanto o foco passivo nos volta para o confortável atoleiro das nossas ruminações.[2]

Não é a conversa das pessoas ao nosso redor que tem mais poder de nos distrair, mas a conversa da nossa própria mente. A concentração absoluta exige que essas vozes internas se calem. Comece a subtrair setes sucessivamente de cem e, se mantiver o foco na tarefa, sua zona de conversa ficará em silêncio.

O ADVOGADO E A PASSA

Como litigante, o advogado alimentou sua carreira ao mobilizar uma raiva efervescente pelas injustiças sofridas por seus clientes. Energizado pela indignação, era incansável na defesa de seus casos. Fazia suas argumentações com envolvimento absoluto, passava noites em claro, pesquisava e se preparava. Frequentemente ficava deitado acordado na cama a maior parte da noite, espumando, enquanto revisava várias vezes as aflições dos clientes e planejava sua estratégia jurídica.

Então, durante umas férias, conheceu uma mulher que dava aulas de meditação e pediu que ela o ensinasse. Para sua surpresa, ela começou dando a ele algumas uvas-passas. Ela então o guiou pelos passos de comer uma das passas lentamente, com foco total, saboreando a riqueza de cada momento daquele processo: as sensações de quando ele a levou até a boca e mastigou, a explosão de sabores ao mordê-la, os sons do ato de comer. Ele submergiu na completude de seus sentidos.

Então, como ela o instruiu, ele voltou aquele mesmo foco totalmente centrado no momento para o fluxo natural de sua respiração, liberando todo e qualquer pensamento que passasse por sua mente. Com a orientação dela, ele continuou essa meditação sobre sua respiração ao longo dos 15 minutos seguintes.

Conforme foi fazendo isso, as vozes em sua mente foram silenciando. "Foi como acionar um interruptor para um estado zen", ele disse. Gostou tanto daquilo, que transformou num hábito diário: "Depois que termino, me sinto muito calmo — e gosto muito disso."

Quando voltamos essa atenção completa para os nossos sentidos, o cérebro silencia sua conversa-padrão. Exames cerebrais realizados durante a atenção plena — a forma de meditação que o advogado estava experimentando — revelaram que ela acalma os circuitos cerebrais para conversas mentais com foco no eu.[3]

O que por si só pode ser um imenso alívio. "Considerando que fluxo e absorção total significam abandonar este estado de divagação da mente e focar totalmente numa atividade, provavelmente estaremos desativando os circuitos-padrão", diz o neurocientista Richard Davidson. "Não é possível ruminar sobre si mesmo enquanto se está absorto numa tarefa desafiadora."

"Este é um dos motivos pelos quais as pessoas adoram esportes radicais como alpinismo, uma situação em que é preciso estar totalmente focado", acrescenta Davidson. O foco poderoso traz uma sensação de paz e, com ela, alegria. "Mas quando descemos a montanha, a rede autorreferente traz as preocupações e os problemas imediatamente de volta."

Em *A ilha*, romance utópico de Aldous Huxley, papagaios treinados voam até pessoas escolhidas ao acaso e gorjeiam: "Aqui e agora, pessoal, aqui e agora!" Esse lembrete ajuda os habitantes da idílica ilha a despertarem de seus devaneios e voltarem a se focar no que está acontecendo naquele lugar e naquele instante.

Um papagaio parece uma escolha adequada de mensageiro: animais vivem apenas o aqui e agora. Um gato subindo no seu colo para ganhar carinho, um cachorro esperando ansiosamente por você na porta, um cavalo entortando a cabeça para interpretar suas intenções enquanto você se aproxima, todos compartilham o mesmo foco no presente.

Esta capacidade de pensar de forma independente de um estímulo imediato — sobre o passado e o futuro, em todas as suas possibilidades — separa a mente humana das mentes de quase todos os outros animais. Embora muitas tradições espirituais, como os papagaios de Huxley, vejam a divagação da mente como uma fonte de infelicidade, psicólogos evolucionistas a veem como um grande salto cognitivo. Ambas as visões detêm alguma porção de verdade.

Na visão de Huxley, o agora eterno abriga tudo o que precisamos para nos realizarmos. No entanto, a capacidade humana de pensar em coisas que *não* estão acontecendo naquele presente eterno representa um grande salto evolutivo, um pré-requisito para todas as realizações da nossa espécie que exigiram planejamento, imaginação ou habilidade logística. E isso basicamente define todas as realizações unicamente humanas.

Remoer coisas que *não* estão acontecendo aqui e agora — "pensamento independente da situação", como chamam os cientistas cognitivos — exige que dissociemos os conteúdos da nossa mente do que nossos sentidos percebem naquele instante. Então, até onde sabemos, nenhuma outra espécie é capaz de fazer esta troca radical de um foco externo para um foco interno com qualquer coisa que se aproxime do poder da mente humana, nem com a mesma frequência.

Quanto mais nossa mente divaga, menos conseguimos registrar o que está acontecendo aqui e agora. Pensemos na compreensão do que estamos lendo. Quando voluntários tiveram os olhares monitorados enquanto liam a totalidade do livro *Razão e sensibilidade*, de Jane Austen, movimentos erráticos dos olhos sinalizavam que ocorria uma grande quantidade de leitura desatenta.[4]

Olhos desatentos indicam um rompimento na conexão entre a compreensão e o contato visual com o texto enquanto a mente vagueia para outro lugar (poderia ter havido muito menos se os voluntários tivessem tido a liberdade de escolher o que leriam — digamos *A Guerra dos Tronos* ou *Cinquenta tons de cinza*, dependendo do gosto deles).

Usando ferramentas como flutuações no olhar ou "amostras de experiências aleatórias" (em outras palavras, apenas perguntando a alguém o que está acontecendo) enquanto as pessoas estão tendo os cérebros examinados, neurocientistas descobriram uma importante dinâmica neural: enquanto a mente divaga, nossos sistemas sensoriais desligam e, inversamente, enquanto nos focamos no aqui e agora, os circuitos neurais para a divagação da mente desligam.

No nível neural, a divagação da mente e a consciência perceptiva tendem a inibir uma a outra: o foco interno da nossa linha de pensamento ignora os sentidos, ao passo que o fascínio pela beleza de um pôr do sol aquieta a mente.[5] Este desligamento pode ser total, como quando ficamos absolutamente absortos no que estamos fazendo.

Nossas configurações neurais usuais permitem um pouco de divagação enquanto nos dedicamos ao mundo — ou uma dedicação apenas suficiente enquanto estamos à deriva — como quando sonhamos acordados enquanto dirigimos. É claro que essa sintonia parcial apresenta riscos: um estudo feito com mil motoristas feridos em acidentes descobriu que aproximadamente metade deles disse que estava com a mente divagando pouco antes do acidente. Quanto mais intensos os pensamentos disruptivos, maior a probabilidade de que tenha sido o motorista o causador do acidente.[6]

Situações que não exigem constante foco em tarefas — especialmente situações chatas ou de rotina — liberam a mente para divagar. Conforme a mente vagueia e a rede-padrão se ativa com mais força, nossos circuitos neurais para o foco em tarefas se acalma — outra forma de dissociação parecida com aquela que existe entre os sentidos e o devaneio. Como o devaneio concorre com foco em tarefas por energia neural e percepção sensorial, não é de espantar que quando sonhamos acordados cometemos mais erros em qualquer coisa que requeira atenção focada.

A MENTE DIVAGADORA

"Sempre que perceber a sua mente divagando", orienta uma instrução fundamental de meditação, "traga-a de volta para seu ponto focal". O trecho importante aqui é *sempre que perceber*. Quando nossa mente vagueia, quase nunca percebemos o instante em que ela se lança para outra órbita. Um meandro distante do foco da meditação pode durar segundos, minutos ou toda a sessão antes que percebamos, se é que chegamos a perceber.

Esse simples desafio é tão difícil porque os mesmos circuitos cerebrais de que precisamos para segurarmos nossa mente quando ela divaga são recrutados para a rede neural que deixa a mente à deriva em primeiro lugar.[7] O que eles estão fazendo? Aparentemente, administrando as partes aleatórias que preenchem uma mente em divagação para que deem lugar a uma detalhada linha de pensamento, do tipo: "Como vou pagar as minhas contas?" Essas linhas de pensamento demandam uma cooperação entre o circuito divagador da mente e o que faz o controle cognitivo.[8]

Capturar uma mente divagando no ato é difícil. Mais frequentemente do que imaginamos, quando nos perdemos em pensamentos, falhamos no intuito de perceber que nossa mente chegou a divagar. Perceber que a nossa mente está divagando marca uma mudança na atividade cerebral; quanto maior essa metaconsciência, mais fraca se torna a divagação da mente.[9] Imagens cerebrais revelam que no instante em que surpreendemos nossa mente à deriva, esse ato de metaconsciência diminui a atividade dos circuitos executivo e medial, mas não os detém completamente.[10]

A vida moderna valoriza o fato de ficarmos sentados na escola ou num escritório, focando nossa atenção em uma coisa de cada vez, valorizando ainda uma postura de atenção que pode nem sempre ter valido a pena no começo da história humana. Alguns neurocientistas argumentam que, em momentos fundamentais, a sobrevivência na vida selvagem pode ter dependido de uma rápida troca da atenção e da ação ligeira, sem hesitação para pensar no que fazer. O que hoje diagnosticamos como déficit de atenção pode refletir uma variação natural nos estilos de foco que teve vantagens ao longo da evolução — e, dessa forma, continua se misturando ao nosso reservatório genético.

Quando encaram uma tarefa mental que exija foco, como problemas complicados de matemática, como já vimos, as pessoas com TDAH demonstram ao mesmo tempo mais divagação da mente e uma atividade aumentada no circuito medial.[11] Porém, quando as condições são adequadas, aqueles com TDAH podem ter um foco apurado e permanecer completamente absortos na atividade em questão. Essas condições talvez se apresentem com maior frequência num estúdio de arte, numa quadra de basquete ou numa bolsa de valores — e não numa sala de aula.

NO PRUMO

Em 12/12/12, exatamente o dia que o calendário maia supostamente previa para o fim do mundo (de acordo com boatos claramente infundados), minha mulher e eu levamos uma de nossas netas ao Museu de Arte Moderna. Artista em desenvolvimento, ela estava disposta a ver o que estava sendo exibido.

Entre as primeiras mostras que nos receberam na entrada da primeira galeria do MoMA estavam dois aspiradores de pó de tamanho industrial, cilindros brancos impecáveis com três rodas e listras. Estavam empilhados um sobre o outro dentro de cubos de acrílico, com luzes de neon embaixo de cada um fazendo-os brilhar. Nossa neta não ficou impressionada. Ela estava ansiosa para ver o *Céu Noturno* de Van Gogh, numa galeria vários andares acima.

Justamente na noite anterior, o curador principal do MoMA havia promovido uma noite com o tema "atenção e distração". O foco da atenção é a chave para as mostras do museu: as molduras ao redor da arte anunciam para onde devemos olhar. Aqueles cubos de vidro e as luzes de neon direcionavam nossa atenção para *ali*, na direção dos reluzentes aspiradores de pó, e para longe de *lá* — qualquer outro ponto em que ela estivesse focada na galeria.

Eu me dei conta disso quando saímos. Perto de uma parede que parecia fora do caminho, no saguão imenso do museu, notei algumas cadeiras empilhadas desordenadamente, esperando para serem arrumadas para algum evento especial. Escondido perto delas, à sombra, mal pude identificar o que parecia ser um aspirador de pó. Ninguém prestava nenhuma atenção nele.

Mas a nossa atenção não precisa estar à mercê de como o mundo ao nosso redor é emoldurado. Podemos escolher observar o aspirador de pó no escuro tanto quanto aquele que está sob o holofote. Manter a atenção no prumo reflete um modo mental em que simplesmente percebemos o que quer que entre em nossa consciência sem nos prendermos ou sermos arrebatados por qualquer coisa em particular. Tudo flui através de nós.

Esta abertura pode ser vista nos momentos cotidianos em que, por exemplo, você se pega esperando numa fila atrás de um cliente que está demorando horrores e, em vez de se focar na sua irritação ou em como isso vai atrasá-lo, simplesmente se permite aproveitar a música ambiente da loja.

A reatividade emocional nos coloca em um modo de atenção diferente, em que nosso mundo se reduz à fixação no que está nos incomodando.

As pessoas que têm dificuldade de manter a consciência aberta tipicamente se incomodam com detalhes irritantes como aquela pessoa na frente delas na fila de segurança do aeroporto que levou uma vida para aprontar os pertences na esteira rolante — e ainda estarão furiosas com isso enquanto esperam pelo avião no portão de embarque. Mas não existem sequestros emocionais na consciência aberta — apenas a riqueza do momento.

Uma medida cerebral para esse tipo de atenção aberta avalia com que competência as pessoas conseguem acompanhar uma sequência de letras na qual um número aparece ocasionalmente: S, K, O, E, 4, R, T, 2, H, P...

Como resultado, muitas pessoas fixam a atenção no primeiro número, 4, e deixam de ver o segundo, o 2. A atenção delas pisca. Aquelas que têm um foco aberto forte, porém, registram também o segundo número.

Pessoas capazes de deixar a atenção neste modo aberto percebem mais coisas sobre o que as cercam. Mesmo no movimento intenso de um aeroporto, elas são capazes de manter uma consciência estável e contínua do que está acontecendo, em vez de se perder nesse ou naquele detalhe. Em exames cerebrais, aqueles que obtêm pontuação mais alta em consciência aberta registram uma quantidade maior de detalhes vistos de relance num instante do que a maioria das pessoas. A atenção deles não pisca.[12]

Essa melhora da atenção se aplica também à nossa vida interior — no modo aberto, entendemos muito melhor nossos sentimentos, sensações, pensamentos e lembranças do que quando, por exemplo, estamos focados na nossa lista de afazeres ou correndo de uma reunião à outra.

"A capacidade de manter a atenção aberta numa consciência panorâmica", diz Davidson, "permite que você observe com equidade, sem ficar preso a uma rede ascendente que engana a mente em termos de julgamento e reatividade, sejam negativos ou positivos".

Essa capacidade também diminui a divagação da mente. O objetivo, ele acrescenta, é ser mais capaz de se envolver na divagação da mente quando se quer e não quando não se quer.

RESTAURANDO A ATENÇÃO

De férias num resort tropical com a família, lamenta o editor William Falk, ele se viu sentado olhando fixamente para seu trabalho enquanto a filha esperava por ele para ir à praia.

"Há não muito tempo", Falk reflete, "eu teria considerado impensável trabalhar durante as férias. Eu me lembro de períodos gloriosos de duas semanas em que eu não tinha qualquer contato com chefes, subordinados ou mesmo amigos. Mas isso era antes de eu viajar com um smartphone, um iPad e um laptop e aprender a gostar de viver num fluxo constante de informação e conexão".[13]

Levemos em conta o esforço cognitivo demandado por nossa nova sobrecarga normal de informações — a explosão de fluxos de notícias, e--mails, telefonemas, *tweets*, blogs, chats, reflexões sobre opiniões a que expomos diariamente nossos processadores cognitivos.

Esse zumbido neural adiciona tensão às demandas de se fazer alguma coisa. Selecionar um foco preciso exige inibir muitos outros. A mente precisa lutar para se afastar de todo o resto, separando o que é importante do que é irrelevante. Isso demanda esforço cognitivo.

A atenção firmemente focada se cansa — muito parecido com o que ocorre com um músculo que trabalha demais — quando a forçamos ao ponto da exaustão cognitiva. Os sinais de fadiga mental, como uma queda na efetividade e um aumento da distração e da irritabilidade, significam que o esforço necessário para manter o foco esgotou a glicose que alimenta a energia neural.

O antídoto para a fadiga da atenção é o mesmo para a fadiga física: descansar. Mas como descansar um músculo mental?

Tente trocar do esforço de controle descendente para atividades mais passivas ascendente, fazendo uma pausa relaxante num ambiente tranquilo. Os ambientes mais tranquilos estão na natureza, argumenta Stephen Kaplan, da Universidade de Michigan, que propõe o que ele chama de "teoria da restauração da atenção".[14]

Essa restauração ocorre quando passamos de um estado de atenção esforçada, em que a mente precisa anular as distrações, para um estado em que nos deixamos livres e permitimos que nossa atenção seja capturada pelo que quer que se apresente. Mas apenas certos tipos de foco ascendente agem de modo a restaurar energia para a atenção focada. Navegar na Internet não é o caso.

Fazemos bem de nos desconectarmos regularmente. Tempos em silêncio restauram nosso foco e nossa serenidade. Mas essa desconexão é apenas o primeiro passo. O que fazemos a seguir também importa. Dar uma caminhada por uma rua da cidade, observa Kaplan, ainda exige da nossa atenção — precisamos atravessar multidões, desviar de carros e ignorar os barulhos de buzina e os demais ruídos da rua.

Por outro lado, uma caminhada num parque ou bosque exige pouco desse tipo de atenção. Podemos nos restaurar passando algum tempo na natureza — até mesmo alguns minutos caminhando num parque ou em qualquer local rico em coisas fascinantes como os tons avermelhados das nuvens durante o pôr do sol ou o voo de uma borboleta. Isso provoca "modestamente" a atenção ascendente, como define o grupo de Kaplan, permitindo que os circuitos que fazem os esforços descendentes recuperem sua energia, restaurando a atenção e a memória, e melhorando a cognição.[15]

Uma caminhada em meio às arvores leva a um melhor foco para a retomada de tarefas que exigem concentração do que um passeio a pé pelo centro da cidade.[16] Até mesmo se sentar diante de um mural que retrate uma cena da natureza — especialmente alguma cena com água — é melhor do que a cafeteria da esquina.[17]

Mas eu me coloco uma questão. Esses momentos relaxantes parecem ótimos para desligar de uma concentração intensa, mas abrem o caminho para a atitude de divagação, que ainda mantém ocupado o circuito-padrão. Há mais um passo que podemos dar para desligar a mente ocupada: foco total em alguma coisa relaxante.

A chave é uma experiência imersiva, em que a atenção possa ser total, mas largamente passiva. Isso começa a acontecer quando estimulamos gentilmente os sistemas sensoriais, que acalmam os sistemas do foco esforçado. Um filme interessante pode produzir um pouco deste efeito neural. Qualquer coisa em que consigamos nos perder prazerosamente servirá. Lembre-se: naquela pesquisa sobre os humores das pessoas, a atividade mais focada no dia de qualquer pessoa, e a mais agradável, é fazer amor.

Mas a absorção total e positiva bloqueia a voz interior, aquele diálogo constante com nós mesmos que acontece mesmo durante nossos momentos tranquilos. Esse é o principal efeito de quase todas as práticas contemplativas que mantêm a sua mente focada num alvo neutro, como a sua respiração ou um mantra.

Conselhos tradicionais sobre o local adequado para um "retiro" parecem incluir todos os ingredientes necessários para a restauração cognitiva.

Mosteiros designados à meditação são sempre ambientes tranquilos, silenciosos e próximos à natureza.

Não que precisemos chegar a tais extremos. Para William Falk, o remédio foi simples: ele parou de trabalhar e foi brincar com a filha nas ondas do mar. "Pulando e gritando nas ondas com a minha filha, eu estava completamente presente no momento. Completamente vivo."

PARTE DOIS

AUTOCONSCIÊNCIA

6

O LEME INTERNO

Futebol, basquete, debates, qualquer disputa — o maior rival da minha escola de ensino médio, no Vale Central da Califórnia, ficava na cidade ao lado, seguindo pela Rodovia 99. Com o passar dos anos, fiquei amigo de um aluno daquela outra escola.

Durante o ensino médio, ele não tinha muito interesse em estudar — na verdade, quase não se formou. Tendo sido criado num sítio nos arredores da cidade, passava muito tempo sozinho, lendo ficção científica e mexendo em potentes carros antigos, sua paixão. Na semana anterior à formatura dele, um carro passou correndo por trás quando ele estava virando à esquerda para entrar na garagem de sua casa, destruindo seu pequeno carro esportivo. Ele quase morreu.

Uma vez recuperado, meu amigo entrou para a faculdade comunitária local, onde descobriu uma vocação que fascinou sua atenção e mobilizou seus talentos criativos: fazer cinema. Depois de se transferir para uma faculdade de cinema, fez um filme como projeto de fim de curso que chamou a atenção de um diretor de Hollywood, que o contratou como assistente. O diretor pediu para meu amigo trabalhar num projeto muito querido seu, um filme de baixo orçamento.

Isso, por sua vez, levou meu amigo a conseguir um estúdio para apoiá-lo como diretor e produtor de outro filme pequeno baseado em seu próprio roteiro — um filme que o estúdio quase matou antes da estreia, e ainda assim se saiu surpreendentemente melhor do que qualquer um esperava.

Mas os cortes arbitrários, as edições e outras mudanças feitas pelos chefões do estúdio antes da estreia foram uma lição amarga para ele, que valorizava ao máximo o controle criativo do trabalho. Quando foi fazer outro filme baseado num roteiro próprio, ele recebeu uma oferta de um grande estúdio de Hollywood, que era a oferta-padrão da época, em que o estúdio financiava o projeto e detinha o poder de mudar o filme antes do lançamento. Ele recusou a oferta — sua integridade artística era mais importante.

Em vez disso, meu amigo "comprou" o controle criativo ao produzir o filme sozinho e investindo cada centavo dos lucros que recebeu com o primeiro filme neste segundo projeto. Quando estava quase pronto, ficou sem dinheiro. Foi atrás de empréstimos, mas todos os bancos negaram. Apenas um empréstimo de último minuto do décimo banco ao qual ele implorou salvou o projeto.

O filme era o *Guerra nas estrelas*.

A insistência de George Lucas em manter o controle criativo, apesar das dificuldades financeiras que teve, representa uma enorme integridade — e, como o mundo todo sabe, também acabou se mostrando uma decisão de negócio muito lucrativa. Mas essa decisão não foi motivada pela busca por dinheiro — na época, ter direitos subsidiários significava vender pôsteres e camisetas do filme, uma fonte banal de receita. Naquele momento, todo mundo que conhecia a indústria do cinema aconselhou George a não continuar o filme sozinho.

Uma decisão dessas exige imensa confiança nos próprios valores. O que permite a alguém ter uma bússola interna tão forte, um norte que o guie pela vida de acordo com seus valores e objetivos mais profundos?

O segredo é a autoconsciência, especialmente a precisão para decodificar a voz interior dos murmúrios do nosso corpo. Nossas reações fisiológicas sutis refletem a soma total da nossa experiência que é relevante para a decisão em questão.

As regras de decisão derivadas das nossas experiências de vida residem nas redes neurais subcorticais que reúnem, armazenam e aplicam algoritmos para cada acontecimento das nossas vidas — criando nosso leme interno.[1] O cérebro armazena nosso mais profundo senso de propósito e sentido da vida nessas regiões subcorticais — áreas pouco conectadas com as áreas verbais do neocórtex, no entanto ricamente ligadas à intuição. Conhecemos os nossos valores primeiro sentindo o que parece certo e o que não parece, e então articulando essas sensações no nosso íntimo.

A autoconsciência, então, representa um foco essencial, que nos sintoniza aos sutis murmúrios internos que podem nos ajudar a guiar nosso caminho pela vida. E, como veremos, este radar interno é a chave para administrarmos o que fazemos — e, igualmente importante, o que *não* fazemos. Este íntimo mecanismo de controle faz toda a diferença entre uma vida bem vivida e outra hesitante.

ELA É FELIZ E SABE DISSO

O teste científico de autoconsciência em um animal é, teoricamente, simples: faça uma marca no rosto dele, mostre-lhe um espelho e observe se suas ações demonstram que ele se dá conta de que aquele rosto com a marca reflete o rosto dele.

Na verdade, fazer esse teste de autoconsciência com elefantes não é tão simples. Em primeiro lugar, é preciso produzir um espelho à prova de elefantes. Tente uma superfície reflexiva de acrílico de 2,5 metros por 2,5 metros colada a um compensado preso a uma moldura de aço e pregada à parede de concreto de uma jaula de elefantes.

Foi o que pesquisadores fizeram no zoológico do Bronx, onde Happy, uma elefanta asiática de 34 anos de idade, mora com suas duas imensas amigas, Maxine e Patty. Os pesquisadores deixaram os animais se acostumarem com os espelhos por alguns dias. Em seguida, pintaram um grande X branco na cabeça delas, alternadamente, para ver se elas se davam conta de que estavam com a marca — uma indicação de autorreconhecimento.

Há mais uma complicação quando se trata de testar elefantes. Eles se "arrumam" tomando banho de lama e espalhando poeira sobre si mesmos com as trombas. Isso acrescenta uma boa quantidade de fragmentos à pele, aumentando as chances de que o que os humanos veem como uma marca proeminente possa parecer trivial — apenas um pouco a mais dos fragmentos de sempre — para um elefante. E, de fato, Maxine e Patty não deram atenção ao X.

Mas no dia em que Happy ganhou o grande X branco na cabeça, foi até o espelho, passou dez segundos olhando para si mesma, e então se afastou — de uma forma bastante parecida como nós, seres humanos, nos olhamos no espelho antes de começar o dia. Ela então passou repetidamente a ponta sensível da tromba no X, demonstrando sua autoconsciência.

Apenas alguns representantes altamente selecionados do reino animal passaram nesse teste, inclusive algumas espécies de gorilas, chimpanzés e golfinhos (numa adaptação aquática do teste). Essas espécies, como os elefantes, estão entre os poucos animais cujos cérebros têm uma classe de neurônios que alguns neurocientistas acreditam ser singularmente essenciais para a autoconsciência. Batizados com o nome de seu descobridor, Constantin von Economo (e chamados abreviadamente de VENs), esses neurônios em forma de fuso podem ter o dobro do tamanho da maioria das células cerebrais e menos ramificações — embora muito mais compridas — os conectando a outras células.[2]

O tamanho e a forma semelhante a um fuso dão aos VENs uma vantagem única sobre outros neurônios: os sinais que eles enviam vão mais rápido e mais longe. E a localização em áreas que conectam o cérebro executivo aos centros emocionais os posiciona como um radar pessoal. Essas áreas se iluminam quando vemos nosso reflexo no espelho. Neurocientistas os veem como parte do circuito cerebral para nosso sentido de eu em todos os níveis: do "este sou eu", do "como estou me sentindo" e da nossa identidade pessoal.

O MAPA CEREBRAL DO CORPO

Depois de ser diagnosticado com o câncer pancreático que tiraria sua vida alguns anos depois, Steve Jobs fez um discurso sincero a uma turma de formandos de Stanford. O conselho dele: "Não deixe as vozes das opiniões dos outros afogarem sua voz interior. E, mais importante, tenha a coragem de seguir seu coração e sua intuição. De alguma forma, eles já sabem o que você realmente quer se tornar."[3]

Mas como você pode ouvir a "sua voz interior", o que o seu coração e a sua intuição de alguma forma já sabem? Você precisa confiar nos sinais do seu corpo.

Talvez você já tenha visto a imagem bastante estranha de um corpo mapeado pelo córtex somatossensorial, que rastreia as sensações registradas por várias áreas da nossa pele: essa criatura tem uma cabeça minúscula, mas lábios e língua imensos, braços pequenininhos, mas dedos gigantescos — todos refletindo a relativa sensibilidade dos nervos em várias partes do corpo.

Um monitoramento semelhante dos nossos órgãos internos é feito pela ínsula, região escondida atrás dos lobos frontais do cérebro. A ínsula mapeia a parte interna do nosso corpo por meio de circuitos que se ligam aos intestinos, coração, fígado, pulmões, genitálias — cada órgão tem seu ponto específico. Isso permite que a ínsula aja como um centro de controle para funções dos órgãos, enviando sinais para o coração diminuir o ritmo e os pulmões respirarem melhor.

A atenção voltada para dentro na direção de qualquer parte do corpo amplifica a sensibilidade da ínsula à área particular que estamos checando. Sintonize a atenção às batidas do coração, e a ínsula ativa mais neurônios naquele circuito. O quanto as pessoas são capazes de perceber as batidas do próprio coração, na verdade, se tornou uma forma-padrão de medir sua autoconsciência. Quanto melhor as pessoas são nisso, maiores são suas ínsulas.[4]

A ínsula nos sintoniza não apenas a nossos órgãos. Nossa própria noção de como estamos nos sentido depende dela.[5] Pessoas que ignoram as próprias emoções (e também — de forma reveladora, como veremos — ignoram como outras pessoas se sentem) têm uma atividade lenta da ínsula em comparação com a alta ativação encontrada em pessoas altamente sintonizadas com suas vidas emocionais internas. No extremo desse desligamento emocional estão as pessoas com alexitimia, que simplesmente não sabem o que sentem e não conseguem imaginar como outra pessoa pode estar se sentindo.[6]

Nossos "sentimentos viscerais" são mensagens da ínsula e de outros circuitos ascendentes, que simplificam as decisões da vida ao guiarem nossa atenção na direção de melhores opções. Quanto melhores somos em ler essas mensagens, melhor é a nossa intuição.

Pense naquele incômodo que às vezes você sente quando desconfia que se esqueceu de alguma coisa importante justamente quando está saindo para uma longa viagem. Uma maratonista me contou de uma vez que estava a caminho de uma corrida a 650 quilômetros de distância. Ela sentiu esse incômodo — e o ignorou. Mas enquanto ela seguia na autoestrada, o incômodo ficava voltando. Então ela se deu conta do que a estava incomodando: havia esquecido os tênis de corrida!

Uma parada num shopping que estava prestes a fechar salvou o dia. Mas seus tênis novos eram de uma marca diferente das que ela usava normalmente. Depois ela me contou: "Nunca fiquei tão machucada!"

"Marcadores somáticos" é o termo do neurocientista Antonio Damasio para as sensações do nosso corpo que nos dizem quando uma escolha parece certa ou errada.[7] Esse circuito ascendente telegrafa suas conclusões através das nossas intuições, frequentemente muito antes que os circuitos descendentes cheguem a uma conclusão mais racional.

A área pré-frontal ventromedial, parte-chave desse circuito, guia a nossa tomada de decisão quando encaramos as escolhas mais complexas da vida, como com quem nos casar ou se compramos uma casa. Essas escolhas não podem ser feitas com base numa análise fria e racional. Em vez disso, nos saímos melhor ao simular como seria escolher entre A ou B. Essa área do cérebro opera como esse leme interno.

Há dois importantes fluxos de autoconsciência: o "eu" que constrói narrativas sobre nosso passado e nosso futuro e o "eu" que nos traz ao presente imediato. O "eu" relacionado ao passado e ao futuro reúne o que vivemos através do tempo. O "eu" do presente imediato, em absoluto contraste, existe apenas na experiência crua do aqui e agora.

O "eu" do presente imediato, nossa mais íntima noção do nosso self, reflete a soma fragmentada das nossas impressões sensoriais — especialmente os estados do nosso corpo. Este "eu" é formado a partir do sistema do nosso cérebro responsável por mapear o corpo através da ínsula.[8]

Esses sinais internos são nossos lemes interiores, que nos ajudam em muitos níveis, desde viver uma vida de acordo com nossos valores até nos lembrar de colocar nosso tênis de corrida na bagagem.

Uma artista veterana do Cirque du Soleil me contou que, com suas rotinas cansativas, os artistas se esforçam pelo que ela chamou de "prática perfeita", em que as leis da física e as regras da biomecânica se unem com o tempo, os ângulos e a velocidade, de modo que eles consigam ficar "mais perfeitos por mais tempo — já que não se pode ser perfeito o tempo todo".

E como o artista sabe que está se aproximando da perfeição? "É uma sensação. Sabemos disso nas nossas articulações antes de sabermos na nossa cabeça."

7

VENDO A NÓS MESMOS COMO OS OUTROS NOS VEEM

"Temos uma regra de 'Proibido imbecis', mas nosso diretor de tecnologia é um imbecil", me diz a executiva de uma incubadora tecnológica da Califórnia. "Ele tem bastante competência no que faz, mas é muito agressivo, discrimina as pessoas de quem não gosta e privilegia seus preferidos."

"Ele tem zero autoconsciência", ela acrescenta. "Simplesmente não se dá conta de quando está sendo agressivo. Se observamos que ele está fazendo isso de novo, ele inverte a situação, fica irritado ou acha que o problema é nosso."

Mais tarde, o presidente da empresa me contou: "Trabalhamos com ele por mais uns três meses, mais ou menos, e então finalmente tivemos que dispensá-lo. Ele não conseguiria mudar — era muito agressivo e sequer enxergava isso."

Com muita frequência, quando perdemos o controle e agimos de modo desagradável, não temos noção do que fazemos. E se ninguém nos diz nada, continuamos dessa forma.

Um ótimo teste de autoconsciência é uma avaliação "360 graus", em que nos pedem para nos avaliarmos em relação a comportamentos ou características específicas. Essas autoavaliações são comparadas com as avaliações feitas por cerca de uma dúzia de pessoas a quem pedimos que nos avaliem usando a mesma escala. Escolhemos essas pessoas porque elas nos conhecem bem e respeitamos a capacidade de julgamento delas — e, como as notas são anônimas, elas se sentem à vontade para serem francas.

Vendo a nós mesmos como os outros nos veem

A diferença entre como vemos a nós mesmos e como os outros nos consideram é uma das melhores avaliações que podemos ter da nossa própria autoconsciência. Existe uma relação intrigante entre a autoconsciência e o poder. Há relativamente poucas diferenças entre as avaliações próprias e as dos outros nos níveis mais baixo das hierarquias ou dos colaboradores individuais. Mas quanto mais alta é a posição de alguém numa organização, maior é a diferença.[1] A autoconsciência pode diminuir com as promoções na hierarquia da organização.

Uma teoria: essa diferença aumenta porque, conforme as pessoas ganham poder dentro de uma organização, encolhe o círculo daqueles que se dispõem ou têm coragem suficiente para falar sinceramente sobre seus problemas. E há ainda aqueles que simplesmente negam seus problemas ou sequer os enxergam.

Qualquer que seja o motivo, os líderes desligados veem a si mesmos como sendo muito mais eficientes do que aqueles a quem estão liderando os veem. Uma falta de autoconsciência deixa você sem noção. Pense no seriado *The Office.*

Uma avaliação 360 graus propicia o poder de nos vermos pelos olhos dos outros, o que oferece outro caminho para a autoconsciência. Robert Burns, o poeta irlandês, celebrou este caminho em versos:

> *Oh that the gods [Ah, que os deuses]*
> *The gift would gi'e us [Nos dessem o presente]*
> *To see ourselves [De vermos a nós mesmos]*
> *As others see us. [Como os outros nos veem.]*

Uma visão mais sarcástica foi dada por W.H. Auden, que observou: "Pode até ser que eu me ame", mas cada um de nós cria uma autoimagem positiva na mente ao esquecer seletivamente o que nos é desfavorável e lembrar o que temos de admirável. E, acrescentou, fazemos algo parecido com a imagem que tentamos criar "nas mentes dos outros para que eles possam me amar".

E o filósofo George Santayana levou isso ao extremo, ao observar que o que as outras pessoas pensam a nosso respeito não tem muita importância — exceto pelo fato de que, depois que sabemos, isso "modifica profundamente o que pensamos sobre nós mesmos". Filósofos sociais chamaram esse efeito reflexivo de "self do espelho", como imaginamos que os outros nos veem.

Nossa noção de self, nesta visão, surge em nossas interações sociais; os outros são nossos espelhos, nos refletindo para nós mesmos. A ideia foi resumida como: "Eu sou o que eu acho que você acha que eu sou."

ATRAVÉS DOS OLHOS — E OUVIDOS — DOS OUTROS

A vida nos dá poucas chances de enxergarmos como os outros realmente nos veem. Deve ser por isso que a disciplina ministrada por Bill George na Harvard Business School, "Desenvolvimento Autêntico de Liderança", esteja entre as mais populares e lotadas toda vez que é oferecida (o mesmo ocorre com uma disciplina semelhante no curso de administração de Stanford).

Como George me disse: "Sabemos quem somos até nos ouvirmos contando a história da nossa vida a alguém em quem confiamos." Para agilizar esse aumento da autoconsciência, George criou o que ele chama de "Grupos do Verdadeiro Norte", no qual "verdadeiro norte" se refere ao encontro da bússola interna e dos valores centrais. O curso dele possibilita aos alunos a oportunidade de integrar um desses grupos.

Um dos preceitos dos grupos: autoconhecimento começa com autorrevelação.

Esses grupos (que qualquer um pode formar) são, segundo George, tão abertos e íntimos — ou até mais — do que as reuniões de Doze Passos ou dos grupos de terapia, oferecendo "um lugar seguro em que seus membros possam discutir questões pessoais que eles não acreditam conseguir abordar em qualquer outro lugar — frequentemente nem mesmo com seus parentes mais próximos".[2]

Não se trata simplesmente de enxergar a nós mesmos como os outros nos enxergam. Trata-se também de ouvir a nós mesmos como os outros nos ouvem. Nós não fazemos isso.

A publicação *Surgery* relata um estudo em que o tom de voz de cirurgiões foi avaliado com base em trechos de dez segundos gravados durante consultas com seus pacientes.[3] Metade dos cirurgiões cujas vozes foram avaliadas havia sido processada por erro médico, a outra metade não. A voz daqueles que haviam sido processados era muito mais frequentemente avaliada como arrogante e indiferente.

Cirurgiões passam mais tempo do que a maioria dos outros médicos explicando detalhes técnicos a seus pacientes, bem como revelando os piores riscos das cirurgias. É uma conversa difícil, que pode levar os pacientes a um estado de alta ansiedade e uma vigilância aumentada em relação a pistas emocionais.

Quando se trata de o paciente ouvir o cirurgião explicar detalhes técnicos — e assustadores riscos potenciais —, o radar de perigo do cérebro fica em alerta máximo, em busca de indícios do quão seguro tudo aquilo realmente pode ser. Essa sensibilidade aumentada pode ser um motivo pelo qual a empatia e a preocupação — ou melhor, a falta delas — demonstradas no tom de voz de um cirurgião tende a prever se ele será processado caso alguma coisa dê errado.

A acústica do nosso crânio faz com que escutemos a nossa voz de uma forma muito diferente da que os outros escutam. Mas nosso tom de voz tem uma imensa importância no impacto do que dizemos. Uma pesquisa descobriu que quando as pessoas recebem um feedback de desempenho negativo num tom de voz gentil e solidário, saem da conversa com sensações positivas — apesar do feedback negativo. Mas quando recebem avaliações de desempenho positivas com tons de voz frios e distantes, acabam se sentindo mal apesar da boa notícia.[4]

Uma solução proposta no artigo da *Surgery*: mostrar aos cirurgiões uma gravação de sua voz durante as consultas com pacientes, para que eles possam ouvir como falam e possam receber treinamento sobre formas de fazer com que suas vozes transmitam empatia e cuidado — ouvir a si mesmos como os outros os ouvem.

PENSAMENTO DE GRUPO: PONTOS CEGOS COMPARTILHADOS

Na esteira do desastre econômico dos veículos de investimento baseados em derivativos de alto risco, foi entrevistado um financista cujo trabalho vinha criando justamente esses instrumentos derivativos. Ele explicou de que modo, em seu trabalho, ele rotineiramente tomava imensos lotes de hipotecas de alto risco e as dividia em três partes: o melhor do pior, o não tão bom e o pior do pior. Então, tomava cada uma das partes e as dividia em terços novamente — e criava derivativos para investimentos baseados em cada um deles.

Perguntaram a ele: "Quem iria querer comprar isso?"

A resposta dele: "Idiotas."

É claro que pessoas aparentemente muito inteligentes investiram nesses derivativos, ignorando sinais de que eles não valiam tanto e enfatizando o que quer que pudesse apoiar sua decisão. Quando essa tendência a ignorar as evidências contrárias é compartilhada entre um grupo de pessoas, ela se torna um pensamento de grupo. A necessidade implícita de proteger uma opinião apreciada (desconsiderando informações fundamentais contrárias a ela) conduz a um compartilhamento de pontos cegos que levam a más decisões.

A decisão do presidente George W. Bush e de seus assessores próximos de invadir o Iraque baseados em imaginárias "armas de destruição em massa" é um exemplo clássico. Assim como os círculos de investidores financeiros que estimularam a tragédia dos derivativos imobiliários. Ambos os exemplos de pensamento de grupo catastrófico envolveram grupos isolados de tomadores de decisão que deixaram de fazer as perguntas certas ou ignoraram informações negativas, caindo numa espiral descendente de autoafirmação.

A cognição é distribuída entre membros de um grupo ou rede: algumas pessoas são especialistas em uma área, enquanto outras dominam pontos fortes complementares. Quando a informação flui mais livremente no interior do grupo e para dentro dele, são tomadas as melhores decisões. Mas aí o pensamento de grupo começa com um autoengano compartilhado: a suposição não declarada de que "sabemos tudo o que precisamos saber".

Uma empresa que administra investimentos para pessoas muito ricas deu a Daniel Kahneman um verdadeiro tesouro: oito anos de resultados de investimentos de 25 de seus consultores financeiros. Ao analisar as informações, Kahneman descobriu que não havia relação entre o sucesso dos consultores de um ano para outro — em outras palavras, nenhum dos consultores era consistentemente melhor do que os demais na administração do dinheiro de seus clientes. Os resultados não eram melhores do que o mero acaso.

No entanto, todos se comportavam como se houvesse uma habilidade especial envolvida — e aqueles que apresentavam o melhor desempenho a cada ano recebiam um grande bônus. Com os resultados nas mãos, Kahneman jantou com os chefões da empresa e os informou de que estavam "recompensando sorte como se fosse habilidade".

Isso deveria ter sido uma notícia chocante. Mas os executivos continuaram jantando calmamente. E Kahneman diz não ter dúvidas de que "as implicações foram rapidamente varridas para baixo do tapete e a vida na empresa continuou exatamente como antes".[5]

A ilusão da capacidade, profundamente arraigada na cultura dessa indústria, estava sendo atacada. Mas "fatos que desafiam suposições tão básicas — e, portanto, ameaçam o meio de vida e a autoestima das pessoas — simplesmente não são absorvidos", ele acrescenta.

Nos anos 1960, com o movimento pelos direitos civis explodindo no sul dos Estados Unidos, participei de um protesto diante de um mercado local que na época não contratava afro-americanos na minha cidade natal da Califórnia. Mas foi apenas anos depois, quando fiquei sabendo do trabalho de John Ogbu, um antropólogo nigeriano alocado em Berkeley — que foi até uma cidade perto da minha para estudar o que ele chamava de seu "sistema de castas" —, que me dei conta de que *havia* esse sistema, uma espécie de segregação de fato.[6] Minha escola de ensino médio era toda de brancos, com alguns poucos asiáticos e hispânicos; outra era majoritariamente de negros com alguns hispânicos; e a terceira, uma mistura. Eu simplesmente nunca havia percebido.

No que dizia respeito ao mercado, pude ver prontamente a parte *deles* na discriminação — mas estava cego para o padrão maior em que eu estava enredado, a totalidade da hierarquia social inerente a onde as pessoas moravam e iam à escola (naquele tempo). A iniquidade de uma sociedade se funde ao seu pano de fundo, algo com que nos acostumamos em vez de tomarmos uma posição. É preciso muito esforço para trazê-la de volta ao nosso foco coletivo.

Esse tipo de autoengano parecer ser um traço universal da atenção. Por exemplo, quando motoristas avaliaram suas habilidades atrás do volante, cerca de três quartos deles acreditavam ser melhores do que a média.

Estranhamente, aqueles que haviam se envolvido em acidentes tinham *mais* probabilidade de se avaliarem como melhores motoristas do que os que não tinham registro de acidentes.

Mais estranho ainda: em geral, a maioria das pessoas se considera como tendo menos possibilidade de exagerar na autoavaliação do que os outros. Essas autoavaliações infladas refletem o efeito "melhor do que a média", que foi descoberto em relação a praticamente qualquer traço positivo, de competência e criatividade a cordialidade e honestidade.

Li o relato de Kahneman em seu livro fascinante *Rápido e devagar: duas formas de pensar*, num voo de Boston a Londres. Quando o avião aterrissou, falei com o passageiro sentado do outro lado do corredor, que estava olhando para a capa. Ele me disse que estava pensando em ler o livro — e calhou de mencionar que trabalhava como investidor para pessoas com muito dinheiro.

Enquanto o avião taxiava pela pista e nos levava até nosso portão do aeroporto de Heathrow, resumi os pontos principais do livro, incluindo essa história sobre a empresa de investimentos — acrescentando que o livro parecia sugerir que indústria em que ele trabalhava recompensava sorte como se fosse competência.

— Acho então — ele respondeu, dando de ombros — que agora não preciso ler o livro.

Quando o próprio Kahneman relatou seus resultados aos gerentes financeiros, eles responderam com uma indiferença parecida. Como ele diz sobre esse tipo de informações desconcertantes: "A mente não as digere bem."

É necessário haver metacognição — neste caso, a consciência da nossa falta de consciência — para trazer à luz o que o grupo enterrou numa cova de indiferença ou opressão. A clareza começa por percebermos o que não notamos — e não notamos que não notamos.

Riscos inteligentes são baseados numa ampla e voraz reunião de dados que contrastam com uma mera intuição; decisões estúpidas são construídas a partir de uma base de dados estreita demais. Receber feedbacks sinceros de pessoas em quem confiamos e a quem respeitamos cria uma fonte de autoconsciência, que protege contra informações distorcidas ou suposições questionáveis. Outro antídoto para o pensamento de grupo: expandir o círculo de conexões para além da zona de conforto e se vacinar contra o isolamento dentro do grupo, construindo um círculo de confidentes sinceros que nos mantenham honestos.

Uma diversificação inteligente vai além de equilíbrio de gênero e etnia, e inclui uma ampla gama de idades, clientes, fregueses ou quaisquer outros que possam oferecer uma nova perspectiva.

"No começo da nossa operação, nossos servidores falharam", conta um executivo de uma empresa de computação em nuvem. "Nossa concorrência estava nos monitorando e logo recebemos uma enxurrada de ligações de repórteres perguntando o que estava acontecendo. Não respondemos às ligações porque não sabíamos o que dizer."

"Então, um funcionário, ex-jornalista, sugeriu uma solução criativa: um site chamado 'Nuvem de Confiança', na qual fomos completamente sinceros sobre o que estava acontecendo com nossos servidores — qual era o problema, como estávamos tentando consertá-lo, tudo."

Era uma ideia estranha para a maioria dos executivos da empresa. Vinham de empresas de tecnologia em que guardar importantes segredos era parte da rotina. A suposição indiscutível de que eles deveriam manter o problema entre eles era uma semente potencial do pensamento de grupo.

"Mas no instante em que passamos a ser transparentes", conta o executivo, "o problema desapareceu. Nossos clientes receberam a garantia de que poderiam saber o que estava acontecendo, e os repórteres pararam de ligar".

"O sol", como o presidente da Suprema Corte Felix Frankfurter disse uma vez, "é o melhor desinfetante".

8

UMA RECEITA PARA O AUTOCONTROLE

Quando meus filhos tinham mais ou menos 2 anos e se chateavam, eu às vezes usava a distração para acalmá-los: "Olhem aquele passarinho", ou um entusiasmado multiuso: "O que é aquilo?", com o olhar ou o dedo apontando para alguma coisa.

A atenção regula a emoção. Este pequeno recurso usa a atenção seletiva para acalmar a amígdala agitada. Desde que um bebê se mantenha focado em alguma coisa que o interesse, a aflição diminui. No instante em que aquela coisa perde a fascinação, a aflição, se ainda está presa nas redes da amígdala, volta com força total.[1] O truque, evidentemente, é manter o bebê intrigado tempo suficiente para a amígdala se acalmar.

Quando as crianças aprendem a dominar essa manobra da atenção, adquirem uma de suas primeiras habilidades de autorregulação emocional — que tem enorme importância para seus destinos: como administrar a rebelde amígdala. Esse recurso exige atenção executiva, uma capacidade que começa a florescer no terceiro ano de vida, quando uma criança pequena é capaz de demonstrar "controle esforçado" — concentrar-se segundo a própria vontade, ignorando as distrações e inibindo os impulsos.

Os pais podem perceber esse marco quando um bebê faz a escolha intencional de dizer não a uma tentação, como esperar pela sobremesa depois de ter comido mais algumas porções do que está em seu prato. Isso também depende de atenção executiva, que floresce em força de vontade e autodisciplina — ou nossa capacidade de administrar nossos sentimentos perturbadores e ignorar nossos caprichos para conseguirmos nos manter focados num objetivo.

Aos 8 anos de idade, a maior parte das crianças domina algum grau de atenção executiva. Essa ferramenta mental administra a operação de outras redes cerebrais para habilidades cognitivas, como aprender a ler e a realizar operações matemáticas e questões acadêmicas em geral (veremos mais disso na Parte Cinco).

Nossa mente utiliza a autoconsciência para manter tudo o que fazemos nos trilhos: a metacognição — pensar sobre pensar — permite que saibamos como estão indo nossas operações mentais e possamos ajustá-las conforme for necessário; a metaemoção faz a mesma coisa regulando o fluxo de sentimentos e impulsos. No design da mente, a autoconsciência tem a função de regular nossas próprias emoções, bem como perceber como os outros estão se sentindo. Neurocientistas enxergam o autocontrole através das lentes da função executiva das zonas cerebrais subjacentes, que gerenciam habilidades mentais como a autoconsciência e a autorregulação, habilidades críticas para conduzirmos nossas vidas.[2]

A atenção executiva é a chave para a autogestão. Esse poder de direcionar nosso foco para alguma coisa e ignorar as outras permite que tragamos à mente o tamanho da nossa barriga quando vemos aquelas fatias de torta de sorvete no freezer. Esse pequeno ponto de escolha abriga o cerne da força de vontade, a essência da autorregulação.

O cérebro é o último órgão do corpo a amadurecer anatomicamente, continuando a crescer e a se moldar até os 20 anos — e as redes de atenção são como um órgão que se desenvolve em paralelo ao cérebro.

Como todo pai de mais de um filho sabe, desde o primeiro dia de vida os bebês são diferentes uns dos outros: um é mais alerta ou mais calmo ou mais ativo do que outro. Essas diferenças de temperamento refletem a maturidade e a genética de várias redes cerebrais.[3]

Quanto do nosso talento para a atenção vem dos nossos genes? Depende. Acontece que diferentes sistemas de atenção têm diferentes graus de hereditariedade.[4] A hereditariedade mais forte é para o controle executivo.

Mesmo assim, construir essa habilidade vital depende em grande medida do que aprendemos na vida. A epigenética, ciência que estuda como o ambiente impacta em nossos genes, nos diz que herdar um conjunto de genes não é por si só suficiente para que eles tenham importância. Os genes têm o que equivale a um interruptor bioquímico de ligar/desligar; se nunca são acionados, é como se sequer os tivéssemos. O "acionamento" do interruptor ocorre de várias maneiras, incluindo o que comemos, a dança de reações químicas dentro do corpo e o que aprendemos.

FORÇA DE VONTADE É DESTINO

Décadas de resultados de pesquisas mostram a importância singular da força de vontade em determinar o curso da vida. A primeira dessas pesquisas foi um pequeno projeto na década de 1960 em que crianças de lares carentes receberam atenção especial num programa de pré-escola que as ajudou a cultivar o autocontrole, entre outras habilidades de vida.[5] Esse projeto tinha a esperança de aumentar o QI delas, mas fracassou nesse objetivo. Ainda assim, anos mais tarde, quando esses alunos de pré-escola foram comparados com garotos parecidos sem o programa, ao longo da vida eles apresentaram menores taxas de gravidez na adolescência, abandono escolar, delinquência e até mesmo faltas no trabalho.[6] Essas descobertas funcionaram como importante argumento para os futuros programas de pré-escola existentes hoje por todos os Estados Unidos.

Há também o "teste do marshmallow", um lendário estudo realizado pelo psicólogo Walter Mischel na Universidade de Stanford, na década de 1970. Mischel convidou crianças de 4 anos de idade, uma a uma, para uma "sala de jogos" no Jardim de Infância Bing, no campus de Stanford. Na sala, mostravam à criança uma bandeja com marshmallows ou outras guloseimas e diziam para ela escolher alguma que desejasse.

Então vinha a parte difícil. O pesquisador dizia à criança: "Você pode comer o seu doce agora, se quiser. Mas se não comer até eu voltar depois de resolver um problema, você poderá escolher dois doces."

Tamanho autocontrole era um feito e tanto sob condições tão ruins para uma criança de 4 anos. Haviam sido eliminadas da sala quaisquer distrações: nada de brinquedos, livros ou mesmo quadros nas paredes. Cerca de um terço das crianças pegava o marshmallow imediatamente, enquanto outro terço ou mais esperava por intermináveis 15 minutos até ser recompensado com dois marshmallows (o outro terço se situou em algum ponto entre um grupo e outro). O mais significativo: os que resistiram à sedução do doce receberam pontuações mais altas em medidas de controle executivo, principalmente na realocação da atenção.

A forma como nos focamos é a chave da força de vontade, diz Mischel. Suas centenas de horas de observação de crianças pequenas lutando contra uma tentação revelam "a alocação estratégica da atenção", com suas palavras, como a habilidade fundamental. As crianças que esperaram durante todos os 15 minutos o fizeram se distraindo com artimanhas como jogos de faz de conta, cantando ou cobrindo os olhos. Se uma criança simplesmente ficava olhando fixamente para o marshmallow, ela dançava (ou, mais precisamente, o marshmallow dançava).

Pelo menos três subtipos de atenção, todos eles aspectos da atenção executiva, estão em jogo quando confrontamos o autodomínio com a gratificação instantânea. O primeiro é a capacidade de voluntariamente desligar nosso próprio foco de um objeto do desejo que prende poderosamente nossa atenção. O segundo, resistir à distração, nos permite manter nosso foco em outro lugar — por exemplo, em jogos de faz de conta — em vez de gravitar ao redor do suculento objeto. E o terceiro permite que mantenhamos nossa meta no futuro, como os dois marshmallows mais tarde. Tudo isso resulta em força de vontade.

Está tudo muito bem para as crianças que demonstram autocontrole numa situação artificial como a do teste do marshmallow. Mas, e quanto a resistir às tentações da vida real? Aqui entram em cena as crianças de Dunedin, Nova Zelândia.

Dunedin tem uma população de apenas pouco mais de 100 mil almas e abriga uma das maiores universidades do país. Essa combinação fez dela uma cidade perfeita para o que pode ser o estudo mais importante nos anais da ciência até hoje quanto aos ingredientes do sucesso na vida.

Num projeto assustadoramente ambicioso, 1.037 crianças — todos os bebês nascidos ao longo de um período de 12 meses — foram estudadas intensamente na infância e depois acompanhadas durante décadas por uma equipe com profissionais de diversos países. A equipe representava muitas disciplinas, cada uma com sua própria perspectiva diante do marcador-chave para autoconsciência: o autocontrole.[7]

Essas crianças foram submetidas a uma impressionante bateria de testes ao longo de seus anos escolares, como a avaliação da tolerância à frustração e da impaciência, de um lado, e do poder de concentração e de persistência, do outro.[8]

Depois de uma trégua de duas décadas, todos, com exceção de 4% das crianças, foram rastreados (um feito muito mais simples num país estável como a Nova Zelândia do que, digamos, nos hipermóveis Estados Unidos). Já jovens adultos, eles foram avaliados quanto a:

- *Saúde.* Exames físicos e laboratoriais avaliaram suas condições cardiovasculares, metabólicas, psiquiátricas, respiratórias e até mesmo dentais e inflamatórias.
- *Prosperidade.* Se tinham poupanças, se eram mães ou pais solteiros, se possuíam uma casa, se tinham problemas de crédito, investimentos ou plano de aposentadoria.
- *Crime.* Foram verificados todos os registros judiciais da Austrália e da Nova Zelândia para ver se eles haviam sido condenados por algum crime.

Quanto melhor era seu autocontrole na infância, melhor as crianças de Dunedin estavam se saindo em torno dos 30 anos. Tinham melhor estado de saúde, mais sucesso financeiro e eram cidadãos cumpridores das leis. Quanto pior era a administração de seus impulsos na infância, piores eram os salários e o estado de saúde, e maior era a possibilidade de terem antecedentes criminais.

O grande choque: uma análise estatística descobriu que o nível de autocontrole de uma criança é um indicador de seu sucesso financeiro e de sua saúde na idade adulta (e também de seus registros criminais) tão forte quanto a classe social, a riqueza da família de origem ou o QI. A força de vontade emerge como uma força completamente independente no sucesso na vida — na realidade, para o sucesso financeiro, o autocontrole na infância se mostrou um indicador *mais forte* do que o QI ou a classe social da família de origem.

O mesmo vale para o sucesso escolar. Numa experiência em que alunos norte-americanos da oitava série receberam a oferta de ganhar um dólar imediatamente ou dois dólares uma semana depois, essa simples avaliação do autocontrole se mostrou mais relacionada às médias escolares do que ao QI. A alta capacidade de autocontrole prevê não apenas notas melhores, como também um bom ajuste emocional, melhores habilidades interpessoais, sensação de segurança e adaptabilidade.[9]

Ponto principal: uma criança pode ter uma infância privilegiada financeiramente, porém, se não aprender como adiar uma gratificação para ir atrás de seus objetivos, essas vantagens iniciais podem perder a força ao longo da vida. Nos Estados Unidos, por exemplo, apenas dois de cada cinco filhos de pais entre os 20% mais ricos do país acabam tendo o mesmo status privilegiado. Cerca de 6% caem para os 20% com menor renda.[10] O estado consciente parece um fator de estímulo tão poderoso no longo prazo como escolas de elite, professores particulares e caros acampamentos de verão. Não subestime o valor de estudar violão ou de manter a promessa de alimentar o porquinho-da-índia e limpar sua gaiola.

Outro ponto principal: qualquer coisa que possamos fazer para aumentar a capacidade de controle cognitivo da criança irá ajudá-la ao longo de toda a vida. Até mesmo o Come-Come pode aprender a se sair melhor.

O COME-COME APRENDE A BELISCAR

No dia em que passei na Oficina Sésamo, a sede da vizinhança televisiva de Bert, Ernie, Garibaldo, Come-Come e o resto da turma adorada nos mais de 120 países em que o programa *Vila Sésamo* é exibido, estava havendo uma reunião da equipe principal com cientistas cognitivos e neurocientistas.

O DNA da *Vila Sésamo* embrulha a ciência do aprendizado com o entretenimento. "No cerne de cada clipe da *Vila Sésamo* há uma meta curricular", disse Michael Levine, diretor-executivo do Centro Joan Ganz Cooney, na oficina do programa. "Tudo o que mostramos é pré-testado em seu valor educacional."

Uma rede de especialistas acadêmicos revisa o conteúdo dos programas enquanto os verdadeiros especialistas — as próprias crianças em idade pré-escolar — garantem que o público-alvo irá compreender a mensagem. E programas com algum foco em especial, como um conceito matemático, são testados novamente quanto ao impacto educacional sobre o que as crianças realmente aprenderam.

A reunião daquele dia, com os cientistas, tinha como tema questões cognitivas essenciais. "Precisamos de pesquisadores de ponta sentados ao lado de roteiristas de ponta para o desenvolvimento dos programas", disse Levine. "Mas precisamos fazer do jeito certo: ouvir os cientistas, e depois brincar com o que eles nos disserem — nos divertirmos um pouco."

Tomemos como exemplo uma lição sobre controle de impulsos, o tempero secreto num quadro sobre o Clube de Especialistas em Cookies. Alan, o proprietário da loja Hooper, na *Vila Sésamo*, assou biscoitos para serem experimentados pelo clube — mas ninguém imaginou que o Come-Come participaria. Quando chega de surpresa na cena, ele, é claro, quer comer todos os biscoitos.

Alan explica ao Come-Come que, se ele quiser participar do clube, precisará controlar o impulso de devorar todos os cookies e saborear a experiência. Primeiro, ele deve pegar o cookie e procurar por imperfeições, depois, deve cheirá-lo e, finalmente, dar uma beliscada. Mas o Come-Come, a personificação do impulso, só consegue devorar os cookies.

Para acertar a estratégia de autorregulação neste quadro, diz Rosemarie Truglio, vice-presidente sênior de educação e pesquisa, eles consultaram ninguém menos do que Walter Mischel, o grande idealizador do teste do marshmallow.

Mischel propôs ensinar ao Come-Come estratégias de controle cognitivo, como pensar no cookie como sendo outra coisa, e depois lembrar a si mesmo sobre isso. Então, o Come-Come vê que o cookie é redondo e se parece com um ioiô, e repete obedientemente para si mesmo sem parar que o cookie é um ioiô. Mas ele o devora mesmo assim.

Para ajudar o Come-Come a dar apenas uma beliscadinha — um grande triunfo da força de vontade — Mischel sugeriu uma estratégia de atraso do impulso diferente. Alan diz ao Come-Come: "Eu sei que é difícil para você, mas o que é mais importante: comer este cookie agora ou entrar para o clube, onde você poderá experimentar todos os tipos de cookies?" Isso funcionou.

Uma mente que é distraída com facilidade demais diante do menor sinal de um cookie não terá a persistência para compreender frações, quanto menos cálculo. Partes do currículo da *Vila Sésamo* reforçam esses elementos de controle executivo, que cria uma plataforma mental que é pré-requisito para tratar dos temas relacionados a ciências, tecnologia, engenharia e matemática.

"Professores das primeiras séries nos dizem que precisam que as crianças cheguem a eles prontas para se sentar, se concentrar, lidar com as próprias emoções, ouvir orientações, colaborar e fazer amizades", explicou Truglio. "Só então eles podem lhes ensinar letras e números."

"Cultivar noções de matemática e habilidades precoces de alfabetização", Levine me disse, "exige autocontrole, baseado em mudanças na função executiva durante os anos pré-escolares". Os controles inibidores relacionados ao funcionamento executivo estão bastante relacionados tanto com a matemática rudimentar quanto com a capacidade de leitura. "Ensinar essas habilidades de autorregulação", ele acrescentou, "pode, surpreendentemente, reprogramar partes do cérebro em crianças nas quais essas partes poderiam estar aquém do desenvolvimento esperado".

O PODER DE ESCOLHER

Você gosta desta obra de arte? Pessoas ao redor do mundo dizem que pinturas de cenas como esta estão entre suas preferidas: uma visão idílica a partir de um ponto de vista privilegiado, de frente para a água, com uma colina e alguns animais. Talvez esta preferência universal tenha se iniciado na era da pré-história humana, em que nossa espécie vagava pelas savanas, mas se instalava dentro de cavernas em busca de proteção e calor.

Se a partir de agora você conseguir continuar acompanhando o que escrevi e não voltar a olhar para aquela cena tranquila, embora possa sentir uma comichão mental para espiar, você criará em seu próprio cérebro uma briga entre o foco e a distração. Essa tensão ocorre sempre que tentamos nos manter concentrados em uma coisa e ignorar a sedução de outra. Isso significa que há um conflito neural acontecendo, um cabo de guerra em que o circuito descendente e o circuito ascendente disputam em níveis de excitação.

Aliás, lembre-se, não olhe para aquela obra de arte reproduzida anteriormente — continue exatamente aqui com o que estou dizendo sobre o que está acontecendo com o seu cérebro. Este conflito interno duplica a batalha que uma garota enfrenta quando sua mente quer se distrair do dever de casa de matemática para conferir o celular e checar se não recebeu torpedos da melhor amiga.[11]

Teste alunos do ensino médio em relação ao talento natural em matemática e você encontrará uma diferença: alguns garotos são terríveis, muitos simplesmente não são tão bons e 10% ou mais demonstram um grande potencial. Pegue esses 10% do topo, acompanhe como eles se saem na disciplina de matemática ao longo de um ano, e a maioria irá tirar as melhores notas. Mas, ao contrário das previsões, uma parte desses alunos de alto potencial se sairá mal.

Agora dê a cada um dos alunos de matemática um aparelho que buzina em momentos aleatórios ao longo do dia e peça que definam o estado de humor deles naquele momento. Se estiverem estudando matemática, os que se saíram bem irão definir o próprio humor como positivo com muito mais frequência do que como ansioso. Mas os que se saem mal responderão o contrário: terão cerca de cinco vezes mais episódios ansiosos do que agradáveis.[12]

Esse índice esconde um segredo sobre por que aqueles com grande potencial de aprendizado acabam tendo dificuldades. A atenção, segundo nos diz a ciência cognitiva, tem uma capacidade limitada: a memória de trabalho cria um gargalo que nos permite guardar certa quantidade de coisas na mente num determinado instante (como vimos no Capítulo Um). Conforme nossas preocupações interferem na capacidade limitada da nossa atenção, esses pensamentos irrelevantes encolhem a extensão deixada para, digamos, a matemática.

A capacidade de perceber que estamos ficando ansiosos e tomar providências para renovar nosso foco reside na autoconsciência. Essa metacognição nos permite manter nossa mente no estado mais adequado para a tarefa em questão, seja resolver equações de álgebra, anotar uma receita ou trabalhar com alta-costura. Quaisquer que sejam nossos melhores talentos, a autoconsciência nos ajudará a utilizá-los ao máximo.

Das muitas nuances e formas de atenção, duas têm grande importância para a autoconsciência. A atenção seletiva permite que foquemos em um alvo e ignoremos todo o resto. A atenção aberta permite que recebamos amplamente informações do mundo ao nosso redor e do mundo dentro de nós, fazendo com que captemos pistas sutis que, de outra forma, deixaríamos passar.

Extremos em qualquer um desses tipos de atenção — estar focado demais em um alvo externo ou aberto demais para o que está acontecendo ao nosso redor —, como expõe Richard Davidson, "podem tornar a autoconsciência impossível".[13] A função executiva inclui a atenção à própria atenção ou, mais genericamente, a consciência dos nossos estados mentais. Isso permite que monitoremos o nosso foco e o mantenhamos no trilho.

A função executiva (como o controle cognitivo às vezes é chamado) pode ser ensinada (como acabamos de ver e exploraremos com mais detalhes na Parte Cinco). Ensinar habilidades executivas para crianças em idade pré-escolar as deixa mais preparadas para seus anos escolares do que ter um alto QI ou já ter aprendido a ler.[14] Como a equipe do programa *Vila Sésamo* sabe, professores desejam alunos com boas funções executivas, como autocontrole, controle da atenção e capacidade de resistir a tentações. Essas funções executivas predizem boas notas em matemática e leitura ao longo dos anos escolares, independentemente do QI da criança.[15]

É claro que isso não serve apenas para crianças. Esse poder de direcionar nosso foco em uma coisa e ignorar outras — de trazer nossa barriga à mente, digamos, quando vemos aquela torta de sorvete no freezer — está no cerne da força de vontade.

UM SACO DE OSSOS

Na Índia do século V, monges eram estimulados a contemplar as "32 partes do corpo", uma lista de itens pouco atraentes da biologia humana: fezes, bile, catarro, pus, sangue, gordura, ranho e assim por diante. Esse foco em aspectos desagradáveis tinha o objetivo de provocar o distanciamento do próprio corpo, bem como ajudar os monges a repudiar o desejo — em outras palavras, a incrementar a força de vontade.

Avancemos 16 séculos e contrastemos aquele esforço asceta com seu extremo oposto. Como me disse um assistente social que trabalha com profissionais do sexo adolescentes em Los Angeles: "É inacreditável como alguns garotos podem ser impulsivos. Eles vivem nas ruas, mas, se tivessem mil dólares, gastariam tudo no iPhone mais caro em vez de arranjar um teto e conseguir a segurança de que precisam."

O programa dele ajuda jovens portadores do HIV a obter financiamento do governo para sair das ruas e receber atendimento médico gratuito, auxílio financeiro para aluguel e alimentação, e até mesmo uma inscrição numa academia. "Eu cheguei a ver amigos de alguns desses garotos", ele me conta, "se tornarem HIV positivos de propósito para poderem receber os benefícios".

Aquele mesmo contraste entre o alto controle cognitivo e sua falta absoluta foi descoberto num estado de espírito mais inocente há alguns anos, naquele teste de Stanford de atraso de gratificação com crianças de 4 anos de idade tentadas com um marshmallow. Quando 57 daquelas crianças de Stanford foram procuradas quarenta anos depois, aqueles que resistiram ao marshmallow aos 4 anos ainda eram capazes de atrasar a gratificação, mas os demais ainda tinham problemas para conter seus impulsos.

Então eles tiveram os cérebros examinados enquanto resistiam a uma tentação. Os que resistiram ao marshmallow ativavam circuitos-chave no córtex pré-frontal para controlar pensamentos e ações — inclusive o giro frontal inferior direito, que diz não aos impulsos. Mas os demais ativavam o estriado ventral, um circuito do sistema de recompensa do cérebro que ganha vida quando nos submetemos às tentações da vida e aos prazeres culpados, como uma sobremesa deliciosa.[16]

No estudo de Dunedin, os anos da adolescência tiveram importância principalmente para o controle cognitivo. Quando adolescentes, os que tinham menos autocontrole eram os que tinham mais chances de começar a fumar, serem pais adolescentes por acidente e abandonar a escola — ciladas que fecham portas para oportunidades futuras e os prendem a estilos de vida que aceleram o caminho rumo a empregos com baixos salários, saúde pior e, em alguns casos, carreiras no crime.

Então isso quer dizer que crianças hiperativas ou com transtorno de déficit de atenção estão condenadas a ter problemas? De forma alguma — assim como acontece entre as crianças como um todo, houve uma inclinação à mudança positiva entre aquelas com TDAH. Até mesmo para este grupo, um autocontrole relativamente maior previa um melhor resultado de vida, apesar dos problemas de atenção nos anos escolares.

Isso não ocorre apenas com crianças de 4 anos e adolescentes. A sobrecarga cognitiva crônica que tipifica a vida de muitos de nós parece diminuir nossos limites de autocontrole. Aparentemente, quanto maiores as exigências sobre nossa atenção, pior nos saímos na resistência a tentações. Uma pesquisa sugere que a epidemia de obesidade em países em desenvolvimento pode se dever em parte à nossa maior suscetibilidade quando distraídos a entrarmos em modo automático e irmos em busca de alimentos açucarados e gordurosos. Exames de neuroimagem descobriram que as pessoas com maior sucesso na perda e na manutenção de peso apresentam maior controle cognitivo quando se veem diante de uma porção repleta de calorias.[17]

A famosa máxima de Freud, "Onde o id estava, ali o ego deverá estar", fala diretamente sobre essa tensão interna. O id — a porção de impulsos que nos faz escolher um sabonete, comprar aquele item de luxo caro demais ou clicar naquele site maravilhoso mas que só serve para perder tempo — luta constantemente contra o nosso ego, o executivo da mente. O ego nos permite perder peso, guardar dinheiro e distribuir o tempo de maneira efetiva.

Na arena da mente, a força de vontade (uma faceta do "ego") representa uma luta livre entre os sistemas de cima e de baixo. A força de vontade nos mantém focados em nossos objetivos apesar da provocação dos nossos impulsos, paixões, hábitos e desejos. Esse controle cognitivo representa um sistema mental "frio", que se esforça para ir atrás dos nossos objetivos diante das nossas reações emocionais "quentes" — rápidas, impulsivas e automáticas.

Os dois sistemas representam uma crítica diferença de foco. Os circuitos de recompensas se fixam na cognição quente, pensamentos com alta carga emocional, como o que é tentador no marshmallow (*é gostoso, doce e fofinho*). Quanto maior a carga, mais forte o impulso — e mais provavelmente nossos lobos pré-frontais mais sóbrios serão sequestrados pelos nossos desejos.

O sistema executivo pré-frontal, em contrapartida, "esfria o quente" ao suprimir o impulso de ir pegar o marshmallow e ao reavaliar a própria tentação (*também engorda*). Você (ou o seu filho de 4 anos) pode ativar esse sistema pensando, por exemplo, na forma do marshmallow, ou na sua cor, ou em como ele é feito. Esta mudança no foco diminui a carga de energia destinada para ir atrás do doce.

Exatamente como sugeriu para o Come-Come, em suas experiências em Stanford, Mischel ajudou algumas das crianças com um simples truque mental: ele as ensinou a imaginar que o doce era apenas uma foto com uma moldura ao redor. De repente, aquela porção irresistível de açúcar que se agigantava em suas mentes se tornava algo que eles podiam fingir que não era real, algo em que eles podiam ou não se focar. Modificar a relação que tinham com o marshmallow era uma espécie de judô mental, que ajudou as crianças que não haviam conseguido atrasar a posse do doce por mais de um minuto resistirem com primor à tentação por 15 minutos.

Esse controle cognitivo do impulso ajuda na vida. Como diz Mischel: "Se você é capaz de lidar com emoções quentes, consegue estudar para o vestibular em vez de assistir à televisão. E é capaz de guardar mais dinheiro para a aposentadoria. Não tem a ver apenas com marshmallows."[18]

Distrações internas, reavaliação cognitiva e outras estratégias metacognitivas entraram nos manuais de psicologia nos anos 1970. Mas essas manobras mentais já eram usadas há muito tempo por aqueles monges do século V, enquanto eles contemplavam as partes "repugnantes" do corpo.

Uma história daqueles dias conta que um desses monges estava caminhando quando uma mulher maravilhosa apareceu correndo.[19] Naquela manhã, ela havia tido uma discussão com o marido e estava fugindo para a casa dos pais.

Alguns minutos depois, o marido, em seu encalço, apareceu e perguntou ao monge: "Venerável senhor, por acaso viu uma mulher passar por aqui?"

E o monge respondeu: "Homem ou mulher, não sei dizer. Mas um saco de ossos passou por aqui."

PARTE TRÊS

•

LENDO OS OUTROS

9

A MULHER QUE SABIA DEMAIS

O pai tinha um temperamento explosivo e, quando criança, ela estava sempre morrendo de medo de que ele fosse ter um acesso de raiva. Assim, Katrina, como vou chamá-la, aprendeu a ser hipervigilante, esforçando-se para perceber as pequenas pistas — o levantar do tom de voz, a forma como ele baixava as sobrancelhas furiosamente — que indicavam que ele estava a caminho de um novo ataque.

Esse radar emocional se tornava mais sensível conforme Katrina ficava mais velha. Na universidade, por exemplo, somente pela leitura da linguagem corporal das colegas, ela se deu conta de que uma delas havia dormido secretamente com um professor.

Ela via como seus corpos se sincronizavam numa dança sutil. "Eles se mexiam juntos, se movimentavam em uníssono", Katrina me contou. "Quando ela ria, ele ria. Quando vi que os dois estavam sintonizados intimamente no nível corporal, como amantes, pensei: 'Nossa, que horror...'"

"Os amantes não sabem que fazem isso, mas os dois se tornam super-responsivos um ao outro num nível primário", ela acrescentou.

Apenas meses depois a colega confidenciou o caso clandestino a Katrina, que acrescenta: "O caso havia terminado, mas os corpos dos dois ainda estavam juntos."

Sempre que está com alguém, Katrina diz: "Sou hiperconsciente de dúzias de fluxos de informações que as pessoas não costumam perceber — coisas como o levantar de uma sobrancelha, o movimento da mão. É perturbador — eu sei demais, e isso me mata. Sou excessivamente atenta."

O que Katrina percebe — e às vezes abre para o mundo — não incomoda apenas as outras pessoas — pode incomodar a ela também. "Cheguei atrasada para uma reunião e deixei todo mundo esperando. Todos estavam sendo muito gentis no que diziam, mas o que estavam me dizendo com a linguagem corporal não era nada gentil. Pude ver pela postura e pela forma como não conseguiam me olhar nos olhos que todos lá estavam irritados. Senti tristeza e um aperto na garganta. A reunião não foi boa."

"Estou sempre vendo coisas que não deveria — e isso é um problema", ela acrescenta. "Eu me intrometo em questões particulares sem ter a intenção. Por muito tempo, não me dava conta de que não preciso compartilhar tudo o que sei."

Depois de receber feedbacks de pessoas de sua equipe de que estava sendo intrometida demais, Katrina começou a trabalhar com um coach de executivos. "O coach me disse que eu tenho o problema de transparecer pistas emocionais — quando percebo essas coisas que eu não deveria notar, reajo de uma forma que faz com que as pessoas pensem que eu estou irritada o tempo todo. Então agora preciso tomar cuidado com isso também."

Pessoas como Katrina são sensitivas sociais, bastante sintonizadas com os menores sinais emocionais, com um talento quase misterioso para ler pistas tão sutis que as outras pessoas deixam passar. Uma ligeira dilatação da íris, uma sobrancelha levantada ou uma mudança na postura é tudo de que precisam para saber como outra pessoa está se sentindo.

Isso traz problemas se, como Katrina, elas não conseguem lidar bem com essas informações.

Mas esses mesmos talentos nos tornam socialmente perspicazes, capazes de sentir quando não tratar de um assunto delicado, quando alguém precisa ficar sozinho ou quando palavras de conforto seriam bem-vindas.

Um olhar treinado para as pistas sutis oferece vantagens em muitas áreas da vida. Pensemos em atletas de ponta de esportes como squash e tênis que conseguem sentir aonde irá o saque de um adversário percebendo mudanças sutis em sua postura e na forma como ele se posiciona para bater na bola. Muitos dos grandes batedores de beisebol, como Hank Aaron, assistiam inúmeras vezes a filmes dos lançadores que iriam enfrentar nos jogos seguintes para identificar pistas que pudessem revelar como seria a próxima bola lançada.

Justine Cassell, diretora do Instituto de Interação Humano-Computador da Universidade Carnegie Mellon, coloca em prática uma semelhante empatia bem treinada, a serviço da ciência. "Observar as pessoas era uma brincadeira que fazíamos em família", Cassell me contou. Aquela tendência da infância foi refinada quando, como aluna de graduação, passou centenas de horas estudando movimentos das mãos em vídeos de pessoas descrevendo um desenho animado a que haviam acabado de assistir.

Trabalhando com trechos de trinta frames por segundo, ela anotava o formato da mão quando ela mudava, bem como o fluxo das mudanças em sua orientação, o posicionamento no espaço e a trajetória do movimento. E, para conferir sua precisão, voltava às anotações para verificar se conseguia reproduzir exatamente aquele movimento da mão.

Mais recentemente, Cassell realizou um trabalho parecido com minúsculos movimentos dos músculos faciais, com o olhar, o levantar de sobrancelhas e acenos de cabeça, todos registrados segundo a segundo e conferidos. Fez isso durante centenas de horas — e faz isso até hoje, com alunos de graduação em seu laboratório na Carnegie Mellon.

"Os gestos sempre ocorrem pouco antes da parte mais enfática do que estamos dizendo", Cassell me diz. "Um dos motivos pelos quais alguns políticos podem parecer falsos é que eles aprenderam a fazer alguns gestos em especial, mas não aprenderam o timing correto. Assim, quando fazem esses gestos depois de falar, nos passam a sensação de que alguma coisa falsa está acontecendo."

O timing do gesto fornece a interpretação de seu significado. Com o timing errado, uma declaração positiva pode ter um impacto negativo. Cassell dá o seguinte exemplo: "Se você diz 'Ela é uma ótima candidata ao emprego' e levanta as sobrancelhas, acena com a cabeça e enfatiza a palavra 'ótima' tudo ao mesmo tempo, você manda um recado emocional muito positivo. Mas se, ao dizer a mesma frase, o seu aceno de cabeça e o levantar das sobrancelhas ocorrem no curto silêncio depois da palavra 'ótima', o significado emocional vira sarcasmo — na realidade, o que você está dizendo é que ela não é tão ótima assim."

Esse tipo de leitura de metamensagens e canais não verbais nos ocorrem instantânea, inconsciente e automaticamente. "Não conseguimos *não* criar algum sentido a partir do que alguém nos diz", afirma Cassell, seja em palavras ou apenas gestos, ou as duas coisas combinadas. Tudo aquilo em que prestamos atenção em outra pessoa gera significado num nível inconsciente, e o nosso circuito ascendente o lê constantemente.

Em um estudo, ouvintes se lembravam de ter "escutado" uma informação que haviam visto apenas em gestos. Por exemplo, alguém que ouviu a frase: "Ele sai pela parte de baixo do encanamento", mas viu a mão do palestrante fechada num punho balançando para cima e para baixo, disse que escutou a frase: "Então ele desce a escada."[1]

O trabalho de Cassell torna visível o que normalmente passa batido por nós em microssegundos. Nosso circuito automático entende a mensagem, mas nossa consciência de cima para baixo perde a maior parte dela.

Essas mensagens escondidas têm impactos poderosos. Pesquisadores de questões conjugais sabem há muito tempo, por exemplo, que se um dos parceiros repetidamente faz expressões faciais fugazes de nojo ou desprezo durante os conflitos, são grandes as chances de que o casal não continuará junto.[2] Na psicoterapia, se o terapeuta e o paciente se movimentam em sincronia um com o outro, é maior a probabilidade de haver melhores resultados terapêuticos.[3]

Enquanto Cassell era professora no Laboratório de Mídia do MIT, uma forma pela qual ela realizou esta análise extremamente precisa sobre como nos expressamos foi desenvolvendo um sistema que orienta animadores profissionais na arte do comportamento não verbal. O sistema — chamado BEAT — permite que animadores digitem uma sequência de diálogo e recebam como resposta um personagem de desenho automaticamente animado, com a postura, os gestos e os movimentos de olhos e de cabeça corretos, que então os profissionais podem modificar em busca de valor artístico.[4]

Conseguir transmitir o "significado" exato através da fala, do tom de voz e dos gestos de um ator virtual parece exigir uma compreensão descendente dos processos ascendentes. Atualmente, Cassell está produzindo, de maneira semelhante, desenhos animados em que, segundo ela, imagens de crianças "funcionam como colegas virtuais para alunos do ensino fundamental, usando habilidades sociais para construir uma relação empática e depois usando essa relação para facilitar a aprendizagem".

Quando nos encontramos para um café durante um intervalo de uma conferência, Cassell me explicou como essas centenas de horas de análise de mensagens não verbais fizeram um ajuste fino de sua sensibilidade. "Agora eu percebo essas coisas automaticamente quando estou com alguém", ela disse — o que, confesso, me deixou um pouco constrangido (ainda mais quando me dei conta de que ela provavelmente percebeu isso também).

10

A TRÍADE DA EMPATIA

A leitura supersensível de sinais emocionais representa o auge da empatia *cognitiva*, uma das três principais formas da capacidade de focar no que as outras pessoas estão vivendo.[1] Esta forma de empatia nos permite assumir a perspectiva de outra pessoa, compreender seu estado mental e, ao mesmo tempo, administrar nossas próprias emoções enquanto avaliamos as dela. São todas operações mentais descendentes.[2]

Em contrapartida, com a empatia *emocional*, nos unimos à outra pessoa e sentimos junto com ela. Nossos corpos ressoam qualquer tom de alegria ou tristeza que aquela pessoa possa estar sentindo. Essa sintonia só pode ocorrer através de circuitos cerebrais automáticos, espontâneos — e ascendentes.

Embora a empatia cognitiva ou emocional signifique que reconhecemos o que outra pessoa pensa e reverberamos esses sentimentos, isso não necessariamente leva à simpatia, isto é, a preocupação com o bem-estar do outro. A terceira forma de empatia, a preocupação empática, vai além: ela nos faz nos preocuparmos com a pessoa, faz com que nos mobilizemos para ajudar se for preciso. Esta atitude compassiva se forma numa parte profunda do cérebro, nos sistemas primários de baixo para cima vinculados ao afeto e ao apego, ainda que eles se misturem com circuitos mais reflexivos, de cima para baixo, que avaliam o quanto valorizamos o bem-estar alheio.

Nosso circuito de empatia foi projetado para momentos em que estamos frente a frente com o outro. Hoje em dia, trabalhar em grupo pela Internet representa um desafio especial para a empatia. Pensemos, por exemplo, naquele momento conhecido de uma reunião em que todos chegaram a um consenso tácito e então uma pessoa diz em voz alta o que todo mundo já sabe, mas ainda não disse: "Muito bem, então todos estamos de acordo." Todos assentem com acenos de cabeça.

Mas chegar a um consenso como este numa discussão on-line exige fazer um voo cego, sem confiar na cascata contínua de mensagens não verbais que, numa reunião presencial, permite que alguém anuncie em voz alta o acordo ainda não enunciado. Temos que basear nossa leitura dos outros no que eles têm a dizer. Além disso, há a leitura das entrelinhas: on-line, contamos com a empatia cognitiva, o tipo de leitura de pensamentos que nos permite inferir o que está passando pela mente de alguém.

A empatia cognitiva nos dá a capacidade de compreender as maneiras de ver e pensar de outras pessoas. Ver através dos olhos dos outros e seguir a linha de pensamento deles nos ajuda a escolher uma linguagem que se encaixe na forma de compreensão alheia.

Esta capacidade, dizem os cientistas cognitivos, exige "mecanismos computacionais adicionais": precisamos pensar sobre sentimentos. A equipe de pesquisa de Justine Cassell emprega rotineiramente essa forma de empatia no trabalho que realiza.

Uma natureza curiosa, que nos predispõe a aprender com todos à nossa volta, alimenta nossa empatia cognitiva, ampliando nossa compreensão do universo das outras pessoas. Um executivo de sucesso, que exemplifica essa atitude, a descreve da seguinte maneira: "Eu sempre quis aprender simplesmente tudo, compreender qualquer um que estivesse por perto — por que eles pensavam como pensavam, por que faziam o que faziam, o que servia para eles e o que não servia."[3]

As mais remotas raízes na vida de alguém com esse tipo de perspectiva remontam à forma como os bebês aprendem a montar os blocos básicos da vida emocional, como seus próprios estados diferem dos das outras pessoas e como as pessoas reagem aos sentimentos que eles expressam. Esta compreensão emocional extremamente básica marca a primeira vez que um bebê pode entender um ponto de vista alheio, avaliar várias perspectivas num instante e compartilhar significado com outras pessoas.

Aos 2 ou 3 anos de idade, crianças são capazes de relacionar palavras a sentimentos e nomear uma expressão facial como sendo "feliz" ou "triste". Mais ou menos um ano depois, elas se dão conta de que a forma como outra criança percebe os acontecimentos irá determinar as reações dela. Na adolescência, outro aspecto, o de ler os sentimentos de uma pessoa com precisão, fica mais forte, pavimentando o caminho para interações sociais mais tranquilas.

Tania Singer, diretora do departamento de Neurociência Social do Instituto Max Planck para Cognição Humana e Ciências Cerebrais, em Leipzig, Alemanha, estudou empatia e autoconsciência em alexitímicos — pessoas com grande dificuldade de compreender seus próprios sentimentos e verbalizá-los. "Você precisa compreender os próprios sentimentos para conseguir compreender os sentimentos dos outros", diz ela.

Os circuitos executivos que nos habilitam a pensar sobre nossos próprios pensamentos e sentimentos nos permitem aplicar o mesmo raciocínio para as mentes das outras pessoas. Nossa "teoria da mente", a compreensão de que os outros têm seus próprios sentimentos, desejos e motivações, permite que raciocinemos sobre o que outra pessoa pode estar pensando e querendo. Essa empatia cognitiva divide o circuito com a atenção executiva. Ela floresce pela primeira vez aproximadamente entre 2 e 5 anos de idade e continua a se desenvolver até a adolescência.

EMPATIA FORA DE CONTROLE

Um presidiário musculoso de uma prisão do Novo México estava sendo entrevistado por uma aluna de psicologia. O presidiário era tão perigoso que a sala era equipada com um botão para ser pressionado caso as coisas saíssem do controle. Ele contou à estudante, com detalhes gráficos, a forma pavorosa como havia matado a namorada — mas o fez de uma forma tão encantadora que ela achou difícil não rir junto com ele.

Cerca de um terço dos profissionais cujos empregos exigem que entrevistem sociopatas criminosos como este contam ter sentido um arrepio na pele, uma sensação sinistra que alguns acreditam representar o começo de uma forma primitiva e defensiva de empatia.[4]

Um lado mais sombrio da empatia cognitiva emerge quando alguém a utiliza para identificar a fraqueza de uma pessoa e tira vantagem disso. Essa estratégia caracteriza sociopatas, que usam a empatia cognitiva para manipular outrem. Não sentem ansiedade, de forma que a ameaça de uma punição não os detém.[5]

O livro clássico sobre sociopatas (que eram conhecidos como "psicopatas" na época), *A máscara da sanidade*, de Hervey M. Cleckley, lançado em 1941, os descreve como pessoas que escondem "uma personalidade irresponsável" atrás de "uma imitação perfeita de emoções normais, grande inteligência e responsabilidade social".[6] A parte irresponsável se revela num histórico de mentiras patológicas, de viver como um parasita às custas dos outros e coisas do tipo. De forma reveladora, outros indicadores apontam para déficits de atenção, como distração devido ao tédio, baixo controle de impulsos e falta de empatia emocional ou simpatia pelos problemas das pessoas.

Acredita-se que a sociopatia atinja 1% da população. Se isso é realmente verdade, o mundo do trabalho abriga milhões de exemplos do que os clínicos chamam de "sociopatas bem-sucedidos" (Bernie Madoff, na cadeia, é um exemplo de um malsucedido). Os sociopatas, como seus primos próximos de "personalidade maquiavélica", são capazes de interpretar as emoções dos outros, mas registram expressões faciais numa parte do cérebro diferente do resto de nós.

Em vez de registrar a emoção nos centros límbicos do cérebro, os sociopatas apresentam atividade nas áreas frontais, especialmente nos centros de linguagem. Eles falam a si mesmos *sobre* as emoções, mas não as sentem diretamente como ocorre com outras pessoas. Em vez de terem uma reação emocional de baixo para cima, os sociopatas "sentem" de cima para baixo.[7]

Isso é impressionantemente verdadeiro para o medo — sociopatas não parecem ter qualquer apreensão a respeito da punição que poderão sofrer por seus crimes. Uma teoria: eles sofrem de uma falta especial de controle cognitivo de impulsos, o que equivale a um déficit de atenção que os leva a focar na excitação do momento e os cega para as consequências do que fazem.[8]

EMPATIA EMOCIONAL: EU SINTO A SUA DOR

"Esta máquina pode salvar vidas", proclama um anúncio publicitário. Ele mostra uma instalação hospitalar em que uma plataforma sobre rodas sustenta um monitor de vídeo e um teclado com uma prateleira para medidor de pressão e coisas do gênero.

Encontrei exatamente esse aparato "salvador de vidas" numa consulta médica outro dia. Quando me sentei na mesa de exame para que medissem a minha pressão, a plataforma foi levada para atrás de mim, à direita. A enfermeira ficou de pé ao meu lado, olhando para aquele monitor de vídeo — não para mim. Enquanto ela media meus sinais vitais, lia mecanicamente uma lista de perguntas na tela e digitava as minhas respostas.

Nossos olhares não se cruzaram uma única vez, exceto pelo momento em que ela saiu da sala e disse (muito ironicamente, pensando na situação): "Prazer em vê-lo."

Teria sido um prazer vê-la, se tivéssemos tido a oportunidade. Aquela falta de contato visual torna um encontro anônimo, tirando dele qualquer conexão emocional. Com tamanha escassez de calor humano, eu (ou ela) poderia muito bem ser um robô.

E não sou o único a pensar assim. Estudos realizados em escolas de medicina descobriram que, se um médico nos olha nos olhos, assente com a cabeça enquanto nos ouve e nos toca gentilmente quando estamos com dor, perguntando, por exemplo, se não está muito frio na mesa de exame, ele ganha boas avaliações dos pacientes. Se ele olha basicamente para suas anotações ou para a tela do computador, as avaliações são ruins.[9]

Embora a enfermeira pudesse ter alguma empatia cognitiva em relação a mim, não havia muita chance de que ela entrasse em sintonia com meus sentimentos. A empatia emocional, sentir o que o outro sente e se preocupar com isso, tem raízes antigas na evolução. Compartilhamos esse circuito com outros mamíferos que, como nós, necessitam de uma atenção apurada ao sinal de aflição de um bebê. A empatia emocional opera de baixo para cima: muito das ligações neurais para perceber diretamente os sentimentos dos outros reside embaixo do córtex, em partes antigas do cérebro, que "pensam rapidamente", mas não profundamente.[10] Esses circuitos nos colocam em sintonia com alguém uma vez que despertam no nosso corpo o estado emocional identificado no outro.

É como ouvir uma história emocionante. Estudos de neuroimagem mostram que quando as pessoas ouvem alguém contando uma história assim, os cérebros dos ouvintes se tornam mais intimamente unidos ao do contador da história. Os padrões cerebrais do ouvinte ecoam os do contador da história com precisão, ainda que com um atraso de um ou dois segundos. Quanto maior a sobreposição de ligações neurais entre os dois cérebros, melhor é a compreensão da história pelo ouvinte.[11] E os cérebros daqueles que têm a melhor compreensão — que estão totalmente focados e compreendem a maior parte do que estão ouvindo — fazem algo surpreendente: alguns padrões de atividades de seus cérebros *antecipam* os padrões do cérebro do contador da história por um ou dois segundos.

Os ingredientes de uma relação empática começam com um foco total compartilhado entre duas pessoas, o que leva a uma sincronia física inconsciente que, por sua vez, gera uma sensação agradável. Esse foco compartilhado com um professor prepara o cérebro de uma criança para as melhores condições de aprendizagem. Qualquer professor que tenha se esforçado para fazer uma turma prestar atenção sabe que, uma vez que todos se acalmam e se concentram, os alunos podem começar a compreender uma aula de história ou matemática.

Os circuitos da empatia emocional começam a operar nos primórdios da infância, dando uma amostra primitiva da ressonância entre nós mesmos e outra pessoa. No desenvolvimento do cérebro, somos programados para sentir a alegria ou a dor do outro antes que possamos pensar a respeito. O sistema de neurônios-espelho, uma parte da programação existente para essa ressonância (mas de forma alguma a única programação), se manifesta já aos 6 meses de idade.[12]

A empatia depende de um esforço da atenção: entrar em sintonia com os sentimentos de alguém exige que assimilemos os sinais faciais, vocais e outros indícios de suas emoções. O córtex cingulado anterior, uma parte da rede da atenção, nos conecta aos problemas de outra pessoa ao acionar nossa própria amígdala, que repercute esses problemas. Deste modo, a empatia emocional é "incorporada" — nós efetivamente sentimos em nossa fisiologia o que está acontecendo no corpo do outro.

Quando voluntários tiveram os cérebros examinados enquanto assistiam a outra pessoa levando um choque doloroso, o circuito de dor deles se acendeu, o que representa uma simulação neural do sofrimento do outro.[13]

Tania Singer descobriu que nos solidarizamos com a dor do outro por meio da nossa ínsula anterior — a mesma área que usamos para sentir a nossa própria dor. Então, nós primeiro sentimos as emoções do outro dentro de nós mesmos, quando nosso cérebro aplica aos sentimentos do outro exatamente o mesmo sistema usado para ler nossos próprios sentimentos.[14] A empatia se forma na nossa capacidade de ter sentimentos viscerais em nosso próprio corpo.

O mesmo ocorre com a sincronia, aquele encaixe não verbal entre o modo como nos movimentamos e o que fazemos, que sinaliza uma interação empática. Vemos isso em músicos de jazz, que nunca ensaiam exatamente o que farão, mas apenas parecem saber quando assumir o centro do palco e quando se fundir ao cenário. Quando artistas de jazz foram comparados com músicos clássicos em termos de funções cerebrais, eles demonstraram mais indicadores neurais de autoconsciência.[15] Como diz um desses artistas: "No jazz, você precisa se ligar em como seu corpo está se sentindo para saber quando fazer um solo."

O próprio design do cérebro parece integrar a autoconsciência com a empatia, ao reunir a forma como assimilamos informações sobre nós mesmos e sobre os outros dentro das mesmas extensas redes neurais. Um aspecto interessante: enquanto nossos neurônios-espelho e outros circuitos sociais recriam em nosso cérebro e em nosso corpo o que está acontecendo com a outra pessoa, nossa ínsula reúne todas essas informações. A empatia exige um ato de autoconsciência: lemos os outros ao nos conectarmos com nós mesmos.

Tomemos como exemplo os neurônios VENs (*neurônios von Economo*). Lembremos que essas singulares células cerebrais são fundamentais para a autoconsciência. Mas elas estão situadas em áreas que são ativadas em momentos de raiva, sofrimento, amor e desejo — e também em momentos sensíveis como quando uma mãe ouve o bebê chorar ou quando ouvimos a voz de alguém que amamos. Quando esses circuitos classificam um acontecimento como proeminente, direcionam nosso foco para ele.

Essas células em forma de fuso fazem uma conexão super-rápida entre o córtex pré-frontal e a ínsula — áreas ativadas tanto pela introspecção quanto pela empatia. Esse circuito monitora nosso mundo interpessoal em busca do que nos é importante, agindo muito rapidamente e nos ajudando a reagir no tempo certo. O circuito cerebral da atenção se entrelaça com ele para dar suporte à sensibilidade social e à compreensão da experiência das outras pessoas e de como elas veem as coisas — resumindo, à empatia.[16] Esta ampla via social do cérebro nos permite conhecer — e também refletir e gerenciar — nossas próprias emoções e as emoções dos outros.

PREOCUPAÇÃO EMPÁTICA: PODE CONTAR COMIGO

Uma mulher entrou cambaleando na sala de espera de sua médica, vertendo sangue por todos os orifícios visíveis. Instantaneamente, a médica e sua equipe entraram em ação para tratar da emergência: levaram a mulher às pressas para dentro de uma sala de tratamento a fim de estancar o sangramento, chamaram uma ambulância e cancelaram todas as outras consultas até o final do dia.

As pacientes que estavam esperando para ver a médica compreenderam que, é claro, o problema daquela mulher era mais importante do que o delas. Quer dizer, todas menos uma que ficou indignada por ter sua consulta cancelada. Furiosa, ela gritou com a recepcionista: "Eu tirei o dia de folga do trabalho! Como ousa cancelar a minha consulta?"

A médica que me contou essa história me disse que tamanha indiferença em relação ao sofrimento e às necessidades do outro se tornou mais frequente em seu consultório. Chegou inclusive a ser assunto de uma reunião com os outros médicos de seu estado.

A parábola bíblica do Bom Samaritano fala de um homem que ajudou um estranho que havia sido espancado e roubado e estava ferido, deitado no acostamento de uma estrada. Duas outras pessoas haviam visto o homem e, temendo o perigo, atravessado para o outro lado da estrada e passado direto por ele.

Martin Luther King Jr. costumava dizer que os que deixaram de prestar ajuda se fizeram a mesma pergunta: "Se eu parar para ajudar esse homem, o que vai acontecer comigo?"

Mas o Bom Samaritano inverteu a pergunta: "Se eu não parar para ajudar esse homem, o que vai acontecer com *ele*?"

Compaixão requer empatia, que, por sua vez, exige um foco nos outros. Quando vivemos absortos em nós mesmos, simplesmente não percebemos as outras pessoas. Podemos passar por elas com absoluta indiferença em relação a suas aflições. Mas no instante em que as notamos, podemos nos sintonizar com elas, perceber seus sentimentos e necessidades, e expressar nossa preocupação empática.

A preocupação empática, que é o que queremos do nosso médico, nosso chefe ou nosso cônjuge (sem falar de nós mesmos), tem substratos na arquitetura neural da parentalidade. Nos mamíferos, esse circuito instiga a atenção e a preocupação em relação aos bebês e aos jovens, que não conseguem sobreviver sem os pais.[17] Observe os olhares das pessoas quando alguém entra numa sala trazendo um bebê adorável e você verá o centro cerebral de cuidado mamífero entrando em ação.

A preocupação empática emerge inicialmente nos primórdios da infância: quando um bebê ouve o outro chorar, ele também começa a chorar. Essa reação é provocada pela amígdala, o radar do cérebro para o perigo (bem como o local para emoções primitivas, tanto negativas quanto positivas). Uma teoria neural defende que a amígdala aciona circuitos de baixo para cima no cérebro de um bebê que ouve o outro chorando, fazendo-o sentir a mesma tristeza e aflição. Ao mesmo tempo, circuitos descendentes liberam ocitocina, o hormônio do afeto, que provoca um senso rudimentar de preocupação e boa vontade no segundo bebê.[18]

A preocupação empática, então, é um sentimento de duplo sentido. Por um lado, há o desconforto implícito da experiência direta da aflição do outro — uma empatia emocional primária, combinada com a mesma preocupação que um pai e uma mãe sentem em relação ao filho. Mas acrescentamos ao nosso instinto afetivo uma equação social que expressa o quanto valorizamos o bem-estar da outra pessoa.

Conseguir acertar essa mistura de circuitos ascendente/descendente tem grandes implicações. Aqueles em quem os sentimentos de solidariedade se tornam fortes demais podem, eles próprios, sofrer — em profissões de assistência, isso pode levar a uma exaustão emocional e a uma fadiga da compaixão. E aqueles que se defendem da aflição solidária abafando os sentimentos podem perder o contato com a empatia. A via neural que leva à preocupação empática usa a gestão descendente das aflições pessoais, sem nos anestesiar diante da dor dos outros.

Enquanto voluntários ouviam histórias de pessoas que haviam sido sujeitadas à dor física, exames de neuroimagem revelaram que seus próprios centros cerebrais para os mesmos tipos de dor acendiam instantaneamente. Mas se a história fosse sobre um tipo de sofrimento *psicológico*, levava um tempo relativamente maior para ativar os centros cerebrais mais altos envolvidos na preocupação empática e na compaixão. Como avaliou a equipe de pesquisa, é preciso tempo para compreender "as dimensões psicológicas e morais de uma situação".

Sentimentos morais derivam da empatia, e reflexões morais exigem tempo e foco. Há quem tema que uma das consequências do fluxo frenetico de distrações que enfrentamos hoje seja uma erosão da empatia e da compaixão.[19] Quanto mais distraídos estamos, menos podemos expressar empatia e compaixão.

A percepção da dor alheia atrai a nossa atenção por reflexo — a expressão de dor é um sinal biológico fundamental para pedir ajuda. Nem mesmo macacos puxam uma corrente para pegar uma banana se esta mesma ação resultar num choque elétrico em outro macaco (sugerindo, talvez, uma raiz de civilidade).

Mas há exceções. A empatia para a dor acaba se não gostamos da pessoa que está sentindo dor — por exemplo, se achamos que ela foi injusta — ou se a vemos como parte de um grupo de que não gostamos.[20] Nestes casos, a empatia para a dor pode facilmente ser transformada em seu sentimento oposto, a chamada "schadenfreude".[21]

Quando há escassez de recursos, a necessidade de competir por eles eventualmente se sobrepõe à preocupação empática — e a competição se torna parte da vida em quase todo grupo social, seja por comida, parceiros ou poder — ou por uma consulta médica.

Outra exceção é compreensível: nossos cérebros ressoam menos com a dor de outra pessoa quando há um bom motivo para a dor — digamos, receber um tratamento médico importante. Finalmente, o alvo do nosso foco também tem importância: nossa empatia emocional aumenta quando atentamos para a intensidade da dor e diminui quando desviamos o olhar.

Deixando essas limitações de lado, uma das formas sutis de afeto ocorre quando simplesmente usamos nossa presença reconfortante e carinhosa para tranquilizar alguém. Estudos mostram que a simples presença de um ente querido tem uma propriedade analgésica, acalmando os centros que registram a dor. Notadamente, quanto mais empática é a pessoa que se faz presente junto a alguém sentindo dor, maior é o efeito tranquilizador.[22]

O EQUILÍBRIO DA EMPATIA

"Sabe, quando você descobre um caroço no seio, você se sente — bem, meio...", diz a paciente, sem encontrar as palavras. Ela olha para baixo e fica com os olhos cheios de lágrimas.

"Quando você descobriu o caroço?", o médico pergunta de forma amável.

A paciente responde, distraidamente: "Não sei. Faz um tempo."

O médico comenta: "Parece assustador."

A paciente diz: "Bem, é, um pouco."

"Um pouco assustador?", pergunta o médico.

"É", diz a paciente. "E acho que eu estou sentindo como se a minha vida tivesse terminado."

"Entendo. Preocupada e triste também."

"É isso mesmo, doutor."

Compare essa conversa com outra situação em que, logo depois de a paciente ficar com os olhos cheios de lágrimas falando sobre o caroço no seio, o médico começasse a repassar rapidamente uma lista de detalhadas perguntas clínicas impessoais — sem qualquer gesto de consideração pelos sentimentos de tristeza dela.

A paciente dessa segunda consulta provavelmente iria embora sentindo que não foi ouvida. Mas depois daquela primeira interação, mais empática, a paciente — apesar de ter tido exatamente a mesma aflição — se sentiria melhor: compreendida e cuidada.

Esses dois cenários foram usados para ilustrar essa diferença fundamental, num artigo escrito para médicos sobre como desenvolver empatia com os pacientes.[23] O título do artigo contém uma frase formadora de empatia: "Deixe ver se eu entendi direito..." O texto argumenta que o ato de dedicar apenas alguns instantes a prestar atenção em como um paciente está se sentindo em relação à sua doença constrói uma conexão emocional com ele.

Não escutar está no topo da lista de reclamações que pacientes têm de seus médicos. Da parte dos médicos, muitos reclamam que não dispõem do tempo de que precisam com seus pacientes e, assim, o lado humano da interação é sumariamente negligenciado. A barreira ao contato humano aumenta enquanto médicos — obrigados a manter registros digitais — digitam anotações num teclado de computador durante as entrevistas com os pacientes e, dessa forma, acabam se comunicando com o laptop em vez de com o paciente.

No entanto, muitos médicos dizem que os momentos pessoais com os pacientes são a parte mais satisfatória de seus dias. Essa relação empática entre médico e paciente aumenta imensamente a precisão diagnóstica, a forma como o paciente cumpre as orientações do médico, assim como a satisfação e a lealdade dos pacientes.

"A empatia, a capacidade de se conectar com os pacientes — num sentido profundo, ouvindo, prestando atenção —, está no coração da prática médica", diz o artigo a seu público médico. Estar orientado às emoções do paciente produz uma relação empática. Desviar a atenção dos sentimentos e se concentrar apenas em detalhes clínicos produz um muro.

Profissionais que são processados por erros médicos nos Estados Unidos normalmente não cometem mais erros do que os que não são. A pesquisa mostra que a principal diferença frequentemente se resume ao modo como médico e paciente se relacionam. Acontece que aqueles que são processados apresentam menos sinais de afinidade emocional: eles fazem visitas mais curtas aos pacientes, não perguntam sobre suas preocupações nem garantem que todas as suas perguntas sejam respondidas, e mantêm um maior distanciamento emocional — há pouca ou nenhuma risada durante a consulta, por exemplo.[24]

Mas a atenção às aflições dos pacientes pode representar um desafio para que médicos ofereçam excelentes cuidados técnicos — quando, digamos, é necessária concentração apurada na realização de um procedimento à perfeição, apesar da aflição do paciente.

A mesma rede que é ativada quando vemos alguém com dor também é ativada quando vemos qualquer coisa repugnante: "Isso é assustador — é melhor eu sair daqui" é nosso primeiro pensamento. Normalmente, quando vemos outra pessoa sendo espetada com uma agulha, nossos cérebros emitem um sinal indicando que nossos próprios centros de dor estão ecoando aquela aflição.

Médicos não fazem isso. Seus cérebros conseguem "bloquear até mesmo reações automáticas como essas à dor e à aflição dos outros", de acordo com descobertas de um estudo liderado por Jean Decety, professor de Psicologia e Psiquiatria na Universidade de Chicago.[25] Esse anestésico da atenção parece mobilizar a junção tempo-parietal (ou JTP) e regiões do córtex pré-frontal, um circuito que aumenta a concentração ao desligar as emoções. A JTP protege o foco ao deixar de fora as emoções, junto com outras distrações, e ajuda a manter uma distância entre si mesmo e os outros.

Essa mesma rede neuronal entra em ação em qualquer um de nós quando vemos um problema e procuramos por uma solução. Assim, se você está conversando com alguém enquanto ele está chateado, esse sistema ajuda você a compreender intelectualmente a perspectiva da pessoa, ao passar da ligação emocional coração-coração à conexão cabeça-coração característica da empatia cognitiva.

A manobra da JTP isola o cérebro da experiência do fluxo de emoção — é a base cerebral para o estereótipo de alguém com racionalidade tranquila em meio a um tumulto emocional. A ativação da JTP cria um limite que nos torna imunes ao contágio emocional, livrando assim o nosso cérebro de ser impactado pelas emoções do outro, enquanto estamos nos concentrando em encontrar uma solução.

Às vezes, esta é uma vantagem fundamental: você consegue se manter calmo e focado enquanto quem está ao seu redor está desmoronando. Às vezes, não é: também significa que você pode se desligar das pistas emocionais e, dessa maneira, perder o fio da empatia.

Essa diminuição da implicação emocional tem evidentes benefícios para alguém que precisa se manter focado em meio a procedimentos aflitivos: fazer injeções nos globos oculares, suturar ferimentos sangrando, cortar a carne com bisturis.

"Eu fazia parte da equipe dos primeiros médicos a realizarem atendimentos após o terremoto no Haiti — chegamos lá nos primeiros dias", me conta o dr. Mark Hyman. "Quando chegamos ao único hospital de Porto Príncipe, que milagrosamente estava praticamente intacto, não havia comida, água, energia elétrica, quase nada de suprimentos e apenas um ou dois funcionários. Havia centenas de corpos apodrecendo ao sol, empilhados no necrotério do hospital e sendo levados em caminhões para uma cova coletiva. Havia cerca de 1.500 pessoas no pátio precisando desesperadamente de ajuda — pernas penduradas por um fio, corpos praticamente cortados ao meio. Era traumático. No entanto, nós imediatamente começamos a trabalhar e nos focamos no que podíamos fazer."

Quando falei com o dr. Hyman, ele havia recém-retornado de várias semanas na Índia e no Butão, onde novamente ofereceu seu trabalho médico voluntário para ajudar pacientes em necessidade. "O ato de servir nos dá a capacidade de transcender a dor que nos cerca", disse o dr. Hyman. "No Haiti, foi algo hiper-real, totalmente focado no momento. É estranho dizer, mas havia um nível de serenidade e tranquilidade — até mesmo de paz e clareza — em meio a todo aquele caos. Tudo o mais que não fosse o que estávamos fazendo desaparecia."

A reação da JTP parece ser algo adquirido e não inato. Alunos de medicina aprendem essa reação durante a socialização na profissão, conforme vão encontrando pacientes sob pressão. O custo de ser muito empático é ter pensamentos perturbadores e intrusivos que competem pela atenção com imperativos médicos.

"Se você não consegue fazer nada numa situação daquelas", diz o dr. Hyman sobre o Haiti, "fica paralisado. Às vezes, o sofrimento e a dor ao nosso redor nos invadiam em momentos de cansaço, calor excessivo e fome. Mas, na maior parte do tempo, minha mente me deixava num estado em que eu conseguia funcionar apesar do horror".

Como William Osler, o pai da residência médica, escreveu em 1904, um médico deve ser desprendido a ponto de que "suas veias não se contraiam e os batimentos de seu coração se mantenham firmes quando ele vir coisas terríveis".[26] Osler recomendou que os médicos adotem uma atitude de "preocupação desapegada".

Isso poderia significar apenas um enfraquecimento da empatia emocional — mas, na prática, às vezes pode levar a bloquear a empatia completamente. O desafio de um médico no seu exercício clínico diário é manter o foco tranquilo ao mesmo tempo que se mostra aberto aos sentimentos e à experiência do paciente — deixando o paciente saber que o compreende e se importa com o que ele sente.

O cuidado médico fracassa quando os pacientes não seguem as orientações de seus médicos; cerca de metade de todos os remédios receitados aos pacientes nunca são tomados. O maior indicador de que um paciente seguirá as instruções é saber se ele sente que o médico está genuinamente preocupado com ele.[27] Recentemente, dentro da mesma semana, dois reitores de importantes escolas de medicina me disseram, independentemente, que enfrentam um dilema ao aceitarem alunos: como identificar aqueles que terão uma preocupação empática com os pacientes.

Ninguém menos do que Jean Decety, o neurobiólogo da Universidade de Chicago que liderou o estudo sobre a JTP e a dor dos pacientes, colocou as coisas da seguinte maneira: "Eu quero que meu médico olhe para mim como se eu estivesse sentindo dor — que ele me apoie, esteja presente para mim, o paciente. Que ele seja empático — mas não sensível demais, a ponto de não conseguir tratar bem a minha dor."

CONSTRUINDO A EMPATIA

Em uma pesquisa, cerca de metade dos jovens clínicos entrevistados disse que sua empatia com relação aos pacientes diminuiu ao longo de seus treinamentos (apenas um terço afirmou que ela aumentou).[28] E essa perda da capacidade de se conectar persiste para muitos médicos ao longo de suas carreiras. Isso nos leva de volta à JTP, circuito que diminui a reação fisiológica de um médico ao ver alguém sentindo dor e o ajuda a se manter calmo e lúcido enquanto trata o que está provocando essa dor.

O abrandamento da aflição provavelmente ajuda os médicos residentes enquanto eles aprendem a executar procedimentos dolorosos em pacientes. Mas, uma vez aprendido, o enfraquecimento da ressonância corporal parece se tornar automático, talvez ao custo de uma empatia mais geral.

No entanto, o cuidado compassivo é um valor fundamental da medicina. Aumentar a empatia está entre os objetivos compulsórios de aprendizado das escolas de medicina. Embora poucas ensinem especificamente a arte da empatia, um processo de treinamento bem planejado poderá vir a incrementar essa arte humana, agora que a neurociência revela seus circuitos subjacentes.

Esta é a esperança da dra. Helen Riess do Hospital Geral de Massachusetts, a nave-mãe da Escola de Medicina de Harvard. A dra. Riess, diretora do Programa de Empatia e Ciência Relacional, elaborou um programa educacional para incrementar a empatia em residentes e estagiários de medicina que melhorou significativamente a percepção dos pacientes com relação à empatia de seus médicos.[29]

Nos moldes-padrão da escola de medicina, parte do treinamento era puramente acadêmica, revisando a neurociência da empatia numa linguagem que os médicos conhecem e respeitam.[30] Uma série de vídeos mostrava as mudanças fisiológicas (como reveladas pelas reações de suor) em médicos e seus pacientes durante encontros difíceis — como quando um médico era arrogante ou indiferente —, revelando o quanto os pacientes se incomodavam com isso. E, como os vídeos deixavam graficamente claro, quando os médicos se ligavam aos pacientes com empatia, tanto o médico quanto o paciente ficavam mais relaxados e biologicamente sincronizados.

Para ajudar os médicos a monitorarem a si mesmos, eles aprenderam a se focar usando respiração profunda e diafragmática, e a "assistir à interação do alto", em vez de se perderem em seus próprios pensamentos e sentimentos. "Suspender nosso próprio envolvimento para observar o que está acontecendo nos dá uma consciência de atenção plena da interação, sem que sejamos completamente reativos", diz a dra. Riess. "Podemos ver se nossa própria fisiologia está carregada ou equilibrada. Podemos perceber o que está transpirando na situação."

Se o médico perceber que está se sentindo irritado, por exemplo, esse é um sinal de que o paciente também pode estar incomodado. "Ao estarmos mais autoconscientes", Riess observa, "podemos ver o que está sendo projetado em nós e o que estamos projetando em nossos pacientes".

O treinamento para assimilar pistas não verbais inclui a leitura das emoções do paciente a partir do tom da voz, da postura e, em grande extensão, das expressões faciais. Utilizando o trabalho do especialista em emoções Paul Ekman, que identificou com precisão como os músculos faciais se movimentam durante cada emoção mais importante, o programa ensina médicos como reconhecer os sentimentos fugazes dos pacientes através da leitura de seus rostos.

"Se agimos de uma maneira compassiva e cuidadosa — quando olhamos deliberadamente o paciente nos olhos e percebemos suas expressões emocionais, mesmo quando não temos vontade de fazer isso inicialmente — começamos a nos sentir mais envolvidos", me disse a dra. Riess. Esta "empatia comportamental" pode começar de maneira mecânica, mas torna a interação mais conectada. Isso, ela acrescenta, pode ajudar a contrapor a exaustão emocional de um residente às duas da manhã, quando ele precisa ver mais um paciente e pensa: "Por que ele não podia esperar para vir pela manhã?"

O exercício direto de uma habilidade específica para desenvolver a empatia — ler emoções do rosto — mostrou estar entre as partes mais poderosas de todo o treinamento. Quanto mais os médicos aprendiam a ler expressões emocionais sutis, mais seus pacientes reais diziam sentir seu cuidado empático.

A dra. Riess esperava isso. "Quanto mais conseguimos captar as pistas sutis da emoção", ela me disse, "mais compreensão empática conseguimos ter".

Por outro lado, sem dúvida, há maneiras de um médico empático conseguir mexer no laptop e se conectar com seus pacientes — por exemplo, se ele consegue digitar no computador e ainda assim olhar para a frente e manter um significativo contato olho no olho. Ou ele pode mostrar a tela ao paciente em momentos adequados: "Estou olhando os resultados dos seus exames — aqui, deixe-me mostrar para você", e repassá-los em conjunto.

Ainda assim, muitos médicos temem que essa conduta produza atrasos em suas agendas, ao aumentar demais o tempo de cada consulta. "Estamos tentando desfazer esse mito", diz a dra. Riess. "Na realidade, a empatia economiza tempo em longo prazo."

11

SENSIBILIDADE SOCIAL

Anos atrás, eu costumava usar o serviço de um editor freelance. Mas toda vez que começávamos uma conversa casual, ela parecia interminável. Eu lhe dava sinais de *vamos-encerrar-a-conversa* no ritmo e no tom da minha voz — que ele ignorava. Eu dizia: "Preciso correr agora", e ele seguia falando. Eu pegava as chaves do carro e ia em direção à porta — e ele ia junto comigo até o carro sem deixar de falar um instante. Eu dizia: "Até mais", e ele simplesmente continuava falando.

Conheci muita gente como esse editor, todos com a mesma cegueira para as pistas de que uma conversa estava terminando. Essa tendência, na realidade, é um dos indicadores diagnósticos de dislexia social. Seu oposto, a intuição social, nos diz com que precisão estamos decodificando o fluxo de mensagens não verbais que as pessoas estão constantemente nos enviando, modificadores silenciosos do que estão dizendo.

Um fluxo constante de trocas não verbais se estabelece em relação a todos com quem interagimos, seja num cumprimento rotineiro ou numa negociação tensa, transmitindo mensagens que são recebidas com exatamente a mesma força de qualquer coisa que possamos dizer. Talvez *com mais* força.

Em entrevistas de emprego, por exemplo, se o entrevistado se movimenta em sincronia com o entrevistador (não intencionalmente — isso precisa ocorrer naturalmente, como subproduto da sincronização cerebral), ele tem mais chances de ser contratado. Este é um problema para aqueles que são "gestualmente disfuncionais", um termo cunhado por cientistas para se referir a pessoas que simplesmente não parecem conseguir fazer os movimentos certos para reforçar o que estão dizendo.

O marido da rainha Elizabeth II, o príncipe Philip, era conhecido por suas gafes sociais, e chegava a fazer piada sobre si mesmo.

Tomemos como exemplo aquele que foi um evento grandioso na Nigéria: a primeira visita de um monarca britânico em 47 anos. A rainha Elizabeth e seu consorte real, o príncipe Philip, foram ao país para a abertura de uma conferência das nações da Comunidade Britânica. O presidente do país, vestindo orgulhosamente roupas tradicionais nigerianas, foi recebê-los no aeroporto.

"Você parece", disse o príncipe Philip ao presidente com desdém, "estar pronto para ir para a cama".

O príncipe, um dia, escreveu a um amigo da família: "Eu sei que você nunca me terá em alta conta. Sou rude e sem modos e digo muitas coisas fora de propósito, que apenas depois me dou conta que podem ter magoado alguém. Então fico cheio de remorso e tento consertar as coisas."[1]

Essa falta de delicadeza reflete uma autoconsciência deficiente: pessoas desligadas não apenas tropeçam socialmente, mas ficam surpresas quando alguém lhes diz que elas agiram de maneira inadequada. Seja falando alto demais num restaurante ou sendo inadvertidamente grosseiras, elas tendem a deixar outras pessoas se sentindo desconfortáveis.

Um teste cerebral para a sensibilidade social, usado por Richard Davidson, examina a zona neural de reconhecimento e leitura de rostos — a "área fusiforme da face" — enquanto são mostradas às pessoas fotos de rostos. Se nos pedem para dizer que emoção aquela pessoa está sentindo, nossa área fusiforme da face se acende num exame de neuroimagem. Aqueles com alta intuição social, como se poderia esperar, demonstram altos níveis de atividade ao fazer isso. Por outro lado, aqueles cujo foco simplesmente não consegue captar uma expressão emocional apresentam baixos níveis de atividade.

Autistas apresentam pouca atividade fusiforme, mas muita atividade na amígdala, que registra a ansiedade.[2] Olhar para rostos tende a deixá-los ansiosos, especialmente ao olhar para os olhos de uma pessoa, uma fonte rica de informações emocionais. Os pés de galinha ao redor dos olhos de uma pessoa, por exemplo, nos dizem quando ela está se sentindo sinceramente feliz. Sorrisos sem essas rugas sinalizam uma alegria falsa. Normalmente, crianças pequenas aprendem muito sobre emoções olhando para os olhos das pessoas, enquanto que aquelas com autismo evitam os olhos e, dessa forma, não aprendem essas lições.

Mas todo mundo falha em algum ponto nessa dimensão. O gerente de uma empresa de consultoria financeira foi acusado de assédio sexual três vezes em três anos — e, me disseram, todas as vezes ele ficou espantado porque não fazia ideia de que estava agindo de maneira inadequada. Essas pessoas com tendência a cometer gafes não conseguem perceber as regras implícitas de uma situação — e não captam os sinais sociais de que estão deixando outras pessoas desconfortáveis. Suas ínsulas parecem estar fora do ar. São as pessoas que conferem as mensagens do celular despreocupadamente enquanto está sendo feito um solene minuto de silêncio por um colega que morreu.

Você se lembra da mulher que sabia demais — que era capaz de ler mensagens não verbais supersutis e depois dizia alguma coisa constrangedora a respeito delas? Ela experimentou fazer uma meditação de atenção plena, para desenvolver sua consciência interna.

Depois de alguns meses praticando, ela relatou: "Já vejo situações em que sinto como se pudesse fazer certa escolha sobre minhas reações aos acontecimentos — situações em que ainda posso ver o que as pessoas estão dizendo com seus corpos, mas eu não preciso reagir imediatamente. É uma coisa boa!"

COMPREENDENDO O CONTEXTO

Há também as situações em que quase todo mundo irá se "desligar", pelo menos no começo. Temos uma tendência inevitável de cometer gafes inadvertidamente quando viajamos para uma cultura diferente, onde entramos em contato, cegos, com um novo conjunto de regras de convivência. Eu me lembro de estar num mosteiro nas montanhas do Nepal, quando uma alegre viajante europeia passou pelo local usando shorts — uma transgressão do ponto de vista nepalês, mas que ela não fazia ideia de que estava cometendo.

Profissionais que fazem negócios com grupos de pessoas diferentes numa economia global precisam de sensibilidade extra para tais normas tácitas. No Japão, aprendi do jeito mais difícil que o momento de trocar cartões de visita sinaliza um importante ritual. Nós, americanos, temos a tendência de casualmente guardar o cartão no bolso sem olhar, o que lá é um sinal de desrespeito. Me disseram que precisamos pegar o cartão cuidadosamente, segurá-lo com as duas mãos e examiná-lo por um tempo antes de guardá-lo num estojo especial (este conselho chegou um pouco tarde demais — eu havia acabado de enfiar um cartão no bolso sem sequer olhar para ele).

A habilidade intercultural para a sensibilidade social parece relacionada à empatia cognitiva. Executivos bons nesse tipo de compreensão de perspectiva, por exemplo, se saem melhor em atividades no exterior, supostamente porque conseguem captar normas implícitas rapidamente bem, como compreender rapidamente os modelos mentais diferentes de uma determinada cultura.

As regras básicas do que é adequado podem criar barreiras invisíveis quando pessoas de culturas diferentes trabalham juntas. Um engenheiro austríaco que trabalha para uma empresa holandesa lamentou: "O debate é extremamente valorizado na cultura holandesa. As pessoas crescem com isso desde a escola primária. Eles veem o debate como sendo necessário. Mas eu não gosto desse tipo de debate, eu acho perturbador — é confrontador demais. Meu desafio interno é não levar para o lado pessoal, me manter conectado e sentir respeito durante o confronto."

Deixando a cultura de lado, regras de convivência mudam imensamente dependendo de com quem estamos. Há piadas que contamos aos melhores amigos que jamais deveríamos contar aos nossos chefes.

A atenção ao contexto permite que captemos sutis pistas sociais que podem guiar a forma como nos comportamos. Pessoas atentas ao contexto agem com habilidade independentemente de qual seja a situação em que se encontram. Elas sabem não apenas o que dizer e fazer, mas, o que é igualmente fundamental, o que *não* dizer ou fazer. Elas seguem instintivamente o algoritmo universal da etiqueta, que é se comportar de uma maneira que deixa os outros à vontade. A sensibilidade à forma como as pessoas estão se sentindo em reação ao que fazemos ou dizemos permite que consigamos vencer verdadeiros campos minados sociais ocultos.

Embora possamos ter algumas ideias conscientes dessas normas (como se vestir para a sexta-feira casual no trabalho, comer apenas com a mão direita na Índia), a atenção a normas implícitas é altamente intuitiva, uma capacidade própria das vias neurais ascendentes. Nossa percepção do que é socialmente adequado vem como uma sensação no corpo — quando estamos "fora", é a manifestação física de que "alguma coisa não está certa". Podemos estar captando sinais sutis de constrangimento ou aflição das pessoas com quem estamos.

Se ignoramos essas sensações de estarmos socialmente desafinados (ou se nunca sequer as temos), apenas seguimos em frente, sem noção do quanto estamos saindo do curso. Um teste cerebral para o foco de contexto avalia a função do hipocampo, que é um ponto de conexão para circuitos que analisam circunstâncias sociais. A zona anterior do hipocampo faz fronteira com a amígdala e tem um papel-chave em manter o que fazemos adequado ao contexto. O hipocampo anterior, em comunicação com a área pré-frontal, reprime aquele impulso de fazer alguma coisa inadequada.

A hipótese de Richard Davidson é de que as pessoas mais alertas a situações sociais têm atividades e conectividades mais fortes nesses circuitos cerebrais do que aqueles que simplesmente não conseguem fazer as coisas do jeito certo. O hipocampo trabalha, ele diz, para que você aja de um modo diferente com a família do que no trabalho, e novamente diferente no escritório do que num bar com os colegas de trabalho.

A consciência do contexto também ajuda em outro nível: mapeando as redes sociais num grupo, numa nova escola ou num ambiente de trabalho — uma habilidade que nos permite conduzir bem esses relacionamentos. Pessoas que se saem muito bem no campo da influência organizacional são capazes não apenas de perceber o fluxo das conexões pessoais, mas também de nomear as pessoas cujas opiniões têm mais influência — e, assim, quando precisam, elas se concentram em convencer aqueles que, por sua vez, irão persuadir os demais.

E há também aquelas pessoas que estão simplesmente desligadas de um contexto social em particular — como o campeão de video game que passou tempo demais da vida colado ao monitor do computador e que quando concordou em se encontrar com um jornalista num restaurante ficou intrigado sobre por que o lugar estava tão lotado no Dia dos Namorados.

Um extremo "desligamento" na leitura do contexto social pode ser visto no transtorno de estresse pós-traumático, em que uma pessoa reage a um acontecimento inocente, como o estouro de um escapamento de carro, como se fosse uma emergência terrível, mergulhando para baixo de uma mesa. De forma reveladora, o hipocampo encolhe nas pessoas com TEPT, mas volta a crescer quando os sintomas diminuem.[3]

A FRONTEIRA INVISÍVEL DO PODER

Miguel era um trabalhador diarista, um dos inúmeros imigrantes ilegais do México que vivem com os míseros salários que conseguem ganhar fazendo bicos dia após dia — como jardineiro, pintor, faxineiro, qualquer coisa.

Em Los Angeles, diaristas podem ser encontrados reunidos de manhã cedo em certas esquinas de ruas espalhadas por toda a região metropolitana, por onde moradores locais passam, param o carro e fazem uma oferta de trabalho. Um dia, Miguel aceitou fazer um trabalho de jardinagem para uma mulher que, depois de seu longo e duro dia de trabalho, se recusou a lhe pagar um centavo.

Miguel relembrou aquela decepção profunda quando participou de um workshop em que representou o drama da própria vida. O workshop emprega métodos do "teatro do oprimido", elaborado para ajudar uma plateia relativamente privilegiada a sentir empatia em relação à realidade emocional de vítimas de opressão.

Depois de alguém como Miguel descrever seu cenário, uma voluntária da plateia se apresenta para refazer a cena. Diante de Miguel, a mulher repetiu a apresentação dele, acrescentando o que ela via como uma solução possível ao problema.

"Ela representou uma conversa com a mulher que o contratou, dizendo como ela estava sendo injusta e argumentando com ela", contou Brent Blair, que produziu a apresentação.

Mas, para Miguel, esta não era uma opção. Embora essa abordagem pudesse ter funcionado para uma mulher de classe média com cidadania norte-americana, teria sido impossível para um imigrante ilegal trabalhando como diarista.

"Miguel assistiu à própria história em silêncio, parado no canto do palco", conta Blair. "No final, ele não conseguiu se virar para falar a respeito com os demais — ele estava chorando.

"Miguel disse que não havia se dado conta do quanto era oprimido até ver a própria história contada por outra pessoa."

O contraste entre a realidade de Miguel e a forma como aquela mulher imaginou sua situação aprofundou sua sensação de não ser visto, não ser ouvido, não ser sentido — de ser uma não pessoa a ser explorada.

Quando o método funciona, pessoas como Miguel ganham nova perspectiva a respeito de si mesmas, ao assistirem a suas histórias como que através dos olhos de outra pessoa. Quando membros da plateia sobem ao palco e se tornam atores, representando essas cenas, idealmente, eles compartilham a realidade da pessoa oprimida, "simpatizando" com ela, no verdadeiro sentido da palavra: tendo o mesmo páthos, ou a mesma dor.

"Quando você comunica uma experiência emocional, pode compreender o problema através do coração e da mente, e encontrar novas soluções", diz Blair. Ele dirige o programa de Teatro Aplicado do Mestrado em Artes da Universidade do Sul da Califórnia, que usa essas técnicas para ajudar pessoas em comunidades oprimidas. Blair já realizou esse tipo de recurso teatral com vítimas de estupro em Ruanda e membros de gangues em Los Angeles.

Ao fazer isso, Blair assumiu a existência de uma força sutil dividindo as pessoas por sinais — que, de outra forma, seriam invisíveis — de status social e impotência: os poderosos tendem a deixar de prestar atenção nos impotentes. E isso anestesia a empatia.

Blair relembra um momento numa conferência global em que ele acabou vendo a si mesmo pelos olhos de alguém mais poderoso. Ele estava ouvindo o CEO de uma multinacional de bebidas — um homem conhecido por baixar os salários dos trabalhadores — falar sobre como sua empresa estava ajudando as crianças a se tornarem mais saudáveis.

Durante o período de perguntas que se seguiu à fala do CEO, Blair fez uma pergunta intencionalmente provocadora: "Como você pode falar sobre crianças saudáveis sem também falar de salários saudáveis para os pais delas?"

O CEO ignorou a pergunta de Blair e foi direto para a pergunta seguinte. Blair de repente se sentiu como uma não pessoa.

A capacidade que os poderosos têm de ignorar pessoas inconvenientes (e verdades inconvenientes) ao não prestarem atenção nelas se tornou o foco de psicólogos sociais que estão encontrando relações entre o poder e as pessoas em quem prestamos mais e menos atenção.[4]

Compreensivelmente, nos focamos naqueles que mais valorizamos. Se você é pobre, depende do bom relacionamento com amigos e familiares a quem pode precisar pedir ajuda — digamos, quando você precisa de alguém para cuidar do seu filho de 4 anos enquanto não volta do trabalho. Pessoas com poucos recursos e uma posição de frágil estabilidade "precisam contar com os outros", diz Dacher Keltner, psicólogo da Universidade da Califórnia em Berkeley.

Assim, os pobres são particularmente atenciosos com os outros e com as necessidades alheias.

Os ricos, por outro lado, podem contratar ajuda — pagar por uma creche particular ou mesmo uma *au pair*. Isso significa, argumenta Keltner, que as pessoas ricas podem se dar ao luxo de se preocupar menos com as necessidades dos outros e, dessa forma, prestar menos atenção a eles e ao sofrimento deles.

Sua pesquisa revelou esse desdém em apenas uma sessão de cinco minutos de apresentação.[5] Os mais ricos (pelo menos entre os estudantes universitários norte-americanos) exibem menos sinais de envolvimento, como fazer contato direto com os olhos, assentir com a cabeça e rir — e mais sinais de desinteresse, como olhar o relógio, rabiscar ou se agitar. Alunos de famílias com dinheiro parecem reservados, enquanto aqueles de origem mais pobre parecem mais envolvidos, carinhosos e expressivos.

E, num estudo holandês, estranhos contaram uns aos outros sobre períodos problemáticos de suas vidas, indo da morte de uma pessoa próxima ou um divórcio à perda de um amor ou uma traição, ou sofrimentos da infância, como sofrer bullying.[6] Mais uma vez, as pessoas mais poderosas dos pares tendiam a ser mais indiferentes: sentiam menos a dor do outro, eram menos empáticas, que dirá compassivas.

O grupo de Keltner descobriu falhas de atenção similares ao comparar pessoas de altos cargos de uma organização com as mais simples na habilidade que tinham de ler emoções em expressões faciais.[7] Em qualquer interação, a pessoa mais poderosa tende a focar menos o olhar no outro do que os demais e tem mais chances de interromper e monopolizar a conversa — todos sinais de falta de atenção.

Em compensação, pessoas de status social mais baixo tendem a se sair melhor em testes de precisão empática, como ler as emoções de uma pessoa a partir de seu rosto — até mesmo pelos movimentos musculares ao redor dos olhos. Tudo leva a crer que elas se focam mais no outro do que as pessoas de status mais elevados.

O mapeamento da atenção nas diferentes camadas do poder aparece numa métrica simples: quanto tempo leva para a pessoa A responder um e-mail da pessoa B? Quanto mais tempo alguém ignora um e-mail antes de finalmente respondê-lo, mais poder social relativo aquela pessoa tem. Mapeie esses tempos de resposta numa organização inteira e você terá um gráfico impressionantemente preciso da distribuição social. O chefe deixa e-mails sem resposta durante horas. Os que estão mais baixo na hierarquia respondem dentro de minutos.

Existe um algoritmo para isso, um método de recuperação de dados chamado "detecção automatizada de hierarquia social", desenvolvido na Universidade de Columbia.[8] Quando aplicado ao arquivo de tráfego de e-mails na Enron Corporation antes de ela falir, o método identificou corretamente os papéis dos gerentes de alto nível e seus subordinados apenas pelo tempo que eles levavam para responder aos e-mails de uma determinada pessoa. Agências de inteligência têm aplicado a mesma métrica a grupos suspeitos de terrorismo, montando a cadeia de influência para localizar figuras centrais.

Poder e status são altamente relativos, mudando de um encontro para outro. De forma reveladora, quando alunos de famílias ricas se imaginavam conversando com alguém de status superior ao deles, melhoravam suas capacidades de ler as emoções em expressões faciais.

Onde nos enxergamos na escala social parece determinar quanta atenção prestamos: mais vigilantes quando nos sentimos subordinados, menos quando nos sentimos superiores. A conclusão: quanto mais você se importa com alguma coisa, mais atenção presta — e quanto mais atenção presta, mais você se importa. A atenção está entrelaçada com o amor.

PARTE QUATRO

O CONTEXTO MAIOR

12

PADRÕES, SISTEMAS E DESORDENS

Enquanto visitava uma cidadezinha ao pé do Himalaia na Índia, a queda de uma escada deixou Larry Brilliant preso à cama durante semanas para curar uma lesão nas costas. Para passar as horas naquele vilarejo isolado, ele pediu que sua mulher, Girija, visse se a biblioteca local tinha livros sobre moedas indianas — ele havia sido um ávido colecionador de moedas quando menino.

Foi mais ou menos nesse momento que conheci o dr. Larry, como seus amigos o chamam. Clínico geral, ele se uniu à iniciativa da OMS para vacinar o mundo contra a varíola. Na época, eu me lembro de ele me contar como, ao se envolver na leitura sobre as moedas da Índia antiga, havia começado a compreender a história das redes comerciais naquela parte do mundo.

Com o apetite para colecionar moedas renovado, quando voltou a ficar de pé, durante suas viagens através da Índia, o dr. Larry começou a visitar ourives locais, que frequentemente vendiam moedas de ouro e prata por quilo. Algumas eram antigas.

Essas moedas incluíam exemplares do tempo dos kushanas, uma nação que, no século II, comandou um império com sede em Cabul, que se estendia do Mar de Aral à cidade de Benares. As moedas kushanas adotaram um formato emprestado de um grupo dominado, os bactrianos, descendentes dos soldados gregos deixados para trás ocupando postos avançados da investida de Alexandre, o Grande, na Ásia. Essas moedas contavam uma história intrigante.

De um lado das moedas kushanas estava a imagem do rei de um determinado período; o outro lado retratava a imagem de um deus. Os kushanos eram zoroastrianos, seguiam uma religião persa que estava entre as maiores do mundo na época. Mas várias moedas kushanas retratavam não apenas a divindade persa, como também uma ampla variedade de divindades, como Shiva ou Buda, emprestadas de panteões persas, egípcios, gregos, hindus e romanos — e até mesmo de nações muito distantes do território kushano.

Como, no século II, podia um império centrado no Afeganistão aprender tanto sobre religiões — e homenagear suas divindades — que iam muito além de suas fronteiras? A resposta estava nos sistemas econômicos da época. O Império kushano permitiu, pela primeira vez na história, uma ligação protegida entre as já vibrantes rotas comerciais do Oceano Índico e a Rota da Seda. Os kushanos tinham contato regular com mercadores e sacerdotes cujas raízes se estendiam da baía do Mediterrâneo ao Ganges, da Península arábica aos desertos do noroeste da China.

Houve outras revelações do tipo. "Encontrei uma abundância de moedas romanas no sul da Índia e tentei descobrir como elas foram parar lá", o dr. Larry me contou. "Acontece que os romanos, cujo império tocou o Mar Vermelho no Egito, contornavam a Arábia de barco e iam até Goa para fazer comércio. Era possível traçar uma engenharia reversa de onde essas moedas antigas estavam aparecendo e deduzir as rotas de comércio do período."

Na época, o dr. Larry havia acabado de trabalhar por todo o sul da Ásia no historicamente bem-sucedido programa de erradicação mundial da varíola da OMS, e estava prestes a embarcar para a Universidade de Michigan para fazer um mestrado em saúde pública. Houve uma surpreendente repercussão de sua exploração de rotas comerciais sobre aquilo que ele iria aprender em Michigan.

"Eu havia feito cursos de análises de sistemas e estava estudando epidemiologia. Isso combina com a minha forma de pensar. Eu me dei conta de que rastrear uma epidemia era muito parecido com o rastreamento de uma civilização antiga, como a kushana, com todas as pistas arqueológicas, linguísticas e culturais ao longo do caminho."

A pandemia de gripe de 1918, por exemplo, matou aproximadamente 50 milhões de pessoas no mundo todo. "Ela provavelmente começou no Kansas e começou a ser disseminada pelas tropas americanas no exterior durante a Primeira Guerra Mundial", diz dr. Larry. "Aquela gripe marchou ao redor do mundo na velocidade dos navios a vapor e do Expresso do Oriente. As pandemias de hoje podem se espalhar na velocidade de um 747."

Ou tomemos como exemplo o caso da poliomelite, doença conhecida no mundo antigo, mas de maneira dispersa. "O que tornou a pólio epidêmica foi a urbanização. Nas cidades, as pessoas compartilhavam um único sistema poluído de água em vez de obter água de seus poços individuais.

"Uma epidemia exemplifica dinâmicas de sistemas. Quanto mais conseguimos pensar sistemicamente, mais conseguimos seguir o caminho de moedas, artes, religiões ou doenças. A compreensão de como moedas percorrem rotas de comércio é paralela à análise de como um vírus se espalha."

Esse tipo de detecção de padrão sinaliza os sistemas da mente em funcionamento. Essa capacidade por vezes misteriosa nos permite localizar com facilidade o detalhe revelador num vasto raio visual (como em *Onde está Wally?*). Se mostramos uma foto de muitos pontos e pedimos para as pessoas adivinharem quantos pontos há ali, os que fizerem as melhores estimativas deverão ser os melhores pensadores de sistemas. O dom aparece naqueles melhores em, por exemplo, fazer design de software ou descobrir intervenções capazes de salvar ecossistemas em falência.

Um "sistema" se resume a um conjunto de padrões válidos e coesos. O reconhecimento de padrões opera em circuitos dentro do córtex parietal, embora a localização específica de uma "área cerebral sistêmica" mais abrangente — se é que ela existe — ainda precise ser identificada. No momento atual, não parece haver uma rede ou circuito cerebral específico que nos dê uma inclinação natural para a compreensão de sistemas.

Aprendemos a ler e a trabalhar com sistemas através dos incríveis talentos de aprendizagem geral do neocórtex. Esses talentos corticais — como na matemática ou na engenharia — podem ser imitados pelos computadores. Isso diferencia a mente sistêmica de processos como a autoconsciência e a empatia, que operam em circuitos específicos, majoritariamente de baixo para cima. É necessário um pouco de esforço para aprender sobre sistemas, mas para conduzir a vida com sucesso precisamos nos fortalecer nessa variedade de foco, bem como nas duas outras que vêm mais naturalmente.

DESORDENS E PROBLEMAS SUPERCRUÉIS

A perspectiva sistêmica levou a carreira do dr. Larry à posição atual de chefe do Fundo Skoll para Ameaças Globais, que tem o objetivo de proteger a humanidade contra ameaças que incluem os conflitos do Oriente Médio, a proliferação nuclear, pandemias, mudanças climáticas e as disputas que podem surgir por conta da escassez de água.

"Nós encontramos os *hot spots*, os pontos onde os problemas podem começar. Como a escassez de água e a luta entre três nações detentoras de armas nucleares — Paquistão, Índia e China. Cerca de 95% da água no Paquistão é usada para a agricultura, e a maioria de seus principais rios passa, antes, por territórios indianos. Os paquistaneses acreditam que a Índia manipula comportas e controla quanta água chegará ao Paquistão, e quando. E os indianos, por sua vez, acreditam que a China controla o fluxo da água a partir do Terceiro Polo, o gelo e a neve do planalto himalaio."

Mas ninguém sabe quanta água flui por esses sistemas fluviais e em quais estações do ano, nem quantas comportas controlam esse fluxo, nem onde, nem com que propósito. "Essas informações são usadas como ferramenta política pelos três governos", diz o dr. Larry. "Então, apoiamos a coleta dessas informações por um mediador isento e de confiança, que as torne transparentes. Isso permitirá que se dê o próximo passo: a análise dos pontos-chave de articulação e dos pontos delicados."

Uma resposta rápida será essencial para combater qualquer futura pandemia global de gripe provocada por linhagens mutantes para as quais ninguém tem imunidade. No entanto, essa resposta não poderá ser pré-testada. A situação será única na história (não havia, por exemplo, aviões 747 durante a última pandemia, em 1918), e os riscos são tão altos que não há espaço para erros. É por esses e outros motivos que as pandemias são classificadas como um problema "cruel" — não no sentido de "mau", mas no sentido de ser extremamente difícil de resolver.

Combater o aquecimento global, por outro lado, se apresenta como um problema "supercruel": não há uma única autoridade encarregada de sua solução, o tempo está se egotando, as pessoas que estão tentando resolver o problema estão entre aquelas que o provocam (todos nós) e as políticas oficiais ignoram sua importância para o nosso futuro.[1]

Além disso, tanto as pandemias quanto o aquecimento global são o que chamamos tecnicamente de "desordens", situações em que um problema preocupante interage com um sistema de outros problemas inter-relacionados.[2] Assim, como observa o dr. Larry, esses são dilemas incrivelmente complicados, com muitas das informações de que precisamos para resolvê-los ainda desconhecidas.

Os sistemas são praticamente invisíveis a olho nu, mas seus mecanismos podem se tornar visíveis com a coleta de informações de pontos suficientes para que os contornos de suas dinâmicas entrem em foco. Quanto mais informações, mais claro se torna o mapa. Entremos na era dos grandes volumes de dados.

Anos depois de seus dias de colecionador de moedas indianas, o dr. Larry se tornou o fundador e diretor executivo da Google.org, o braço filantrópico da empresa. Lá, ele foi responsável por uma das primeiras aplicações amplamente aclamadas de grandes volumes de dados: a localização da gripe. Uma equipe de engenheiros voluntários da Google, trabalhando com epidemiologistas do centro de controle de doenças do governo federal americano, analisou uma enorme quantidade de buscas por palavras, como "febre" ou "dor", relacionadas com sintomas de gripe.[3]

"Usamos dezenas de milhares de computadores simultaneamente para buscar cada registro importante no Google ao longo de cinco anos, a fim de criar um algoritmo capaz de prever surtos de gripe", recorda o dr. Larry. O algoritmo resultante identifica surtos de gripe dentro de um dia, em comparação com as duas semanas que o centro de controle de doenças normalmente leva para perceber *hot spots* da doença com base em relatos de médicos.

Um software de grandes volumes de dados analisa uma enorme quantidade de informações. Usar dados do Google para localizar surtos de gripe foi uma das primeiras aplicações de grandes volumes de dados numa vasta população — o que se tornou conhecido como "inteligência coletiva". Grandes volumes de dados nos permitem saber onde está focada a atenção coletiva.

Os usos são infinitos. Por exemplo, analisar quem se conecta com quem — via telefonemas, *tweets*, torpedos etc. — revela o sistema nervoso de uma organização, mapeando a conectividade. As pessoas hiperconectadas são tipicamente as mais influentes: os conectores sociais de uma organização, os detentores do conhecimento ou os formadores de opinião.

Há inúmeras aplicações comerciais para os grandes volumes de dados: uma empresa de telefonia móvel usou a metodologia para analisar as chamadas feitas por seus clientes. Isso identificou o que chamaram de "líderes tribais", indivíduos que recebiam e faziam o maior número de conexões com um pequeno grupo de afinidade. A empresa descobriu que se um desses líderes adotava um novo serviço oferecido, os outros integrantes da tribo tinham grande probabilidade de fazer o mesmo. Por outro lado, se o líder trocasse o serviço telefônico por outro, a tribo provavelmente o seguiria.[4]

"O foco da atenção organizacional tem sido na informação interna", me disse Thomas Davenport, que acompanha os usos dos grandes volumes de dados. "Já esprememos praticamente todo o suco que conseguimos dessa fruta. Então, nos voltamos para a informação externa — a Internet, os sentimentos dos consumidores, os problemas da cadeia de abastecimento e coisas do gênero."

Davenport, antigo diretor do Instituto Accenture de Mudança Estratégica, pertencia ao corpo docente da Harvard Business School quando conversamos. Ele acrescentou: "Precisamos é de um modelo ecológico, em que se pesquise o ambiente externo de informações — tudo o que esteja acontecendo ao redor de uma empresa que possa impactá-la."

Davenport argumenta que as informações que uma organização obtém de seus sistemas de computadores podem ser muito menos úteis do que aquelas advindas de outras fontes na ecologia geral da informação, uma vez processadas por pessoas. Um motor de busca pode oferecer uma quantidade massiva de dados, mas não oferece nenhum contexto para compreendê-los, muito menos qualquer sabedoria sobre as informações. O que torna os dados mais úteis é a pessoa que faz sua curadoria.[5] Idealmente, a pessoa que faz a curadoria da informação irá se concentrar no que importa, descartará o resto e estabelecerá um contexto para o significado dos dados, e fará tudo isso de uma forma que mostra por que eles são vitais — e, assim, captura a atenção das pessoas.

Os melhores curadores não apenas contextualizam significativamente os dados — eles sabem quais perguntas devem ser feitas. Quando entrevistei Davenport, ele estava escrevendo um livro que estimula as pessoas que gerenciam projetos de grandes volumes de dados a fazerem perguntas como: Estamos definindo o problema correto? Temos os dados corretos? Quais são as suposições por trás do algoritmo que é alimentado pelos dados? O modelo que guia essas suposições está baseado na realidade?[6]

Numa conferência do MIT sobre grandes volumes de dados, um palestrante observou que a crise financeira de 2008 em diante foi uma falha do método, enquanto fundos de investimentos de todo o mundo entravam em colapso. O problema é que os modelos matemáticos incorporados em grandes volumes de dados são simplificações. Apesar dos números animadores que os dados produzem, a matemática por trás desses números depende de modelos e suposições, que podem enganar aqueles que a utilizam, fazendo-os depositar confiança demais em seus resultados.

Naquela mesma conferência, Rachel Schutt, estatística sênior do Google Research, observou que a ciência de dados exige mais do que habilidades matemáticas: também é necessário alguém que tenha uma ampla curiosidade e cuja inovação seja guiada por suas próprias experiências — não apenas por dados. Afinal, a melhor intuição demanda imensas quantidades de dados, produtos de toda a nossa experiência de vida, e filtra esses dados através do cérebro humano.[7]

13

CEGUEIRA SISTÊMICA

Mau Piailug sabia ler as estrelas e as nuvens, as ondas do oceano e os voos dos pássaros como se fossem a tela de um GPS. Ele fazia essa leitura, e muitas outras, no meio do Pacífico Sul, sem ver nada além do céu no horizonte por semanas a fio, usando apenas o conhecimento dos mares que havia aprendido com os mais velhos em Satawal, sua terra natal, uma das Ilhas Carolinas.

Mau, nascido em 1932, era o último sobrevivente adepto da antigo sisdtema de navegação polinésio: pilotar uma canoa de casco duplo com nada além da própria sabedoria, percorrendo centenas ou milhares de quilômetros entre uma ilha e outra. Essa arte de navegação encarna a consciência em seu ápice, interpretando pistas sutis como a temperatura ou a salinidade da água do mar, destroços de naufrágios e detritos de vegetais, os padrões de voo das aves marinhas, o calor, a velocidade e a direção dos ventos, as ondas do oceano e o aparecimento e o desaparecimento das estrelas à noite. Tudo isso é mapeado em comparação com um modelo mental de onde as ilhas podem ser encontradas, tradição aprendida por meio de histórias nativas, cantos e danças.

Isso permitiu que Mau pilotasse uma canoa polinésia através de 3.799 quilômetros do Havaí ao Taiti, uma viagem de 1976 que fez os antropólogos se darem conta de que ilhéus da antiguidade podiam atravessar o Pacífico Sul rotineiramente, num trânsito de mão dupla, de uma ilha distante à outra.

Mas ao longo do meio século em que Mau preservou essa refinada consciência dos sistemas naturais, os polinésios se voltaram para aparatos de navegação do mundo moderno. Sua sabedoria estava morrendo.

Aquela épica viagem de canoa provocou um renascimento do estudo da arte de navegação entre os nativos do Pacífico Sul, que continua até hoje. Cinquenta anos depois de sua própria iniciação, Mau voltou a realizar a mesma cerimônia, dessa vez para um punhado de alunos que ele havia treinado.

Essa tradição, transmitida por várias gerações dos mais velhos aos mais jovens, exemplifica o conhecimento local em que povos nativos de todos os cantos do planeta confiaram para sobreviver em seus próprios nichos ecológicos, permitindo o acesso a necessidades básicas como alimento, segurança, vestimenta e abrigo.

Ao longo da história, a consciência dos sistemas — a detecção e o mapeamento de padrões e ordens escondidos no caos do mundo natural — foi impulsionada por esse urgente imperativo imposto aos povos nativos: a fim de sobreviver, é necessário compreender os ecossistemas locais. Eles precisam saber quais plantas são tóxicas, quais alimentam e quais curam, onde conseguir água potável e onde encontrar ervas e comida, como ler os sinais das mudanças das estações.

Aí está a pegadinha. Somos preparados por nossa biologia a comer e dormir, procriar e cuidar de bebês, lutar ou fugir, e todas as outras reações de sobrevivência embutidas no repertório humano. Mas, como vimos, não há sistemas neurais dedicados a compreender os sistemas maiores dentro dos quais tudo isso ocorre.

Os sistemas são, à primeira vista, invisíveis aos nossos cérebros — não temos uma percepção direta de qualquer um dos inúmeros sistemas que ditam a realidade das nossas vidas. Nós os compreendemos indiretamente, através de modelos mentais (os significados das ondas, das constelações e do voo das aves marítimas são exemplos desses modelos), e agimos baseados neles. Quanto mais baseados em dados são esses modelos, mais eficientes são as nossas intervenções (por exemplo, um foguete num asteroide). Quanto menos baseados em dados, menos eficientes elas serão (grande parte da política de educação).

Essa sabedoria origina-se de lições de difícil aprendizado que se tornam conhecimento distribuído, compartilhado entre um povo, como por exemplo as propriedades medicinais de determinadas ervas. E gerações mais velhas passam essa sabedoria acumulada para os mais jovens.

Uma das alunas de Mau, Elizabeth Kapu'uwailani Lindsey, uma antropóloga nascida no Havaí que se especializou em etnonavegação, se tornou exploradora e membro da National Geographic Society. Sua missão: o resgate etnográfico, a conservação do conhecimento e das tradições indígenas em vias de desaparecer.

"Muito da perda da sabedoria nativa se deve à aculturação e à colonização, assim como ao fato de os governos marginalizarem esse conhecimento nativo", ela me disse. "Essa sabedoria é passada adiante de muitas formas. A dança havaiana, por exemplo, era um código de movimentos e cantos que falava de nossa genealogia, astronomia e leis naturais, além do pano de fundo da nossa história cultural. Os movimentos dos dançarinos, os cantos, até mesmo o som dos tambores *pahu*, tinham significados."

"Eram práticas tradicionalmente sagradas", ela acrescentou. "Então, quando os missionários chegaram, condenaram essas danças como imorais. Foi apenas durante nossa renascença cultural, nos anos 1970, que a antiga hula, ou *hula kahiko*, ressurgiu. Até então, a hula moderna havia se tornado entretenimento para turistas."

Mau estudou durante anos, com muitos professores. Seu avô o escolheu para começar seus estudos como futuro navegador quando Mau tinha aproximadamente 5 anos de idade. Daquela época em diante, Mau passou a acompanhar homens mais velhos enquanto preparavam suas canoas para irem pescar ou percorrer os mares, sempre ouvindo suas histórias de navegação — e as dicas de navegação embutidas nelas — noite adentro enquanto bebiam na casa de barcos. No total, ele estudou com meia dúzia de navegadores experientes.

Essa sabedoria nativa representa a ciência fundamental, aquela de conhecimento obrigatório que, ao longo dos séculos, se transformou na imensa quantidade de especialidades científicas de hoje. Essa transformação foi se auto-organizando, talvez atendendo a um ímpeto inato de sobrevivência que nos leva a buscar compreender o mundo ao nosso redor.

A invenção da cultura foi uma imensa inovação para o Homo sapiens: a criação da linguagem e de uma rede cognitiva compartilhada de compreensão que transcende o conhecimento e o tempo de vida de qualquer indivíduo — e que pode ser aproveitada quando necessário e transmitida para as novas gerações. As culturas dividem as especialidades: há as parteiras e os curandeiros, os guerreiros e os construtores, os fazendeiros e os tecelões. Cada um desses domínios de especialidade pode ser compartilhado, e aqueles que possuem uma maior reserva de compreensão de cada uma são os guias e professores dos demais.

A sabedoria nativa tem sido parte fundamental da nossa evolução social, a forma como as culturas passam seus conhecimentos através do tempo. Bandos primitivos no começo da evolução prosperavam ou morriam dependendo de sua inteligência coletiva para ler o ecossistema local: para antecipar as mudanças climáticas, identificar os momentos-chave para plantar, colher e coisas do tipo — e assim surgiram os primeiros calendários.

Porém, uma vez que a modernidade passou a oferecer máquinas para substituir essas tradições — bússolas, guias de navegação e, finalmente, mapas online —, os povos nativos se juntaram a todos os demais na confiança dessas máquinas, deixando de lado sua sabedoria local.

E assim aconteceu com a maioria de todas as expertises tradicionais para harmonizar os sistemas da natureza. O primeiro contato de um povo nativo com o mundo exterior tipicamente dá início ao esquecimento gradual de sua sabedoria.

Quando falei com Lindsey, ela estava se preparando para deixar o Sudeste da Ásia para ver os moken, que são nômades marítimos. Pouco antes do tsunami de 2004 varrer as ilhas em que eles viviam no Oceano Índico, os moken "perceberam que os pássaros haviam parado de cantar e os golfinhos estavam nadando mais para o alto-mar", ela me disse. "Assim, todos entraram nos barcos e também foram para o alto-mar, onde a crista do tsunami era mínima e passou direto por eles. Nenhum moken ficou ferido."

Outros povos — que há muito se esqueceram de escutar os pássaros e observar os golfinhos, bem como o que fazer com isso — pereceram. Lindsey está preocupada que os moken estejam sendo forçados a desistir de suas vidas ciganas no mar e a se estabelecer em terra na Tailândia e na Birmânia. Essa inteligência ecológica poderá desaparecer da memória coletiva dentro de uma geração, com o desaparecimento das formas de transmissão desse conhecimento.

Como Lindsey me disse: "Eu fui ensinada pelos mais velhos que quando entramos na floresta para colher flores para fazer colares ou plantas para fazer remédios, colhemos apenas alguns botões ou folhas de cada galho. Quando terminamos, a floresta deve parecer como se nunca houvéssemos estado lá. Hoje, os meninos costumam entrar na floresta com sacos plásticos e arrancar galhos."

Essa alienação aos sistemas a nossa volta me intrigava há muito tempo, especialmente quando investigava a falta de informação coletiva diante de uma ameaça à sobrevivência da nossa espécie em consequência de nossas atividades diárias. Nós parecemos curiosamente incapazes de perceber uma forma que nos leve a prevenir as consequências adversas dos sistemas humanos, sejam eles por indústria ou comércio.

A ILUSÃO DA COMPREENSÃO

Eis o enigma e a oportunidade de um grande varejista nacional: seus compradores de revistas estavam reportando que cerca de 65% de todas as revistas expostas nas lojas nunca eram vendidas. Isso representava para o sistema um custo anual de centenas de milhões de dólares, mas nenhuma parte isolada desse sistema poderia mudar a situação sozinha. Assim, a cadeia de varejo — um dos maiores clientes de revistas do país — se reuniu com um grupo de editores e distribuidores para ver o que poderia ser feito.

Para a indústria de revistas, espremida pelas mídias digitais e as quedas nas vendas, a questão era urgente. Por vários anos, ninguém conseguia resolver este problema. Então apenas davam de ombros. Agora estavam prontos para olhar com calma para a questão.

"Havia uma quantidade enorme de desperdício, quer olhemos para a questão sob a perspectiva apenas do custo ou da emissão de carbono", me disse Jib Ellison, CEO da consultoria Blu Skye.

Ellison, que integrou o grupo reunido, acrescentou: "Encontramos esse problema na maior parte das cadeias de suprimentos. Elas foram construídas no século XIX tendo em vista o que pode ser vendido, sem ter sustentabilidade ou desperdício em mente. Quando uma parte da corrente tira o melhor proveito para si, isso tende a prejudicar o todo."

Um dos maiores dilemas era que os anunciantes pagavam de acordo com quantas revistas exibiam seus anúncios — e não conforme quantas revistas eram vendidas. Mas uma revista "em circulação" poderia simplesmente ficar parada numa prateleira durante semanas ou meses e depois ser jogada fora. Então, as editoras tiveram de voltar a seus anunciantes e explicar uma nova base de cobrança.

A cadeia de varejo analisou quais eram as revistas mais vendidas e em quais lojas. Os profissionais descobriram, por exemplo, que a *Roadster* podia vender bem em cinco mercados, mas não vendia nada em outros cinco.

Então a cadeia pôde ajustar para onde enviar as revistas de acordo com a demanda. De modo geral, as várias modificações reduziram o desperdício em até 50%. Não foi apenas um ganho ambiental; também abriu espaço para outros produtos ao mesmo tempo em que economiza o dinheiro das editoras.

Para resolver esse tipo de problema é preciso visualizar os sistemas que estão em jogo. "Nós procuramos por um problema sistêmico que nenhuma parte conseguia resolver — nem uma pessoa, nem um governo, nem uma empresa", Ellison me diz. O primeiro avanço no dilema das revistas foi simplesmente reunir todas as partes — e levar o sistema para dentro da sala.[1]

"A cegueira sistêmica é a principal questão com que lidamos em nosso trabalho", diz John Sterman, que detém a cátedra de Jay W. Forrester na Escola de Administração Sloan do MIT. Forrester, mentor de Sterman, foi um dos fundadores da teoria dos sistemas, e Sterman é há anos o maior especialista de sistemas do MIT, dirigindo o Grupo de Dinâmica de Sistemas do instituto.

Seu manual clássico sobre pensamento sistêmico aplicado a organizações e outras entidades complexas expõe o ponto fundamental de que aquilo em que pensamos como sendo "efeitos colaterais" são um termo equivocado. Num sistema, não há efeitos colaterais — apenas efeitos, previstos ou não. O que vemos como "efeitos colaterais" simplesmente refletem nossa compreensão falha do sistema. Num sistema complexo, ele observa, causa e efeito podem estar mais distantes no tempo e no espaço do que percebemos.

Sterman dá o exemplo dos debates em torno dos carros elétricos de "emissão zero" de poluentes.[2] Eles não são, na realidade, "emissão zero" dentro de uma perspectiva sistêmica, já que tiram sua eletricidade de uma rede energética composta em grande parte por usinas poluidoras de carvão. E mesmo que a energia seja gerada, digamos, em fazendas solares, há o custo para o planeta das emissões de gases estufa na fabricação dos painéis solares e da energia utilizada por suas cadeias de abastecimento.[3]

Um dos piores resultados de cegueira sistêmica ocorre quando líderes implementam uma estratégia para resolver um problema — mas ignoram a dinâmica pertinente ao sistema.

"É algo insidioso", diz Sterman. "Você obtém alívio no curto prazo, e então o problema volta, frequentemente pior do que antes."

Engarrafamentos? A solução míope significa construir ruas mais largas e em maior número. A nova capacidade traz alívio de curto prazo nos congestionamentos. Mas, uma vez que se torna mais fácil se locomover, essas mesmas ruas significam mais pessoas, lojas e escritórios espalhados por toda a região. No longo prazo, o trânsito aumenta até que os engarrafamentos e atrasos ficam tão ruins ou piores do que antes — o trânsito continua aumentando até que se torna tão desagradável dirigir que o movimento para de crescer.

"Respostas negativas regulam o congestionamento", diz Sterman. "Sempre que se tem mais capacidade de trânsito, as pessoas andam mais de carro, vão mais longe, compram mais carros. Conforme as pessoas se espalham, o trânsito de massa perde a viabilidade. É um beco sem saída."

Nós acreditamos que ficamos presos por causa daquele engarrafamento, mas o engarrafamento em si surge da dinâmica dos sistemas de autoestradas. A desconexão entre esses sistemas e a forma como nos relacionamos com eles começa com distorções nos nossos modelos mentais. Culpamos aqueles outros motoristas que estão lotando as ruas, mas deixamos de levar em conta a dinâmica do sistema que os pôs lá.

"Em grande parte do tempo", Sterman observa, "as pessoas atribuem o que acontece a elas a eventos próximos no tempo e no espaço, quando, na realidade, tais acontecimentos resultam da dinâmica do sistema maior dentro do qual elas estão inseridas".

O problema é composto pela chamada "ilusão da profundidade explicativa", em que nos sentimos confiantes da nossa compreensão de um sistema complexo, mas, na realidade, temos apenas um conhecimento superficial dele. Tente explicar com profundidade como um helicóptero levanta voo ou por que o acréscimo de dióxido de carbono na atmosfera aumenta a energia das tempestades, e a natureza ilusória da nossa compreensão dos sistemas se torna mais clara.[4]

Além dos equívocos dos nossos modelos mentais e dos sistemas que eles supostamente mapeiam, há problemas ainda mais profundos: nossos sistemas perceptivo e emocional são praticamente cegos a esses sistemas. O cérebro humano foi moldado pelo que nos ajudava a sobreviver, especialmente na era geológica pleistocênica (de aproximadamente 2,85 milhões de anos a 12 mil anos atrás, quando começou o crescimento da agricultura), enquanto os primeiros humanos perambulavam pela natureza.

Somos muito antenados a um barulho nas folhas que possa sinalizar um tigre se aproximando. Mas não temos aparato de percepção que possa sentir o estreitamento da camada de ozônio da atmosfera ou os carcinógenos nas partículas que respiramos num dia cinzento. Os dois podem acabar sendo fatais, mas nosso cérebro não tem um radar direto para essas ameaças.

TORNANDO O INVISÍVEL PALPÁVEL

Não é apenas falta de sintonia perceptiva. Se nosso circuito emocional (especialmente a amígdala, o gatilho para a reação de lutar ou fugir) percebe uma ameaça imediata, ele nos inundará de hormônios como cortisol e adrenalina, que nos preparam para bater ou correr. Mas isso não acontece se ficamos sabendo de perigos potenciais para anos ou séculos à frente. Nesses casos, a amígdala nem pisca.

O circuito da amígdala, concentrado no meio do cérebro, opera automaticamente, de baixo para cima. Nós contamos com ele para nos alertar diante de perigos e nos dizer em que precisamos prestar atenção com urgência. Mas nossos sistemas automáticos, normalmente tão confiáveis para guiar nossa atenção, não têm aparato de percepção ou carga emocional para sistemas e seus perigos. Eles são um fracasso nisso.

"É mais fácil neutralizar uma reação automática ascendente com um raciocínio descendente do que lidar com a total ausência de um sinal", observa a psicóloga Elke Weber, da Universidade de Columbia. "Mas essa ausência de sinais é a situação quando se trata de lidar com o meio ambiente. Não há nada aqui em Hudson Valley, neste lindo dia de verão, que me diga que o planeta está superaquecendo."

"Idealmente, parte da minha atenção deveria se voltar para lá — é um perigo de longo prazo", acrescenta a professora Weber, cujo trabalho inclui a consultoria à Academia Nacional de Ciências sobre tomada de decisões ambientais.[5] "Mas não há qualquer mensagem ascendente em que se prestar atenção. Não há nada que diga: 'Há um perigo aqui! Faça alguma coisa.' Então, é algo muito mais difícil com que se lidar. Não notamos o que não vemos — nem nosso sistema mental nos alerta para isso. É o mesmo que acontece em relação à nossa saúde ou às nossas economias para a aposentadoria. Quando comemos uma sobremesa muito calórica, não recebemos um sinal dizendo: 'Se continuar assim, você vai morrer três anos antes.' E quando compramos aquele segundo carro bacana, não há nada que nos diga: 'Você vai se arrepender disso quando estiver velho e pobre.'"

O dr. Larry, cujo mandato inclui combater o aquecimento global, se refere à questão da seguinte maneira: "Eu preciso convencer você de que existe um gás inodoro, insípido e invisível que está se acumulando no céu e capturando o calor do sol por causa do que o homem está fazendo ao utilizar combustíveis fósseis. É uma tarefa árdua.

"Na realidade, uma ciência abrangente e complexa demonstra isso", ele acrescenta. "Mais de 2 mil cientistas reuniram o que pode ser a mais elegante coordenação de descobertas científicas da história — o Painel Intergovernamental sobre Mudanças Climáticas. Fizeram isso para convencer as pessoas que não estão ligadas à questão a se darem conta dos perigos.

"Mas a menos que você viva nas Maldivas ou em Bangladesh, isso parece muito distante", observa o dr. Larry. "A dimensão do tempo é um problema imenso — se o ritmo do aquecimento global se acelerasse para alguns anos, em vez de séculos, as pessoas prestariam mais atenção. Mas é como a dívida nacional: 'Vou deixar para os meus netos — tenho certeza de que eles encontrarão alguma solução.'"

Conforme observa o professor Sterman: "Como a mudança climática ocorrerá num horizonte distante, que não conseguimos ver, é difícil convencer as pessoas. Apenas os problemas que farfalham as folhas recebem nossa atenção, mas não os grandes problemas que irão nos matar."

No passado, a sobrevivência dos grupos humanos dependia de harmonia ecológica. Hoje, temos o luxo de vivermos bem com auxílios artificiais. Ou parecemos ter esse luxo. Porque as mesmas atitudes que nos tornaram dependentes da tecnologia nos levaram à indiferença em relação ao estado do mundo natural — por nossa conta e risco.

Assim, para vencer o desafio do colapso iminente do sistema, precisamos de algo como uma prótese para a mente.

14

AMEAÇAS DISTANTES

Como o iogue indiano Neem Karoli Baba me disse um dia: "Você pode fazer planos para cem anos, mas não sabe o que irá acontecer no instante seguinte."

Por outro lado, "O futuro já está aqui", como observa o escritor *cyberpunk* William Gibson. "Ele só não está distribuído equilibradamente."

O que podemos saber do futuro está em algum lugar entre as duas visões: nós temos vislumbres e, ainda assim, sempre há o potencial de uma desgraça levar tudo embora.[1]

Nos anos 1980, em seu profético trabalho *In the Age of Smart Machine* [Na era das máquinas inteligentes], Shoshana Zuboff viu que o advento dos computadores estava achatando a hierarquia nas organizações. Onde antes o conhecimento era poder, e desta forma os mais poderosos guardavam suas informações, novos sistemas tecnológicos estavam abrindo a porta do acesso à informação.

Quando Zuboff escreveu seu trabalho, esse futuro estava longe de ser distribuído com equilíbrio — a Internet ainda não existia, que dirá a nuvem, o YouTube ou o Anonymous. Mas hoje (e certamente amanhã), o fluxo de informações se dá de modo ainda mais livre, não apenas dentro de uma organização, mas globalmente. Um vendedor de frutas frustrado ateia fogo em si mesmo num mercado na Tunísia, incitando a Primavera Árabe.

Dois exemplos clássicos de não saber o que irá acontecer no instante seguinte: a previsão de Robert Malthus feita em 1798 de que o crescimento da população reduziria a existência humana a uma "luta perpétua por casa e comida", presa numa espiral descendente de fome e miséria; e o alerta feito por Paul Ehrlich em 1968 sobre o que ele chamou de "bomba populacional", que levaria a uma terrível fome em 1985.

Malthus deixou de prever a Revolução Industrial e as formas com que a produção de massa viria a permitir que mais pessoas vivessem por mais tempo. Os cálculos de Ehrlich não computaram a chegada da "revolução verde", que acelerou a produção de alimentos acima da curva populacional.

A Era Antropocena, que começou com a Revolução Industrial, marca a primeira era geológica na qual as atividades de uma espécie — nós, humanos — degradam inexoravelmente o punhado de sistemas globais que permitem a vida sobre a Terra.

A Antropocena representa sistemas em colisão. Os sistemas humanos de construção, energia, transporte, indústria e comércio atacam diariamente a operação dos sistemas naturais como os ciclos do nitrogênio e do carbono, a rica dinâmica dos ecossistemas, a disponibilidade de água utilizável e coisas do gênero.[2] Além disso, ao longo dos últimos cinquenta anos, esse ataque passou pelo que os cientistas chamam de a "grande aceleração", com concentrações de dióxido de carbono na atmosfera, entre outros indicadores de futuras crises de sistemas, aumentando num ritmo ainda maior.[3]

A pegada planetária humana, Ehrlich viu, é produto de três forças: o que cada um de nós consome, quantos de nós existimos e os métodos que empregamos para obter aquilo que consumimos. Usando essas três medidas, a Sociedade Real do Reino Unido tentou estimar a capacidade da Terra em carregar a humanidade — o número máximo de pessoas que o planeta pode suportar sem um colapso nos sistemas que viabilizam a vida. A conclusão a que se chegou: depende.

O maior fator desconhecido na previsão foram as melhorias na tecnologia. A China, por exemplo, expandiu preocupantemente sua capacidade de gerar energia com carvão — e mais recentemente aumentou num ritmo acelerado seu uso de energia solar e eólica. O resultado líquido: o índice de CO_2 emitido em relação à produção econômica na China caiu cerca de 70% ao longo dos últimos trinta anos (embora esses números escondam o crescimento contínuo das usinas elétricas a carvão na "fábrica do mundo").[4] Em resumo, revoluções tecnológicas podem nos salvar de nós mesmos, permitindo que usemos recursos de modo que protejamos os sistemas fundamentais de suporte à vida do planeta — se conseguirmos encontrar métodos que não criem novos problemas nem escondam os velhos. Ou pelo menos é o que se espera. Mas nenhuma força econômica poderosa favorece essas revoluções da tecnologia a longo prazo. Os ganhos de curto prazo são obtidos em grande parte porque as empresas conseguem economizar dinheiro com eles, não por causa das virtudes planetárias da sustentabilidade per se.

Por exemplo, durante a crise econômica que começou em 2008, os níveis de CO_2 começaram a cair nos Estados Unidos não por causa de exigências do governo, mas por forças de mercado — menos demanda, mais gás natural barato para usinas de energia substituírem o carvão (embora os problemas locais de poluição e saúde provocados pelo vazamento desse gás criem outras dores de cabeça).

Como vimos, um ponto cego no cérebro humano pode contribuir para essa desordem. O aparato de percepção do nosso cérebro tem um ajuste fino para um alcance de atenção que trouxe bons resultados para a sobrevivência humana. Somos equipados com um foco afiadíssimo para sorrisos e expressões de irritação, bebês e rosnados de animais. Mas não temos qualquer radar neural para as ameaças ao sistema global que suporta a vida humana. São questões macro ou micro demais para que nós as percebamos diretamente. Assim, quando confrontados com essas ameaças globais, nossos circuitos de atenção tendem a dar de ombros.

O que é pior, nossas principais tecnologias foram inventadas muito antes de termos sequer ideia sobre a ameaça que elas representavam ao planeta. Metade das emissões de CO_2 da indústria se deve à forma como produzimos aço, cimento, plástico, papel e energia. Embora possamos fazer reduções substanciais nessas emissões, com melhorias nos métodos de produção, seria muito melhor se reinventássemos esses métodos, para que tivessem impacto negativo zero ou mesmo pudessem reabastecer o planeta.

O que poderia fazer essa reinvenção valer a pena? Um quarto fator, que passou despercebido por Ehrlich e outros que tentaram diagnosticar esse dilema: a transparência ecológica.

Saber onde focar num sistema faz toda a diferença. Consideremos a maior das desordens que nossa espécie enfrenta: nosso suicídio em massa em câmera lenta enquanto os sistemas humanos degradam os sistemas globais que sustentam a vida neste planeta. Podemos começar a compreender essa degradação ao aplicar a Análise do Ciclo de Vida (ACV) aos produtos e processos que a provocam.

Uma simples jarra de vidro, por exemplo, tem um ciclo de vida que envolve cerca de 2 mil passos distintos. A cada passo, a ACV pode calcular múltiplos impactos, desde emissões no ar, na água e no solo até impactos sobre a saúde humana ou a degradação de um ecossistema. A adição de soda cáustica à mistura do vidro — um desses passos — é responsável por 6% dos riscos oferecidos pela jarra aos ecossistemas e 3% do mal que ela pode fazer à saúde. Vinte por cento da contribuição da jarra para o aquecimento global vêm das usinas de energia elétrica que são fornecedoras da fábrica de vidro. Cada um dos 659 ingredientes utilizados na produção do vidro tem seu próprio perfil de ACV. E assim por diante, ad infinitum.

A análise do ciclo de vida pode nos dar um tsunami de informações, impressionante até mesmo para os mais ardentes ecologistas do mundo dos negócios. Um sistema de informação criado para guardar todas essas informações sobre ciclos de vida produziria uma explosão de milhões ou bilhões de itens de dados. Ainda assim, um mergulho nesses dados pode indicar, por exemplo, exatamente onde na história daquele objeto as mudanças podem reduzir mais prontamente sua pegada ecológica.[5]

A necessidade de focar numa ordem menos complicada (seja organizando nossos armários, desenvolvendo uma estratégia de negócio ou analisando dados de ACV) reflete uma verdade fundamental. Nós vivemos dentro de sistemas extremamente complexos, mas nos envolvemos com eles sem a capacidade cognitiva de compreendê-los ou administrá-los completamente. Nosso cérebro resolveu esse problema ao encontrar meios de separar o que é complicado por meio de simples regras de decisão. Por exemplo, viver nossas vidas dentro do intricado mundo social de todas as pessoas que conhecemos fica mais simples se usamos a confiança como uma regra prática organizadora.[6]

Para simplificar aquele tsunami de ACV, um promissor software se concentra nos quatro maiores impactos dos quatro últimos níveis da cadeia de suprimentos de um produto.[7] Isso trata aproximadamente dos 20% das causas que dizem respeito a cerca de 80% dos efeitos — o índice conhecido como Princípio de Pareto, de que uma pequena quantidade de variáveis explica a maior parte do efeito.

Essa heurística determina se um fluxo de dados oferece um momento "eureca!" ou se sofremos uma sobrecarga de informações. Essa decisão (*Entendi!* versus *Informação demais*) emana de uma faixa estreita da área pré-frontal do cérebro, os circuitos dorsolaterais. Os árbitros desse ponto de virada cognitivo são os mesmos neurônios que mantêm os turbulentos impulsos da amígdala sob controle. Quando atingimos um esgotamento cognitivo, os circuitos dorsolaterais desistem, e nossas decisões e escolhas ficam cada vez piores conforme nossa ansiedade aumenta.[8] Chegamos ao ponto em que mais informações levam a escolhas ruins.

Melhor: concentre-se no pequeno número de padrões significativos em meio a uma corrente de dados e ignore o resto. Nosso neocórtex contém um detector de padrões, projetado para simplificar a complexidade em regras de decisões manejáveis. Uma capacidade cognitiva que continua a aumentar com o passar dos anos é a "inteligência cristalizada": reconhecer o que importa, o sinal dentro do ruído. Alguns chamam isso de sabedoria.

QUAL É A SUA DIGITAL?

Estou preso nesses sistemas como todo mundo. No entanto, acho difícil escrever a respeito deles sem parecer exagerado; nossos impactos no planeta são inerentemente indutores de culpa e deprimentes. E é isso que eu quero dizer: focar no que há de errado no que fazemos ativa os circuitos de emoções aflitivas. Lembre-se: as emoções dirigem a nossa atenção. E a atenção foge do que é desagradável.

Eu costumava pensar que a transparência total sobre os impactos negativos do que fazemos e compramos — conhecer as nossas pegadas ecológicas —, por si só, criaria uma força de mercado que nos encorajaria a votar com nossos dólares, comprando melhores alternativas.[9] Parecia uma boa ideia — mas eu ignorei um fato psicológico. Esse foco negativo leva ao desencorajamento e à desmotivação. Quando nossos centros neurais para a aflição assumem, nosso foco muda para a aflição em si e para como aliviá-la. Nós nos esforçamos para nos desligar.

Então, precisamos é de uma lente positiva. Entre em www.handprinter.org, um site que estimula qualquer um a liderar melhorias ambientais. O Handprinter se baseia em dados de ACV para nos guiar na avaliação de nossos hábitos (com cozinha, viagens, climatizadores) para gerar um parâmetro das nossas pegadas de carbono. Mas isso é apenas o começo.

Em seguida, o Handprinter pega todas as coisas boas que fazemos — usar energia renovável, ir de bicicleta para o trabalho, usar menos o ar-condicionado — e nos dá uma métrica precisa para o que de *bom* nós fazemos diminuindo nossa pegada. A ideia central: seguir melhorando, para que nossa digital se torne maior do que a nossa pegada. A essa altura, somos uma rede positiva para o planeta.

Se você conseguir fazer com que outras pessoas sigam o seu exemplo e adotem as mesmas mudanças, sua digital cresce na mesma proporção. O Handprinter nasceu para as redes sociais, já é um aplicativo no Facebook. Famílias, lojas, times, clubes, até mesmo cidades e empresas podem aumentar suas digitais em conjunto.

Escolas também. Eis um espaço em que Gregory Norris, um ecologista industrial do Centro para Saúde e Ambiente Global de Harvard, que desenvolveu o Handprinter, vê uma promessa especial. Ele estudou com John Sterman quando estava no MIT, e depois lecionou análise do ciclo de vida nesse mesmo instituto. Hoje, está trabalhando com uma escola de ensino fundamental em York, no Maine, para ajudá-la a aumentar sua digital.

Norris conseguiu que o responsável por sustentabilidade da Owens-Corning, a gigante da produção de vidros, doasse trezentas mantas de fibra de vidro para aquecedores de água para a escola. No Maine, essas mantas podem reduzir as emissões de carbono numa quantidade significativa — e economizar cerca de setenta dólares anuais por casa em tarifas de energia.[10] Casas que receberem as mantas irão dividir com a escola parte de suas economias com combustível, dinheiro que pode ser usado para promover algumas melhorias na escola e ainda produzir bastante sobra para comprar mantas e doá-las a outras duas escolas.[11]

Essas duas outras escolas irão repetir o processo, cada uma doando mantas a outras duas escolas, numa sequência sempre em expansão. A matemática de uma progressão geométrica como esta prediz um efeito propagador por toda a região e, potencialmente, muito além.

Na primeira rodada, cada escola participante recebe um crédito em sua digital, com uma redução de cerca de 130 toneladas anuais de emissões de CO_2, para uma vida útil calculada em pelo menos dez anos para cada manta.

Mas o Handprinter também oferece créditos sucessivos para cada nova escola na corrente. Dentro de apenas seis rodadas, isso deverá incluir 128 escolas, uma redução de emissão de carbono de cerca de 16 mil toneladas de CO_2. Supondo que haja novas rodadas a cada três meses, isso representaria 60 mil toneladas até o começo do terceiro ano e um milhão no quarto ano.

"O cálculo de ACV do aquecedor de uma casa começa negativo quando se avalia a cadeia de suprimento e o ciclo de vida do equipamento", diz Norris. "Mas depois que se interfere nos impactos de seu uso, a certa altura ele se torna progressivamente positivo para gases do efeito estufa" conforme a casa passa a utilizar menos energia de usinas elétricas a carvão ou menos óleo combustível.[12]

O Handprints põe os impactos negativos (nossa pegada) no pano de fundo e os positivos em primeiro plano. Quando somos motivados por emoções positivas, o que fazemos parece mais importante e a necessidade de agir dura mais tempo. Tudo fica por mais tempo no foco da atenção. Em contrapartida, o medo dos impactos do aquecimento global pode atrair nossa atenção rapidamente, mas uma vez que fazemos algo e nos sentimos um pouco melhor, pensamos que fizemos o suficiente.

"Há vinte anos, poucas pessoas prestavam atenção em como suas atividades influenciavam as emissões de carbono", observa Elke Weber, da Universidade de Columbia. "Não havia como medi-las. Agora, a pegada de carbono nos dá uma métrica para o que fazemos, tornando as decisões mais simples: podemos diagnosticar onde estamos. Prestamos mais atenção no que medimos e conseguimos determinar metas em torno disso.

"Mas a pegada é uma métrica negativa, e emoções negativas são péssimas motivadoras. Por exemplo, você pode chamar a atenção das mulheres sobre fazer exames preventivos de câncer de mama assustando-as a respeito do que pode acontecer se elas não os realizarem. Essa tática chama a atenção no curto prazo, mas como o medo é um sentimento negativo, as pessoas farão apenas o necessário para melhorar seus humores — então passarão a ignorar a questão.

"Para mudanças no longo prazo, é preciso agir com constância", Weber acrescentou. "Uma mensagem positiva diz: 'Aqui estão ações melhores para fazer, e com esta métrica você pode ver o bem que está fazendo – enquanto seguir em frente, você poderá se sentir continuamente melhor sobre como está se saindo.' Esta é a beleza das digitais."

ALFABETIZAÇÃO DE SISTEMAS

Em *Raid on Bungeling Bay,* um dos primeiros video games, o jogador se via num helicóptero atacando um inimigo militar. Era possível bombardear fábricas, estradas, cais, tanques, aviões e navios.

Ou, se o jogador compreendia que o jogo estava mapeando a cadeia de suprimentos do inimigo, ele podia vencer com uma estratégia mais inteligente: bombardeando os navios de suprimentos primeiro.

"Mas a maioria das pessoas simplesmente ficava voando de um lado para outro explodindo tudo o mais rapidamente possível", conta o designer do game, Will Wright, mais conhecido como o cérebro por trás do *SimCity* e de seus sucessivos universos de simulações em rede.[13] Uma das primeiras inspirações de Wright para projetar esses mundos virtuais foi o trabalho de Jay Forrester, do MIT (o mentor de John Sterman e um dos fundadores da moderna teoria de sistemas), que, nos anos 1950, esteve entre os primeiros a tentar simular um sistema vivo num computador.

Embora haja preocupações razoáveis sobre os impactos sociais dos games nas crianças, um benefício pouco reconhecido deles é desenvolver a habilidade de aprender as regras básicas de uma realidade desconhecida. Games ensinam crianças a experimentar com sistemas complexos. Para vencer, é preciso adquirir uma noção intuitiva dos algoritmos dentro do game e descobrir como passar por eles, como observa Wright.[14]

"Tentativa e erro, questões de engenharia reversa na mente — todas as formas como as crianças interagem com os games —, é esse o tipo de raciocínio que as escolas deveriam estar ensinando. Conforme o mundo se torna mais complexo", Wright acrescenta, "os games são melhores para nos preparar para ele".

"As crianças são pensadores de sistemas naturais", diz Peter Senge, que vem ensinando essa perspectiva nas escolas. "Se você fizer três garotos de 6 anos de idade analisarem por que há tantas brigas no playground, eles se darão conta de que há um ciclo de feedback em que xingamentos levam a mágoas que levam a xingamentos, com mais mágoas — e tudo acaba se transformando numa briga."

Por que não incorporar essa compreensão na educação geral que a nossa cultura transmite para os nossos filhos, como o tutorial de Mau sobre navegação celestial? Chamemos isso de alfabetização em sistemas.

Gregory Norris se tornou parte do Centro para a Saúde e o Ambiente Global da Escola de Saúde Pública de Harvard, onde durante muito tempo lecionou um curso sobre ACV. Ele e eu fizemos um pouco de brainstorming acerca de como deveria ser um currículo sobre sistemas e ACV para crianças.

Vamos pensar naquelas partículas que são emitidas em menor quantidade pelas usinas de energia se as casas utilizarem uma manta de aquecimento de água. Há dois tipos principais, ambos prejudiciais aos pulmões: partículas minúsculas que entram nos recessos mais profundos dos pulmões e outras que começam como os gases óxido nitroso ou dióxido de enxofre e se transformam em partículas que provocam os mesmos danos.

Essas partículas são um enorme problema de saúde pública, especialmente em áreas urbanas como Los Angeles, Pequim, Cidade do México e Nova Déli, onde dias altamente poluídos são frequentes. A Organização Mundial de Saúde estima que a poluição ao ar livre provoca cerca de 3,2 milhões de mortes por ano em todo o mundo.[15]

Levando esses dados em consideração, uma disciplina de saúde ou matemática poderia calcular, para um dia poluído numa cidade, os resultantes "anos de vida ajustados por incapacidade" (ou AVAI, a unidade equivalente à perda de um ano de boa saúde) — computando os dias de vida saudável perdidos a impactos de emissões de partículas. Isso pode ser calculado até mesmo para minúsculas exposições e traduzidos para seu papel no aumento de índices de doenças.

Disciplinas diferentes analisariam esses sistemas às suas próprias maneiras. A biologia exploraria, por exemplo, os mecanismos envolvidos quando partículas nos pulmões levam à asma, a doenças cardiovasculares ou ao enfisema. Uma turma de química poderia se concentrar na conversão dos gases óxido nitroso e dióxido de enxofre nessas partículas. As aulas de sociologia ou de estudos ambientais poderiam discutir as questões sobre como os atuais sistemas de energia, transporte e construção rotineiramente expõem a saúde do público a tais ameaças — e como esses sistemas poderiam ser modificados para diminuir esses riscos.

Incorporar esse aprendizado nos currículos escolares estabelece a estrutura conceitual para o pensamento sistêmico que pode ser elaborado mais explicitamente quando os alunos de séries avançadas se envolverem nas questões específicas mais detalhadamente.[16]

"É preciso ter uma atenção panorâmica para apreciar as interações no nível dos sistemas", diz Richard Davidson. "Você precisa manter a atenção flexível para conseguir expandir e contrair o foco, como uma lente de zoom, a fim de enxergar os elementos grandes e pequenos." Por que não ensinar às crianças essas habilidades básicas de leitura de sistemas?

A educação aprimora os modelos mentais. Ajudar alunos a dominar os mapas cognitivos para, digamos, a ecologia industrial como parte de sua educação de um modo geral significa que, quando adultos, esses insights serão parte de suas regras de decisão.

Como consumidores, isso impactaria seu pensamento a respeito de quais marcas comprar e quais evitar. Como tomadores de decisão no trabalho, essa lógica surgiria em tudo, desde como investir nos processos de manufatura e na obtenção de material, até estratégias comerciais e de prevenção de riscos. Principalmente, essa forma de pensar poderia fazer com que alguns integrantes das novas gerações se tornassem mais curiosos sobre pesquisa e desenvolvimento, especialmente nas linhas da biomimética — de fazer as coisas como a natureza faz.

Praticamente todas as plataformas industriais, químicas e de manufatura atuais foram desenvolvidas numa era em que ninguém sabia a respeito ou se importava com impactos ambientais. Agora que temos a lente da ACV com pensamento sistêmico, precisamos reinventar todas elas — uma imensa oportunidade empreendedora para o futuro.

Numa reunião a portas fechadas de dezenas de cabeças da sustentabilidade, fiquei estimulado ao ouvi-las listar melhorias que suas empresas haviam feito, indo desde fábricas poupadoras com uso de energia solar à compra de matéria-prima sustentável. Mas fiquei igualmente deprimido ao ouvir um coro de reclamações que se resumia a: "Mas os nossos clientes não se importam."

Essa iniciativa da educação poderia ajudar a resolver esse problema no longo prazo. Os jovens vivem num mundo de redes sociais, em que as forças que emergem das hiperconexões digitais podem abalar mercados e mentes. Se um método como o Handprints se tornasse viral, criaria a força econômica que está faltando para tornar imperativo que as empresas mudem a forma de fazer negócios.

Quanto mais mentes bem informadas, melhor. Quando nos confrontamos com um sistema imenso, nossa atenção precisa ser amplamente distribuída. Há um limite no que um par de olhos pode ver. Uma porção deles capta muito mais. Uma entidade mais robusta capta as informações mais relevantes, as compreende mais profundamente e responde com maior agilidade. Nós, coletivamente, podemos nos tornar essa entidade.

É preciso acrescentar a alfabetização sistêmica à longa e crescente lista do que as pessoas ao redor do mundo já estão fazendo para evitar uma catástrofe planetária. Quanto mais, melhor: não deve haver um único ponto de mudança, mas, sim, muitos pontos amplamente dispersos. Esse é o argumento de Paul Hawken em seu livro *Blessed Unrest* [Abençoada inquietação]. Quando o encontro do clima de 2009 em Copenhagen (como todos os outros) não conseguiu elaborar um acordo, Hawken disse que isso era "irrelevante, porque eu não acredito que é daí que vêm as mudanças".

A perspectiva de Hawken: "Imaginem 50 mil pessoas em Copenhagen trocando antenas, anotações, cartões, contatos, ideias e assim por diante, e depois as espalhando de volta para todo o mundo, para 192 países. Energia e clima são um sistema. Este é um problema sistêmico. Isso significa que tudo o que estamos fazendo é parte da cura do sistema e que não há um ponto arquimediano no sistema em que estejamos fracassando ou em que, se nos esforçarmos mais, seremos bem-sucedidos."[17]

PARTE CINCO

PRÁTICA INTELIGENTE

15

O MITO DAS 10 MIL HORAS

A Iditarod deve ser a corrida mais cansativa do mundo: trenós de cães competem ao longo de um percurso de mais de 1.700 quilômetros de gelo ártico, correndo por mais de uma semana. Normalmente, os cães e o condutor andam um dia todo e descansam à noite ou andam uma noite toda e descansam durante o dia.

Susan Butcher reinventou a Iditarod ao correr e descansar alternadamente por períodos de quatro a seis horas noite e dia, em vez de fazer períodos de 12 horas correndo e 12 de descanso. Foi uma inovação arriscada — para começar, lhe dava menos chances de dormir (enquanto os cães dormiam teriam de se preparar para o próximo trecho). Mas ela e seus cães haviam treinado dessa forma e, desde a primeira tentativa, Butcher soube, no fundo do seu coração, que esse regime de corrida poderia funcionar.

Butcher acabou vencendo a Iditarod quatro vezes. Ela morreu de leucemia (doença que havia matado seu irmão na infância) uma década depois de seus tempos de corrida. Em sua homenagem, o estado do Alasca proclamou o primeiro dia da Iditarod como sendo o Dia Susan Butcher.

Técnica em veterinária, Butcher foi líder no tratamento humano e cuidadoso de seus cães, cuidando deles ao longo de todo o ano e fazendo do treinamento para as corridas o padrão, não a exceção. E ela era bastante sintonizada com os limites biológicos do que seus cães — e seu próprio corpo — podiam suportar. O tratamento inadequado dos cães tem sido o maior motivo de críticas à corrida.

Butcher treinava seus cães tanto quanto um maratonista se prepara para uma corrida, sabendo que o resto é tão importante como correr. "Para

Susan, o cuidado com os cães era a prioridade número um", seu marido, David Monson, me contou. "Ela via seus cães como atletas profissionais o ano todo, dando a eles cuidado veterinário, treinamento e nutrição da mais alta qualidade."

Havia também sua preparação pessoal. "A maioria das pessoas não pode imaginar a complexidade de enfrentar uma expedição de 1.700 quilômetros no gelo e na neve, que pode durar até 14 dias", Monson me disse. "A temperatura varia de 5 graus positivos a 50 negativos, estando à mercê de nevascas. É preciso levar kits para consertos, além de comida e remédios para si e para os cães, e tomar as decisões estratégicas corretas. É como se preparar para uma expedição ao topo do Everest.

"Por exemplo, há de 145 a 160 quilômetros entre um ponto de controle e outro em que há comida e suprimentos armazenados para a etapa seguinte, e é preciso levar meio quilo de ração para cada cachorro todos os dias. Porém, se no trecho seguinte houver uma nevasca, você precisará de comida extra e abrigo para os cães. E isso representa mais peso."

Butcher precisava tomar essas decisões estratégicas — além de se manter vigilante e atenta — tendo dormido apenas uma ou duas horas por dia. Enquanto os cães descansavam o mesmo tempo que corriam, durante seus intervalos ela se ocupava de alimentar e cuidar dos cães e de si mesma, além de fazer quaisquer consertos necessários. "Manter a atenção durante um período altamente exaustivo e estressante significa ter de ser metódico e experiente, para que sejam tomadas as decisões corretas mesmo sob pressão", diz Monson.

Ela passava horas e horas ajustando suas habilidades ao trenó, estudando as sutilezas da neve e do gelo, e se conectando com seus cães. Mas era o autocontrole a característica mais proeminente em seu regime de treinamento.

"Ela realmente conseguia se focar", disse Joe Runyan, outro corredor de Iditarod. "E era isso que a tornava tão boa no esporte."

A "regra das 10 mil horas" — de que esse nível de treinamento é o segredo do sucesso em qualquer área — se tornou uma verdade sacrossanta, repetida em sites e recitada como uma ladainha em workshops de alto desempenho.[1] O problema: ela é apenas uma meia-verdade.

Se você é péssimo no golfe, por exemplo, e comete os mesmos erros toda vez que tenta dar uma determinada tacada, 10 mil horas de treino desse erro não irão melhorar o seu jogo. Você ainda será péssimo no golfe, ainda que mais velho.

Ninguém menos do que o especialista Anders Ericsson, o psicólogo da Universidade Estadual da Flórida que se dedicou a investigar o grau de perícia adquirida depois da aplicação da regra das 10 mil horas, me disse: "Ninguém se beneficia da repetição mecânica, mas sim de ajustar a sua execução várias vezes, até chegar mais próximo do seu objetivo."[2]

"Você precisa regular o sistema ao forçá-lo", ele acrescenta, "abrindo espaço para mais erros no começo, aumentando seus limites".

Com exceção de esportes como basquete ou futebol americano, que se beneficiam de traços físicos como peso e altura, Ericsson diz que quase *qualquer um* consegue atingir os mais altos níveis de desempenho se praticar de forma inteligente.

No começo, corredores de Iditarod descartavam as chances de Susan Butcher algum dia vencer a corrida. "Naquele tempo", David Monson recorda, "a Iditarod era considerada um esporte adequado apenas para homens do estilo caubói — duros na queda. Apenas valentões o praticavam. Outros corredores diziam que Susan jamais conseguiria vencer — ela tratava os cães como bebês. Então, quando ela começou a vencer um ano depois do outro, as pessoas se deram conta de que seus cães estavam mais aptos do que os outros para os rigores da corrida. Isso mudou fundamentalmente a forma como os corredores se preparam e disputam a corrida hoje".

Ericsson argumenta que o segredo da vitória é o "treino deliberado", em que um treinador especialista (essencialmente o que Susan Butcher era para seus cães) o guia através de um treinamento bem-planejado ao longo de meses ou anos, e você se dedica com concentração total.

Horas e horas de treino são necessárias para um excelente desempenho, mas não são suficientes. O modo como especialistas de qualquer área usam a atenção durante o treino faz uma diferença fundamental. Por exemplo, em seu bastante citado estudo de violinistas — o que mostrou que o melhor de todos havia ensaiado mais de 10 mil horas —, Ericsson descobriu que os especialistas o faziam totalmente concentrados em melhorar um aspecto particular de sua performance identificado por um mestre.[3]

Uma prática inteligente sempre inclui um esquema de feedback, que permite reconhecer erros e corrigi-los — razão pela qual os dançarinos usam espelhos. Idealmente, esse feedback vem de alguém com um olhar de especialista — e assim cada esportista campeão de nível internacional tem um treinador. Se você pratica sem esse feedback, você não chega ao topo.

O feedback importa, bem como a concentração — e não apenas as horas.

Aprender como melhorar qualquer habilidade exige foco descendente. A neuroplasticidade, o fortalecimento de velhos circuitos cerebrais e a construção de novos para uma habilidade que estejamos treinando exigem que prestemos atenção. Quando treinamos com nosso foco em outro lugar, o cérebro não reprograma o circuito relevante para aquela rotina em especial.

Sonhar acordado acaba com o treino. Quem assiste à TV enquanto faz exercícios jamais chegará ao topo. Prestar atenção total parece aumentar a velocidade de processamento da mente, fortalecer as sinapses e expandir ou criar redes neurais para o que estamos praticando.

Pelo menos no começo. Mas quando você domina a execução da nova rotina, a prática repetida transfere o controle dessa habilidade do sistema descendente de foco intencional para os circuitos ascendente que acabam tornando sua execução mais fácil. A essa altura, você não precisa mais pensar na execução — pode realizar a rotina bastante bem no automático.[4]

E é aí que os amadores e os especialistas se distinguem. Os amadores se contentam, a certa altura, em permitir que seus esforços se tornem operações de baixo para cima. Depois de cerca de cinquenta horas de treinamento — seja esquiando ou dirigindo —, as pessoas atingem aquele nível de desempenho "bom o bastante", em que conseguem realizar os movimentos mais ou menos sem esforço. Não sentem mais a necessidade de uma prática concentrada, mas se contentam em se sair bem com o que aprenderam. Não importa quanto mais treinem nesse modo ascendente, a melhoria será desprezível.

Os especialistas, em contrapartida, continuam prestando atenção de cima para baixo, contrariando intencionalmente o desejo cerebral de automatizar as rotinas. Eles se concentram ativamente naqueles movimentos que ainda precisam aperfeiçoar, corrigindo o que não está funcionando bem no jogo, refinando os modelos mentais sobre como jogar ou se concentrando nos detalhes do feedback de um treinador experiente. Quem está no topo nunca para de aprender: se em algum momento começam a relaxar e abandonam esse treino inteligente, passam a jogar com o circuito ascendente e suas habilidades se estabilizam.

"O especialista", diz Ericsson, "contraria ativamente as tendências ao automatismo, construindo e buscando deliberadamente treinamentos nos quais a meta estabelecida excede seus níveis atuais de desempenho". E acrescenta: "Quanto mais tempo o especialista consegue investir no treino deliberado com concentração total, mais desenvolvido e refinado será o seu desempenho."[5]

Susan Butcher treinava a si mesma e a seus cães puxadores de trenó a operar como uma unidade de alto desempenho. Ao longo do ano, ela e seus cães passavam por um ciclo de períodos de 24 horas de corrida e descanso, então tiravam dois dias de folga — em vez de arriscar que seus cães diminuíssem o ritmo por terem corrido demais, caso seguissem o padrão da época de intervalos de 12 horas. Quando chegavam à corrida Iditarod, ela e os cães estavam com o condicionamento máximo.

A atenção focada, como um músculo trabalhado, se cansa. Ericsson descobriu que competidores de nível mundial — sejam levantadores de peso, pianistas ou uma equipe de trenó puxado por cachorros — tendem a limitar o treino pesado a cerca de quatro horas por dia. Descansar e restaurar a energia física e mental faz parte do regime de treinos. Eles buscam forçar a si mesmos e a seus corpos ao máximo, mas não tanto a ponto de o foco diminuir durante a sessão de treinamento. O treinamento ideal mantém a concentração ideal.

BLOCOS DE ATENÇÃO

Quando o Dalai Lama fala a grandes plateias em suas turnês mundiais, ao seu lado normalmente estará Thupten Jinpa, seu principal intérprete para a língua inglesa. Jinpa presta profunda atenção enquanto Sua Santidade fala em tibetano, fazendo apenas rápidas anotações ocasionais. Então, quando há uma pausa, Jinpa repete o que foi dito em inglês, com seu elegante sotaque de Oxbridge.[6]

Nas ocasiões em que fiz palestras no exterior com a ajuda de um intérprete como Jinpa, me disseram que eu deveria falar apenas algumas frases antes de pausar para que o intérprete repetisse minhas palavras na língua local. De outro modo, seria muita coisa para lembrar.

Mas eu estava presente quando essa dupla tibetana estava diante de uma multidão de milhares de pessoas, e o Dalai Lama parecia estar falando em blocos cada vez mais longos antes de pausar para a tradução para o inglês. Pelo menos uma vez ele falou em tibetano por um total de 15 minutos antes de fazer uma pausa. Parecia uma passagem impossivelmente longa para ser acompanhada por qualquer intérprete.

Quando o Dalai Lama terminou, Jinpa ficou em silêncio por vários instantes enquanto a plateia se remexia com palpável consternação diante do desafio de memória que ele estava enfrentado.

Então Jinpa começou a traduzir e ele também falou por 15 minutos — sem hesitar ou sequer fazer uma pausa. Foi um desempenho impressionante, que levou a plateia a aplaudi-lo.

Qual é o segredo? Quando perguntei a Jinpa, ele atribuiu sua prodigiosa memória ao treinamento que teve quando era um jovem monge num mosteiro tibetano no sul da Índia, onde era exigido do que memorizasse longos textos. "Começa quando temos 8 ou 9 anos", ele me disse. "Trabalhamos com textos em tibetano clássico, que ainda não compreendemos — seria como um monge europeu memorizar algo em latim. Nós memorizamos os textos pelo som. Alguns deles são cânticos litúrgicos — vemos monges recitando esses cânticos totalmente de memória."

Alguns dos textos que os jovens monges memorizam têm até trinta páginas, com centenas de páginas de comentários. "Começávamos com vinte linhas que memorizávamos de manhã e repetíamos várias vezes durante o dia usando o texto como guia. Então, à noite, recitávamos tudo no escuro, completamente de memória. No dia seguinte, acrescentávamos mais vinte linhas e recitávamos todas as quarenta — até que conseguíamos recitar o texto inteiro."

O especialista em treinamento inteligente Anders Ericsson ensinou um talento parecido a alunos de uma universidade americana que, por meio de pura persistência, aprenderam a repetir corretamente até 102 dígitos aleatórios (esse número de dígitos exigiu quatrocentas horas de treinamento focado). Como Ericsson descobriu, uma atenção apurada permite que aprendizes encontrem maneiras mais inteligentes de desempenhar uma tarefa — seja no teclado ou nos labirintos da mente.

"Quando se trata dessa aplicação da atenção", Jinpa confidenciou, "é necessária certa obstinação. É preciso ter persistência, mesmo que seja chato".

Uma memorização notável como essa *parece* expandir a capacidade de memória de trabalho, na qual guardamos por alguns segundos aquilo em que estamos prestando atenção, antes de passarmos para a memória de longo prazo. Mas esse aumento é funcional, não é um alongamento real do que conseguimos manter em atenção num único instante. O segredo é compartimentar — uma forma de treinamento inteligente.

"Enquanto Sua Santidade está falando", Jinpa me disse, "eu sei a essência do que ele está dizendo, e a maior parte do tempo eu sei sobre qual texto em particular ele está falando. Faço uma pequena anotação dos pontos-chave, embora raramente consulte as anotações quando falo." Essas anotações são uma forma de compartimentação.

Como Herbert Simon, o falecido prêmio Nobel e professor de ciência da computação da Universidade Carnegie Mellon, me disse anos atrás: "Todo especialista adquiriu algo como essa capacidade de memória" em sua especialidade. "A memória é como um índice. Especialistas têm aproximadamente 50 mil blocos de unidades familiares de informações que reconhecem. Para um médico, muitos desses blocos são sintomas."[7]

NA ACADEMIA DE GINÁSTICA DA MENTE

Pense na atenção como um músculo mental que podemos fortalecer por meio de exercícios. A memorização exercita esse músculo, bem como a concentração. O equivalente mental de uma série de levantamento de peso é perceber quando nossa mente divaga e trazê-la de volta ao alvo.

Ocorre que esta é a essência do foco unidirecional na meditação, que, visto pela lente da neurociência cognitiva, normalmente envolve o treinamento da atenção. Somos orientados a manter o foco em uma coisa, como um mantra ou a própria respiração. Tente fazer isso por um tempo e inevitavelmente a sua mente irá divagar.

Assim, as instruções universais são as seguintes: quando a sua mente divagar — e você perceber que isso aconteceu —, traga-a de volta ao seu ponto focal e mantenha sua atenção lá. E quando a sua mente voltar a divagar, faça a mesma coisa. E de novo. E de novo. E de novo.

Neurocientistas da Universidade Emory usaram imagens feitas por ressonância magnética para estudar os cérebros de meditadores passando por esse simples movimento da mente.[8] Há quatro passos nesse ciclo cognitivo: a mente divaga, você percebe que ela está divagando, você transfere a atenção para a respiração, e você a mantém lá.

Durante a divagação da mente, o cérebro ativa os circuitos mediais habituais. No instante em que você percebe que sua mente divagou, outra rede de atenção, a de ênfase, se alerta. E quando você muda o foco novamente para a respiração e o mantém lá, os circuitos de controle cognitivo pré-frontais assumem o comando.

Como em qualquer exercício, quanto mais repetições são feitas, mais forte fica o músculo. Um estudo descobriu que pessoas com experiência em meditação eram capazes de desativar seus circuitos mediais mais rapidamente após notar a divagação mental. Uma vez que seus pensamentos se tornam menos "grudentos" com a prática, fica mais fácil abandoná-los e retornar à respiração. Foi detectada uma maior conectividade neural entre a região mental da divagação e aquelas que desligam a atenção.[9] A conectividade aumentada nos cérebros de pessoas que meditam há muito tempo, sugere o estudo, é análoga aos peitorais trabalhados dos levantadores de peso que participam de competições. Quem faz musculação sabe que não ficará com uma barriga tanquinho levantando pesos livremente — é preciso fazer um esforço determinado para trabalhar os músculos relevantes. Músculos específicos respondem a regimes de treinamento particulares. O mesmo ocorre com o treinamento da atenção. A concentração em um ponto é o formador básico da atenção, mas essa capacidade pode ser aplicada de muitas maneiras diferentes.

Na academia de ginástica mental, como em qualquer treinamento físico, as especificidades do treino fazem toda a diferença.

ENFATIZE O POSITIVO

Larry David, criador das séries de sucesso *Seinfeld* e *Curb Your Enthusiasm*, é do Brooklyn, mas viveu a maior parte da vida em Los Angeles. Numa rara estada em Manhattan, para filmar episódios de *Curb* — em que interpreta ele mesmo —, David foi ver um jogo no Yankee Stadium.

Durante uma pausa do jogo, as câmeras exibiram sua imagem nos telões gigantescos. Todo o estádio se levantou para aplaudi-lo.

Mas quando David estava indo embora, mais tarde naquela noite, no estacionamento, alguém colocou o corpo para fora de um carro que passava e gritou: "Larry, você é um imbecil!"

No caminho para casa, Larry David ficou obcecado com aquele único encontro: "Quem é aquele cara? O que foi aquilo? Quem faria isso? Por que dizer uma coisa daquelas?"

Foi como se todos aqueles 50 mil fãs carinhosos não existissem — apenas aquele único cara.[10]

A negatividade nos foca numa faixa estreita — no que está nos incomodando.[11] Uma regra geral da terapia cognitiva sustenta que focar nas experiências negativas é uma receita para a depressão. Um tratamento desses teria estimulado alguém como Larry David a desviar o pensamento para as boas sensações que teve quando a multidão enlouqueceu por ele e manter o foco nisso.

Emoções positivas ampliam nosso raio de atenção. Ficamos livres para observar tudo. De fato, usando a positividade, nossas percepções se transformam. Como diz a psicóloga Barbara Fredrickson, que estuda sentimentos positivos e seus efeitos, quando estamos nos sentindo bem, nossa consciência se expande do foco normalmente centrado no "eu" para um foco mais inclusivo e afetuoso no "nós".[12]

Focar nas coisas negativas ou nas positivas funciona como uma alavanca para determinarmos como nosso cérebro opera. Richard Davidson descobriu que quando estamos num ânimo otimista e energizado, a área pré-frontal esquerda do nosso cérebro é ativada. A área esquerda também abriga um circuito que nos lembra de como nos sentimos bem quando finalmente alcançamos um objetivo buscado há muito tempo — isso ajuda a manter um aluno de graduação trabalhando arduamente numa monografia intimidadora.

No nível neural, o pensamento positivo reflete por quanto tempo conseguimos manter essa perspectiva. Uma medida prática, por exemplo, avalia por quanto tempo as pessoas mantêm um sorriso depois de ver alguém ajudando uma pessoa com problemas ou depois de assistir a um bebê aprendendo a caminhar.

Essa perspectiva ensolarada aparece na atitude de acreditar que mudar para uma nova cidade ou conhecer novas pessoas abre possibilidades emocionantes — lugares maravilhosos para conhecer, novos amigos — em vez de ser um passo assustador. Quando a vida nos traz um momento positivo surpreendente, como uma boa conversa, a sensação positiva que ele provoca dura muito tempo.

Como seria de esperar, pessoas que veem a vida por esse prisma se focam nos raios de sol, não apenas nas nuvens. O oposto, o cinismo, gera pessimismo: não apenas o foco na nuvem, mas a convicção de que há nuvens ainda mais escuras se escondendo por trás daquela. Tudo depende no que focamos: no único fã desagradável ou nos 50 mil que aplaudiram.

Em parte, o pensamento positivo reflete os circuitos cerebrais de recompensa em ação. Quando estamos felizes, o núcleo acumbente, uma região junto ao estriado ventral, no meio do cérebro, é ativado. Essa região parece vital para a motivação e para a sensação de que o que estamos fazendo é recompensador. Ricos em dopamina, esses circuitos são os condutores dos sentimentos positivos, da luta pelos objetivos e dos desejos.

Isso se combina com os opiáceos endógenos do cérebro (os opiatos próprios do cérebro), que incluem as endorfinas (os neurotransmissores dos corredores). A dopamina pode alimentar nossa motivação e persistência, enquanto os opiatos conferem a elas uma sensação de prazer.

Esses circuitos permanecem ativos enquanto nos mantemos positivos. Num estudo revelador comparando pessoas deprimidas com voluntários saudáveis, Davidson descobriu que, depois de ver uma cena feliz, os deprimidos não conseguiam manter os sentimentos positivos resultantes — seus circuitos de recompensa desligavam muito antes.[13] Nossa área executiva pode disparar esse circuito, nos tornando melhor em manter sentimentos positivos e em seguir em frente apesar de problemas, ou simplesmente trabalhando por um objetivo que nos faça sorrir quando pensamos como será quando o atingirmos. E o pensamento positivo, por sua vez, traz grandes benefícios ao desempenho, nos energizando para que consigamos nos focar melhor, pensar com mais flexibilidade e perseverar.

Eis uma questão: se tudo funcionasse perfeitamente na sua vida, o que você estaria fazendo em dez anos?

Essa pergunta nos convida a sonhar um pouco, a pensar o que realmente é importante para nós e como isso pode guiar as nossas vidas.

"Falar sobre nossos sonhos e objetivos positivos ativa centros cerebrais que nos abrem para novas possibilidades. Mas se mudamos a conversa para o que deveríamos fazer para nos consertarmos, nos fechamos", diz Richard Boyatzis, psicólogo da Escola de Administração Weatherhead na Universidade Case Western Reserve (meu amigo e colega desde que nos conhecemos na graduação).

A fim de explorar esses efeitos contrastantes no treinamento pessoal, Boyatzis e colegas examinaram os cérebros de estudantes universitários sendo entrevistados.[14] Para alguns, a entrevista se focou em pontos positivos, como essa pergunta sobre o que gostariam de estar fazendo em dez anos e o que esperavam conquistar com os anos de faculdade. Os exames cerebrais revelaram que, durante as entrevistas com foco positivo, houve mais atividade nos circuitos de recompensa do cérebro e nas áreas de bons sentimentos e lembranças felizes. Pense nisso como uma assinatura neural da abertura que sentimos quando somos inspirados por uma visão.

Para outros, o foco foi mais negativo: o quão exigente eles consideravam ser seus compromissos de aula e deveres, as dificuldades de fazer amigos e os medos em relação ao desempenho escolar. Enquanto os estudantes penavam com as perguntas mais negativas, eram ativadas áreas do cérebro que geravam ansiedade, conflito mental e tristeza.

Boyatzis argumenta que um foco nos nossos pontos fortes nos incentiva a seguir rumo a um futuro desejado e estimula a abertura a novas ideias, pessoas e planos. Por outro lado, dirigir a atenção às nossas fraquezas provoca um senso defensivo de obrigação e culpa, nos fechando para o mundo.

A lente positiva mantém a alegria no treinamento e na aprendizagem — o motivo pelo qual até mesmo os atletas e artistas mais experientes ainda gostam de ensaiar seus movimentos. "Precisamos do foco negativo para sobreviver, mas de um foco positivo para prosperar", diz Boyatzis. "Precisamos dos dois tipos de foco, mas na proporção certa."

Seria bom se essa proporção pendesse muito mais para o positivo do que o negativo, à luz do que é conhecido como "Efeito Losada", em homenagem a Marcial Losada, psicólogo organizacional que estudou as emoções de equipes comerciais de alto desempenho. Ao analisar centenas de equipes, Losada determinou que os mais competentes tinham uma proporção positivo/negativo de pelo menos 2,9 bons sentimentos para cada momento negativo (há um limite máximo para a positividade: acima de uma razão Losada de cerca de 11:1, as equipes aparentemente ficam eufóricas demais para serem competentes).[15] A mesma faixa de proporção se aplica para as pessoas que prosperam na vida, segundo uma pesquisa realizada por Barbara Fredrickson, psicóloga da Universidade da Carolina do Norte (e ex-pesquisadora da equipe de Losada).[16]

Boyatzis defende que esse viés de positividade também se aplica ao treinamento pessoal — seja por um professor, pai, chefe ou um *coach* executivo.

Uma conversa que começa com os sonhos e as esperanças de alguém pode levar a um "caminho" de aprendizado — uma série de atividades prazerosas levando àquela visão. Essa conversa pode extrair alguns objetivos concretos da visão geral e depois olhar para o que é necessário para alcançar esses objetivos — e em quais capacidades podemos querer trabalhar a fim de melhorar com o objetivo de chegar lá.

Isso contrasta com uma abordagem mais comum que se foca nas fraquezas da pessoa — quer sejam notas ruins ou deixar de atingir metas trimestrais — e o que fazer para remediá-las. A conversa se concentra no que está errado conosco — nossos fracassos e no que precisamos fazer para nos "consertar" — e todos os sentimentos de culpa, medo e outros do gênero que os acompanham. Uma das piores versões dessa abordagem ocorre quando os pais punem um filho por tirar notas ruins até que ele melhore — a ansiedade de ser castigado acaba por efetivamente prejudicar o córtex pré-frontal da criança enquanto ela tenta se concentrar e aprender, criando ainda mais impedimentos para a melhora.

Nos cursos que leciona na Case para alunos de MBA e executivos de nível intermediário, Boyatzis tem aplicado há muitos anos a técnica de treinamento que prioriza os sonhos. É certo que os sonhos sozinhos não são o bastante: é preciso praticar o novo comportamento a cada oportunidade que se apresente naturalmente. Num determinado dia, isso pode significar algo entre nenhuma e uma dúzia de chances de experimentar a rotina que você esteja tentando dominar a caminho do seu sonho. Esses momentos fazem a diferença.

Um gerente, aluno de um MBA executivo, queria construir relacionamentos melhores. "Ele tinha formação em engenharia", Boyatzis me contou. "Quando lhe dávamos uma tarefa, tudo o que ele via era a tarefa, não as pessoas com quem trabalhava para executá-la."

Assim, seu plano de aprendizagem se tornou "passar tempo pensando em como o outro se sente". Para contar com ocasiões regulares de baixo risco para essa prática fora do ambiente de trabalho e dos hábitos que ele tinha lá, ele ajudou a treinar o time de futebol do filho e tentou se focar nos sentimentos dos jogadores enquanto os treinava.

Outro executivo começou a dar aulas de reforço com o mesmo objetivo de aprendizado, ensinando como voluntário de uma escola de ensino médio num bairro pobre. Boyatzis conta que ele usou essa oportunidade "para ajudar a si mesmo a aprender a se conectar com o outro e a ser mais 'gentil' ao ajudar outras pessoas" — um novo hábito que acabou levando para o ambiente de trabalho também. Ele gostou tanto de dar aulas de reforço que se inscreveu para vários outros semestres.

Para obter dados sobre a efetividade do método, Boyatzis faz avaliações sistemáticas dos alunos do curso. Colegas de trabalho ou outras pessoas que os conhecem bem avaliam anonimamente os alunos em dezenas comportamentos específicos que exibem uma ou outra competência de inteligência típica de pessoas de alto desempenho (por exemplo: "compreende os outros ouvindo atentamente"). Então ele volta a procurar os alunos anos mais tarde e faz com que sejam novamente avaliados por quem está trabalhando naquele momento com eles.

"Até agora realizamos 26 estudos longitudinais separados, indo atrás das pessoas onde quer que elas estejam trabalhando", Boyatzis me contou. "Descobrimos que as melhorias que os alunos fizeram na primeira rodada se mantêm até sete anos depois."

Quer estejamos tentando aperfeiçoar uma habilidade esportiva ou musical, aumentar nossa capacidade de memória ou de ouvir melhor, os elementos centrais do treinamento inteligente são os mesmos: idealmente, uma poderosa combinação de alegria, tática inteligente e foco total.

Conforme exploramos as três variedades de foco, também falamos sobre formas de aprimorar cada uma delas. O treinamento inteligente atinge a um nível mais fundamental, cultivando as bases da atenção sobre as quais o foco triplo é construído.

16

CÉREBROS EM GAMES

Daniel Cates, um campeão mundial, começou sua rotina dedicada de treinamento aos 6 anos de idade. Foi quando descobriu sua afinidade natural com o video game *Command & Conquer* [Comande & Conquiste], que naquele tempo vinha gratuitamente junto com os programas da Microsoft. Dali em diante, Cates deixou de brincar com outras crianças, preferindo passar horas comandando e conquistando no porão da casa de subúrbio da família.[1]

Na escola de ensino médio focada em matemática e ciências que frequentava, Cates matava aula e ia para a sala de computadores jogar Campo Minado. O jogo consiste em localizar minas escondidas numa grade opaca e marcá-las — sem que elas sejam expostas e explodidas. Embora se saísse apenas mais ou menos quando começou a jogar, horas intermináveis de prática tornaram Cates capaz de localizar todas as minas em 90 segundos — um feito que lhe parecia impossível quando começou a aprender o jogo (e absolutamente inconcebível para mim quando tentei jogá-lo on-line. Faça uma tentativa, você vai ver).

Aos 16 anos de idade, descobriu seu métier: pôquer on-line. Em apenas 18 meses, Cates deixou de perder cinco dólares em pôquer amador em tempo real para ganhar até 500 mil dólares em prêmios de pôquer on-line (e bem a tempo — em alguns anos, o pôquer on-line foi proibido, pelo menos nos Estados Unidos). Aos 20 anos, Cates havia ganhado 5,5 milhões de dólares no jogo, um milhão de dólares a mais do que o segundo jogador que mais ganhou naquele ano.[2]

Cates ganhou essa quantia impressionante "ralando" (ou seja, trabalhando muito), jogando não apenas um jogo depois do outro como jogando várias partidas simultaneamente, com todos os jogadores, inclusive os mais experientes. O pôquer on-line permite que você jogue com quantos adversários conseguir simultaneamente, com feedback de vitória ou derrota instantâneo, o que acelera a curva de aprendizado. Um adolescente que consegue jogar on-line uma dúzia de mãos por vez acumula tanta experiência nas sutilezas do jogo, em alguns anos, quanto um jogador de 50 e poucos anos aprende ao longo de uma vida jogando nas mesas de Las Vegas.

O dom de Cates para o pôquer muito provavelmente se formou sobre a estrutura cognitiva que começou lá atrás quando ele mergulhou no *Command & Control*, na época do primeiro ano de escola. Vencer esse game de batalha exige um processamento cognitivo veloz de fatores como decidir de que forma suas tropas podem ser posicionadas contra as do seu oponente, manter vigilância para captar sinais de quando seu inimigo começou a perder forças e realizar ataques impiedosos. Pouco antes de trocar para o pôquer, Cates era campeão mundial de *Command & Control*. As habilidades de atenção e o instinto assassino que fizeram dele um campeão foram imediatamente transferidos para o jogo de cartas.

Mas aos 20 e poucos anos, Cates despertou para a aridez de sua vida social e a inexistência de sua vida romântica. Ele começou uma busca por um estilo de vida que lhe permitisse aproveitar o que havia ganhado. O que isso queria dizer?

"Exercícios. Garotas", são palavras dele.

Ser um campeão no mundo on-line não ajuda muito na paquera no bar da esquina. Os pontos fortes de um video game, como agredir desenfreadamente um adversário ao primeiro sinal de fraqueza, não oferecem vantagens na hora de conquistar uma garota.

A última coisa que eu soube a seu respeito era que Cates estava lendo meu livro *Inteligência social*. Eu lhe desejo o bem. O livro argumenta que interações como as ocorridas durante o pôquer on-line carecem de um ciclo de aprendizagem vital para os circuitos interpessoais do cérebro que nos ajudam a nos conectar e, digamos, causar uma boa impressão num primeiro encontro.

"Neurônios que disparam juntos se conectam juntos", como bem afirmou o psicólogo Donald Hebb nos anos 1940. O cérebro é maleável, constantemente remodelando seus circuitos ao longo dos dias. O que quer que estejamos fazendo faz com que nossos cérebros fortaleçam alguns circuitos e não outros.

Em relações interpessoais, nosso circuito social capta uma vasta quantidade de dicas e sinais que nos ajudam a nos relacionar bem e conectam os neurônios envolvidos. Mas durante milhares de horas passadas on-line, a programação do cérebro social não faz praticamente nenhum exercício.

ESTÍMULOS À CAPACIDADE CEREBRAL OU DANOS À MENTE?

"A maior parte da nossa socialização está fluindo através de máquinas", diz Marc Smith, um dos fundadores da Fundação de Pesquisa em Mídias Sociais, "e isso dá origem a grandes oportunidades e a muitas preocupações".[3] Embora "a maior parte" pareça ser um exagero, crescem os debates sobre as oportunidades e as preocupações, com o videogame no epicentro do debate.

Um fluxo constante de estudos proclama, de um lado, que os video games prejudicam a mente, ou, do outro lado, que eles estimulam a capacidade cerebral. Aqueles que argumentam que esse tipo de jogo promove um treinamento sinistro de agressividade estão com a razão? Ou, como outros propõem, os games treinam habilidades vitais de atenção? Ou as duas coisas?

A fim de ajudar a resolver a questão, o prestigiado jornal *Nature* reuniu meia dúzia de especialistas para separar os benefícios dos malefícios.[4] Acontece que a situação é semelhante à dos efeitos colaterais dos alimentos — tudo depende: alguns são nutritivos; outros, em excesso, podem ser tóxicos. Para video games, as respostas dependem da discussão específica sobre qual jogo fortalece qual circuito cerebral e de que maneira.

Pensemos, por exemplo, naquelas corridas de automóveis e naquelas batalhas aceleradas, ambas hiperativas. Os dados sobre os efeitos desses games de ação demonstram melhoras na atenção visual, na velocidade do processamento de informações, no acompanhamento de objetos e na troca de uma tarefa mental para outra. Muitos games do tipo inclusive parecem oferecer um tutorial silencioso de dedução estatística — ou seja, perceber as chances de vencer o inimigo considerando os recursos próprios e os números dele.

E, de um modo mais geral, foi identificado que vários games melhoram a acuidade visual e a percepção espacial, a mudança de atenção, a tomada de decisão e a capacidade de acompanhar objetos (embora muitos desses estudos não nos permitam saber se as pessoas atraídas pelos games já eram um pouco melhores do que a média nessas habilidades mentais ou se foram os games que as melhoraram).

Games que oferecem desafios cognitivos cada vez mais difíceis — a necessidade de tomar decisões mais precisas e desafiadoras, e de ter reações em velocidades mais rápidas, com a atenção completamente focada, aumentando a envergadura da memória de trabalho — promovem mudanças cerebrais positivas.

"Quando precisamos examinar constantemente a tela para detectar pequenas diferenças (porque elas podem sinalizar um inimigo) e então orientar a atenção para aquela área, nos tornamos melhores nessas habilidades de atenção", diz Douglas Gentile, cientista cognitivo do Laboratório de Pesquisas de Mídia na Universidade Estadual de Iowa.[5]

Mas, ele acrescenta, essas habilidades não necessariamente se transferem bem para a vida fora da tela do vídeo. Embora possam ter grande valor para alguns trabalhos específicos, como o de controladores de tráfego aéreo, elas não ajudam quando se trata de ignorar o garoto agitado sentado ao seu lado enquanto você tenta se concentrar no que está lendo. Alguns especialistas argumentam que games rápidos demais podem aclimatar algumas crianças a uma taxa de estímulo muito diferente daquela existente numa sala de aula — uma fórmula que resultaria em ainda mais tédio escolar do que o normal.

Embora video games possam fortalecer habilidades de atenção como filtrar rapidamente distrações visuais, não servem muito para amplificar uma habilidade mais fundamental para a aprendizagem, a manutenção do foco num corpo de informações que evolui gradativamente — como prestar atenção na aula e compreender o que se está lendo e como isso está relacionado ao que se aprendeu na semana ou no ano anterior.

Há uma correlação negativa entre as horas que uma criança passa jogando video game e o seu desempenho na escola, muito provavelmente em proporção direta com o tempo roubado dos estudos. Quando 3.034 crianças e adolescentes de Cingapura foram acompanhados durante dois anos, aqueles que se tornaram jogadores de video game compulsivos demonstraram aumento de ansiedade, depressão, fobia social e piora nas notas escolares. Mas se eles paravam com o vício em games, todos esses problemas diminuíam.[6]

Há também o aspecto negativo de jogar inúmeras horas de games que ajustam o cérebro para uma resposta rápida e violenta.[7] A comissão de especialistas diz que alguns perigos, neste quesito, têm sido exagerados pela imprensa popular: games violentos podem aumentar a agressividade de baixo nível, mas os games em si não transformarão uma criança bem-educada numa criança violenta. No entanto, quando os games são jogados por crianças que, por exemplo, são vítimas de violência física em casa (e, dessa forma, tendem a ser mais violentas), pode haver uma sinergia perigosa — embora ninguém possa prever com qualquer nível de certeza em qual criança essa química tóxica irá ocorrer.

Ainda assim, ao passar horas lutando contra hordas com o objetivo de matar, a criança está compreensivelmente estimulando o "viés de atribuição hostil", uma suposição instantânea de que o garoto que lhe deu um encontrão no corredor o está provocando. Igualmente perturbador é o fato de que jogadores de games violentos demonstram menos preocupação quando testemunham pessoas sendo más, como ao fazer *bullying*.

Considerando que a vigilância paranoica que esses games estimulam pode às vezes se misturar tragicamente com a agitação e a confusão dos perturbados mentais, será que queremos alimentar nossos jovens com esse cardápio mental?

Um neurocientista me disse que as gerações recentes, criadas com games e coladas a telas de vídeo, representam uma experiência sem precedentes: "o modo como seus cérebros se envolvem com a vida plasticamente", uma diferença maciça em comparação com as gerações anteriores. A questão no longo prazo é o que esses games irão fazer às suas programações neurais, e consequentemente ao tecido social — e como isso poderá ou desenvolver novos pontos fortes ou prejudicar um desenvolvimento saudável.

No lado positivo, a exigência de que um jogador se mantenha focado apesar das distrações aumenta a função executiva, seja pela pura concentração no momento ou por resistir ao impulso mais tarde. Se acrescentarmos ao mix do game uma necessidade de cooperar e coordenar a ação com outros jogadores, teremos o ensaio de algumas valiosas habilidades sociais.

Crianças que jogam games que exigem cooperação se mostram mais prestativas ao longo de um dia. Talvez aqueles jogos puramente violentos, do tipo "eu contra o mundo", pudessem ser repensados de maneira que uma estratégia vitoriosa demandasse ajudar pessoas com problemas e encontrar auxiliares e aliados — não apenas empreender um ataque hostil.

JOGOS INTELIGENTES

O popular aplicativo *Angry Birds* seduz milhões de pessoas a acumular bilhões de horas de movimentos concentrados dos dedos. Se neurônios que disparam juntos se conectam juntos, precisamos nos perguntar quais habilidades mentais, se é que há alguma, estão sendo aprimoradas quando seu filho (ou você mesmo) passa todo aquele tempo perdido no *Angry Birds*.

O cérebro aprende e se lembra melhor quando o foco é maior. Video games focam a atenção e nos fazem repetir movimentos sem parar, de modo que são tutoriais poderosos. Isso apresenta uma oportunidade para o treinamento do cérebro.

O grupo de Michael Posner, na Universidade de Oregon, deu cinco dias de treinamento de atenção a crianças de 4 a 6 anos de idade, em sessões com duração de até 40 minutos cada. Em parte do tempo, elas jogaram um game em que usavam um joystick para controlar numa tela um gato que estava tentando pegar pequenos objetos em movimento.

Embora essas pouco mais de três horas de treinamento pareçam insuficientes para acompanhar uma mudança nas redes neurais de atenção, dados de ondas cerebrais sugeriram uma mudança na atividade dos circuitos de atenção executiva, aproximando-os de níveis vistos em adultos.[8]

A conclusão: seria recomendável selecionar crianças com os piores níveis de atenção para esse tipo de treinamento — aquelas com autismo, déficit de atenção e outros problemas de aprendizagem — já que elas parecem ser as que mais se beneficiariam dele. E além de lições paliativas, o grupo de Posner propõe que o treinamento da atenção deveria ser parte da educação de toda criança, melhorando seu aprendizado de um modo geral.

Aqueles que, como Posner, veem esses benefícios potenciais no treinamento cerebral propõem que games projetados especialmente poderiam melhorar de tudo, desde o acompanhamento visual do "olho preguiçoso" (conhecido tecnicamente como ambliopia) à coordenação motora e visual de cirurgiões. A pesquisa sugere que uma deficiência na rede de alerta está na base do transtorno de déficit de atenção e que problemas de orientação estão relacionados com as fixações do autismo.[9]

Na Holanda, garotos de 11 anos de idade com TDAH jogaram um video game que exigia atenção aumentada: eles precisavam ficar vigilantes para o surgimento de robôs inimigos, por exemplo, e ficar alertas para quando a energia de seus próprios avatares estivesse ficando muito baixa.[10] Depois de apenas oito sessões de uma hora, eles se mostraram mais capazes de se focar, apesar de todas as distrações (e não apenas enquanto estavam jogando).

Nos melhores casos, "os video games são regimes de treinamento controlados, realizados de modo altamente motivador", que resultam em "duradouras remodelagens funcionais físicas e neurológicas", diz Michael Merzenich, neurocientista na Universidade da Califórnia, em São Francisco, que liderou o design de games com o objetivo de exercitar os cérebros de pessoas mais velhas com déficits neurológicos como perda de memória e demência.[11]

Ben Shapiro, que foi responsável pela descoberta mundial de medicamentos — inclusive para a neurociência — nos Laboratórios de Pesquisa da Merck, entrou para o conselho de uma empresa que elabora games que aumentam a concentração e minimizam as distrações. Ele vê vantagens no uso do treinamento inteligente, em vez da medicação, com esses propósitos. "Games como esses poderiam diminuir a perda de funções cognitivas chaves com o envelhecimento", diz Shapiro.

E acrescenta: "Se queremos melhorar as vidas mentais das pessoas, devemos trabalhar diretamente com alvos mentais e não moleculares — medicamentos são uma abordagem pouco precisa, já que a natureza usa as mesmas moléculas para muitos propósitos diferentes."

Merzenich não dá muito crédito aos benefícios bastante aleatórios — e decididamente ambíguos — dos games de mercado, dando preferência a games feitos sob medida para atingir um conjunto específico de habilidades cognitivas. Douglas Gentile propõe que uma nova geração de aplicativos de treinamento cerebral familiarizaria excelentes professores com técnicas de treinamento inteligente:

- objetivos claros em níveis progressivamente mais difíceis;
- adaptação ao ritmo de um aluno específico;
- feedback imediato e desafios práticos graduados até o ponto do domínio total;
- a prática das mesmas habilidades em contextos diferentes, estimulando a transferência de habilidade.

Um dia, no futuro, alguns preveem que games de treinamento cerebral farão parte dos currículos-padrão das escolas, com os melhores reunindo dados sobre cada jogador enquanto eles se ajustam simultaneamente ao game necessário — um tutor cognitivo empático. Nesse meio-tempo, especialistas admitem pesarosamente, o dinheiro gasto nesses aplicativos de educação não chega aos pés dos orçamentos das empresas criadoras de video games — assim, no momento, até mesmo as melhores ferramentas de treinamento cerebral são meros ecos da qualidade de um *Grand Theft Auto.* Mas há sinais de que isso pode estar mudando.

Acabei de ver meus quatro netos, um a um, jogarem a versão Beta de um jogo para iPad chamado *Tenacity*. O jogo oferece uma jornada tranquila através de um entre meia dúzia de cenários que vão de um deserto estéril a uma escadaria em espiral que leva até o céu.

O desafio: cada vez que expira, você bate na tela do iPad com um dedo. E a cada quinta expiração, você bate com dois dedos — pelo menos no nível inicial.

Na época, meus netos tinham idades de 6, 8, 12 anos recém-feitos e quase 14. Eles oferecem o equivalente de um experimento natural de maturação cerebral e atenção.

O de 6 anos é o primeiro. Ele escolhe o cenário do deserto, que o põe num passo lento ao longo de um caminho através de dunas de areia, palmeiras e casas sujas de lama. Na primeira tentativa, ele precisa ser lembrado do que deve fazer. Na terceira tentativa, ele já está muito bom na coordenação dos toques na tela com a respiração — embora às vezes ainda se esqueça dos toques duplos.

Mesmo assim, ficava encantado ao ver um campo de rosas surgir lentamente no deserto conforme acertava os toques.

Uma escadaria em espiral até o céu foi a escolha da minha neta de 8 anos. Conforme a escadaria se desenrolava para cima, surgiam algumas distrações: um helicóptero aparece, dá um rodopio e sai voando. Mais tarde, um avião e uma revoada de pássaros — e nas altitudes maiores há vários satélites. Ela se mantém atenta aos próprios toques durante dez minutos inteiros, apesar de estar com um pouco de febre naquele dia.

A neta seguinte, que acabava de completar 12 anos, escolhe uma escadaria no espaço, onde as distrações incluem planetas, chuvas de asteroides e meteoritos. Enquanto os dois irmãos mais novos usaram a ajuda da respiração e da contagem em voz alta para acertar os toques, ela apenas respira naturalmente.

E a última, que logo fará 14 anos, escolhe o deserto e executa toda a rotina com facilidade. No fim, ela me diz: "Estou me sentindo calma e relaxada — gostei deste jogo."

De fato, cada um deles se envolveu imediatamente com o jogo, conectado à respiração e ao ritmo dos toques com os dedos. "Eu me senti focada de verdade", disse a minha neta de 12 anos. "Quero fazer de novo."

Era exatamente isso que os designers do game desejavam. Davidson me conta que o *Tenacity* foi desenvolvido por um grupo premiado de design de games da Universidade de Wisconsin, com sua colaboração. "Pegamos o que estávamos aprendendo sobre foco e calma, em nossos estudos de neurociência contemplativa, e pusemos num game para que crianças obtivessem esses benefícios."

O jogo *Tenacity* fortalece a atenção seletiva, "o bloco de construção de todos os outros tipos de aprendizagem", ele acrescentou. "A autorregulação da atenção permite que nos foquemos em metas explícitas e resistamos às distrações", uma chave para o sucesso em qualquer área.

"Se conseguirmos criar um game que as crianças querem jogar, ele será uma forma eficiente de treinar a atenção, considerando quanto tempo as crianças passam jogando e como isso ocorre naturalmente para elas", diz Davidson, que lidera o Centro de Investigações para a Mente Saudável na Universidade de Wisconsin. "Elas vão adorar fazer o dever de casa."

A Universidade de Stanford tem um Laboratório de Tecnologia Tranquilizante que se foca em artifícios que incorporem o foco atento e sereno. Com um desses tranquilizadores, o programa "respirador", a pessoa veste um cinto que detecta seu ritmo de respiração. Se uma caixa de entrada lotada provocar o que o desenvolvedor chama de "apneia do e-mail", um aplicativo do iPhone o ajuda a realizar exercícios focados que acalmam a sua respiração — e a sua mente.

O Instituto de Design de Stanford oferece um curso de graduação chamado "Design da Calma". Como um de seus professores, Gus Tai, diz: "Muito da tecnologia do Vale do Silício é orientada para a distração. Mas com a tecnologia tranquilizadora, estamos nos perguntando como podemos trazer mais equilíbrio para o mundo."[12]

17

PARCEIROS DE RESPIRAÇÃO

Dirija até o final do ponto mais distante de uma rua na parte leste do Harlem espanhol da cidade de Nova York e você encontrará uma escola de ensino fundamental, a P.S. 112, situada entre a via expressa FDR, uma igreja católica, o estacionamento de um hipermercado e o imenso conjunto habitacional Robert F. Wagner para pessoas de baixa renda.

Os alunos do jardim de infância até a segunda série que frequentam a P.S. 112 vêm de lares muito pobres, muitos vivem no conjunto habitacional. Quando um aluno de 7 anos de idade mencionou durante a aula que conhecia alguém que havia levado um tiro, a professora perguntou quantas das outras crianças conheciam uma vítima de tiro. Todas levantaram a mão.

Quando entra na P.S. 112, você se apresenta num balcão onde é atendido por um policial, ainda que seja uma gentil senhora. Mas se percorrer os corredores como eu fiz numa manhã em que estive lá, o mais impressionante é o clima: olhando para dentro das salas de aula, vi as crianças paradas, absortas em seus trabalhos ou prestando atenção aos professores, calmas e em silêncio.

Quando cheguei à sala 302, a turma de segundo ano das professoras Emily Hoaldridge e Nicolle Rubin, testemunhei um ingrediente da receita para o clima tranquilo: parceiros de respiração.

Os 22 alunos do segundo ano estão sentados fazendo suas lições de matemática, três ou quatro por mesa, quando a srta. Emily toca um sino melodioso. Com a deixa, as crianças se reúnem silenciosamente sobre um grande tapete, sentadas em fileiras, com as pernas cruzadas e de frente para as duas professoras. Uma menina vai até a porta da sala, pendura uma plaquinha de "não perturbe" na maçaneta do lado de fora e a fecha.

Então, ainda em silêncio, as professoras levantam palitos de sorvete um a um, todos com o nome de um aluno — um sinal para que o menino ou a menina vá até sua mesa e busque seu animalzinho de pelúcia especial do tamanho de um punho: tigres listrados, um leitão cor-de-rosa, um cachorrinho amarelo, um burrinho roxo. Os meninos e as meninas encontram um lugar para se deitarem no chão, apoiam o animalzinho em cima da barriga e esperam, com as mãos ao lado do corpo.

Eles seguem as instruções de uma voz masculina amistosa que os guia através de uma respiração abdominal profunda, enquanto contam para si mesmos — "1, 2, 3" — e inspiram e expiram longamente.[1] Então apertam e relaxam os olhos, abrem completamente a boca, colocando a língua para fora, fechando as mãos com força e depois relaxando uma mão de cada vez. Tudo termina com a voz dizendo: "Agora sente e se sinta relaxado" e, quando eles fazem isso, todos parecem estar exatamente assim.

Mais uma sineta e, ainda em silêncio, as crianças assumem seus lugares num círculo sobre o tapete e falam sobre o que sentiram: "É gostoso por dentro", "Estou sentindo muita preguiça porque meu corpo ficou calmo", "Fiquei tendo pensamentos felizes".

A ordem com que foi feito o exercício e o foco tranquilo que imperam na sala tornam difícil acreditar que 11 das 22 crianças são classificadas como tendo "necessidades especiais": problemas cognitivos como dislexia, dificuldades de fala ou surdez parcial, transtorno de déficit de atenção com hiperatividade e pontos no espectro autista.

"Temos muitas crianças com problemas, mas quando fazemos isso, eles não se manifestam", diz a srta. Emily. Mas, na semana anterior, um imprevisto na rotina escolar fez com que a sala 302 pulasse esse ritual. "Foi como se eles fossem uma turma diferente", diz a srta. Emily. "Não conseguiam ficar parados, corriam por todo lado."

"Nossa escola tem alguns alunos que se distraem muito facilmente", diz a diretora, Eileen Reiter. "Isso os ajuda a relaxar e focar. Também lhes damos intervalos regulares para que se movimentem — todas essas estratégias ajudam."

Por exemplo, diz Reiter: "Em vez de deixá-las num canto de castigo, ensinamos as crianças a pensar em como lidar com seus sentimentos", parte de uma ênfase em ensinar os alunos a se autorregularem em vez de se apoiar em punições e recompensas. E mesmo quando uma criança tem um problema, ela acrescenta, "lhe perguntamos o que ela poderá fazer diferente da próxima vez".

Os parceiros de respiração são parte do Inner Resilience Program [Programa de Resiliência Interna], um legado dos ataques de 11 de setembro de 2001 ao World Trade Center. Milhares de crianças nas escolas perto das Torres Gêmeas foram evacuadas enquanto o prédio estava em chamas. Muitas caminharam por quilômetros pela West Side Highway vazia, com os professores andando de costas para garantir que as crianças não estivessem olhando para a imagem aterrorizante atrás delas.

Nos meses seguintes aos ataques, a Cruz Vermelha pediu que Linda Lantieri — cujo programa de solução de conflitos já tinha tido êxito em muitas escolas — planejasse um programa para ajudar as crianças (e os professores) a se recompor depois do 11 de setembro. O Inner Resilience Program, junto com diversos métodos de aprendizagem social e emocional, "transformou a escola", diz Reiter. "A escola é um lugar muito tranquilo. E quando estão tranquilas, as crianças aprendem melhor.

"O maior desafio é fazer com que as crianças se autorregulem", acrescenta a diretora Reiter. "Como somos uma escola para o começo da infância, ajudamos os alunos a aprender como ver seus problemas com perspectiva e desenvolver estratégias para resolvê-los. Eles aprendem a avaliar o tamanho de um problema. Se é grande, como quando alguém os magoa — os provocando ou fazendo bullying. Ou se é médio, como quando ficam frustrados com algum trabalho da escola. Então podem elaborar uma estratégia para cada problema."

Cada sala de aula na P.S. 112 tem um "canto da paz", um lugar especial aonde qualquer criança que sinta necessidade pode ir para se acalmar. "Às vezes, elas só precisam de um tempo, alguns momentos sozinhas", Reiter acrescenta. "Mas podemos ver crianças que estão realmente frustradas ou chateadas irem até o canto da paz e aplicarem algumas das estratégias que aprenderam. A grande lição é se concentrar para saber o que fazer para cuidar de si mesmo."

Enquanto crianças de 5 a 7 anos recebem as instruções dos exercícios com os parceiros de respiração, dos 8 anos em diante praticam atenção plena à respiração, que mostrou ter benefícios tanto para a manutenção da atenção quanto para os circuitos que nos acalmam. Essa combinação de calma e concentração cria um estado interno ideal para o foco e o aprendizado.

Avaliações de uma versão de um semestre do programa descobriram que as crianças que precisam de mais ajuda — as que correm "alto risco" de saírem dos trilhos na vida — são as que mais se beneficiam: há estímulos importantes à atenção e à sensibilidade perceptiva, além de uma diminuição da agressividade, do pessimismo e da frustração com a escola.[2] Além disso, professores que utilizaram o programa tiveram a sensação de bem-estar aumentada, colhendo bons frutos da atmosfera de aprendizagem de suas salas de aula.

O SEMÁFORO

Na pré-escola, músicas tocam enquanto oito crianças de 3 anos de idade estão sentadas numa mesa baixa, cada uma pintando o espaço dentro do contorno espesso de um palhaço. De repente, a música para — e as crianças também.

Esse momento representa um aprendizado para o córtex pré-frontal de qualquer criança de 3 anos. O córtex pré-frontal é o local em que funções executivas, como bloquear um impulso incontrolável, criam raízes. Uma dessas habilidades, o controle cognitivo, é a chave de uma vida bem vivida.

Parar no momento correto é o santo graal do controle cognitivo. Quanto melhor uma criança se sai ao parar quando a música para — ou ao fazer o movimento certo e não o errado ao brincar de Seu Mestre Mandou — mais forte se torna a programação pré-frontal para o controle cognitivo.

Eis um teste de controle cognitivo. Rápido, agora: para que direção a seta do meio está apontando em cada linha?

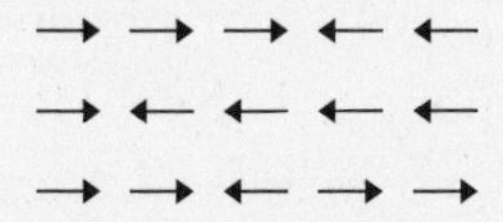

Quando as pessoas realizam este teste em condições de laboratório, há diferenças perceptíveis (quando medidas em milésimos de segundos —

não tão perceptíveis por você ou por mim) entre elas na velocidade com que apontam a direção da seta do meio. O teste, chamado de "Flanqueador" por conta das setas desconcertantes que flanqueiam o primeiro alvo, avalia a suscetibilidade de uma criança a distrações que atrapalhem a concentração. Focar na seta do meio indo para a esquerda e ignorar todas as outras voltadas para a direta exige muito controle cognitivo para uma criança, especialmente ao longo de uma série de setas como essa.

Crianças fora de controle — aquelas que os professores frustrados expulsam da sala, ou querem expulsar — sofrem de um déficit nesses circuitos. Suas atitudes são ditadas por seus caprichos. Mas em vez de punir as crianças por isso, por que não lhes ensinar lições que as ajudem a se controlar melhor? Meditação de respiração com alunos da pré-escola, junto com lições de gentileza, resultaram em desempenhos mais precisos e mais rápidos no Flanqueador.[3]

Talvez nenhuma habilidade mental — como o estudo da Nova Zelândia descobriu — tenha tanta importância no sucesso da vida como o controle executivo. Têm melhor desempenho na vida crianças que são capazes de ignorar um impulso, filtrar o que é irrelevante e se manter focadas num objetivo. Há um aplicativo educacional para isso. Ele se chama "aprendizagem social e emocional" ou ASE.

Quando alunos de segundo e terceiro anos de uma escola de Seattle começam a ficar incomodados, são orientados a pensar num semáforo. O sinal vermelho significa pare — acalme-se. Respire longa e profundamente e, quando se acalmar um pouco, diga a si mesmo qual é o problema e como você está se sentindo.

A luz amarela os recorda que devem diminuir a velocidade e pensar em várias maneiras possíveis de resolver o problema, e então escolher a melhor delas. O sinal verde lhes sinaliza para experimentar aquele plano e ver como ele funciona.

A primeira vez que deparei com pôsteres de sinais de trânsito foi quando percorria escolas públicas de New Haven, Connecticut, para um artigo do *New York Times* — bem antes de conhecer o importante treinamento da atenção que eles ajudam as crianças a fazer. O semáforo permite a mudança do impulso ascendente, acionado pela amígdala, para a atenção executiva pré-frontal descendente.

O exercício do semáforo foi uma criação de Roger Weissberg, um psicólogo então alocado em Yale que, no final da década de 1980, desenvolveu um programa pioneiro chamado "desenvolvimento social" para as escolas públicas de New Haven. Agora, aquela mesma imagem pode ser encontrada nas paredes de milhares de salas de aula no mundo todo.

E por um bom motivo. Na época, havia apenas dados esparsos sugerindo que fazer as crianças reagirem dessa maneira à raiva e à ansiedade produzia um impacto positivo. Mas, agora, essa questão ganhou força no campo das ciências sociais.

Uma meta-análise de mais de duzentas escolas com programas de aprendizagem social e emocional, como o currículo de desenvolvimento social de New Haven, as comparou com escolas semelhantes sem esses programas.[4] As descobertas: a bagunça e o mau comportamento em sala de aula caíram 10%, a assiduidade e outros comportamentos positivos subiram 10% — e notas em testes aumentaram 11%.

Naquela escola de Seattle, o exercício do semáforo era realizado com outro exercício. Os alunos de segundo e terceiro anos eram regularmente expostos a cartões de rostos com diferentes expressões e seus nomes. As crianças falavam sobre como é ter algum daqueles sentimentos — estar bravo, assustado ou feliz.

Esses cartões de "rostos com sentimentos" fortalecem a autoconsciência emocional de crianças de 7 anos. Elas ligam a palavra relacionada a um sentimento com sua imagem e depois com suas próprias experiências. Esse ato cognitivo simples tem um impacto neural: o hemisfério direito do cérebro reconhece o sentimento representado, enquanto o esquerdo compreende o nome e o que ele significa.

A autoconsciência emocional exige que tudo isso seja reunido por meio da conversação cruzada no corpo caloso, o tecido que conecta os lados esquerdo e direito do cérebro. Quanto mais forte a conectividade através dessa ponte neural, mais completamente conseguimos compreender nossas emoções.

Ser capaz de dar nome aos nossos sentimentos e juntar isso com nossas lembranças e associações é fundamental para o autocontrole. Psicólogos do desenvolvimento descobriram que aprender a falar permite que as crianças invoquem seu *não* interior para substituir a voz dos pais na hora de controlar um impulso rebelde.

Em conjunto, o semáforo e os cartões de sentimentos constituem duas ferramentas neurais sinérgicas para o controle do impulso. O semáforo fortalece o circuito entre o córtex pré-frontal — o centro executivo do cérebro, logo atrás da testa — e os centros límbicos do mesencéfalo, aquele caldeirão de impulsos. Os rostos com sentimentos estimulam a conectividade das duas metades do cérebro, aumentando a capacidade de racionalizar sobre sentimentos. Esse trabalho de ligação em cima/embaixo, esquerda/direita costura o cérebro de uma criança, integrando perfeitamente sistemas que, se deixadas sozinhos, criam o caótico universo de uma criança de 3 anos de idade. [5]

Em crianças menores, essas conexões neurais ainda estão se formando (esses circuitos cerebrais só terminam de amadurecer aos 20 e poucos anos), o que explica os modos bobos, às vezes enlouquecedores, das crianças quando seus caprichos são os guias de suas ações. Mas entre os 5 e 8 anos de idade, os cérebros das crianças têm um pico de desenvolvimento dos circuitos de controle de impulsos. A capacidade de pensar em seus impulsos e simplesmente dizer "não" faz dos alunos do terceiro ano menos descontrolados do que os barulhentos alunos do primeiro ano do final do corredor. O planejamento do projeto de Seattle tirou vantagem desse boom de crescimento neural.

Mas por que esperar até o ensino fundamental? Esses circuitos inibidores começam a se desenvolver desde o nascimento. Walter Mischel ensinou a crianças de 4 anos de idade como resistir àqueles deliciosos marshmallows vendo-os diferentemente — por exemplo, focando em sua cor. E ele é o primeiro a dizer que até mesmo um menino de 4 anos que não consegue esperar e agarra o marshmallow imediatamente ainda pode aprender a atrasar a gratificação — a impulsividade não é algo a que ele está preso para o resto da vida.

Num tempo em que compras on-line e mensagens instantâneas estimulam a gratificação imediata, as crianças precisam de mais ajuda com essa prática. Uma importante conclusão tirada pelos cientistas que estudaram os meninos de Dunedin, na Nova Zelândia, foi a necessidade de intervenções que incrementem o autocontrole, especialmente durante o começo da infância e a adolescência. Os programas de ASE dão conta do recado, cobrindo os anos que vão do jardim de infância ao ensino médio.[6]

É intrigante que Cingapura tenha se tornado o primeiro país do mundo a exigir que todos os seus alunos passem por um programa de ASE. A minúscula cidade-Estado representa uma das grandes histórias de sucesso econômico dos últimos cinquenta anos, de como um governo paternalista transformou uma nação diminuta numa potência econômica.

Cingapura não tem recursos naturais, não tem um grande exército e nenhuma influência política especial. Seu segredo está no seu povo — e o governo cultivou intencionalmente esses recursos humanos como propulsores de sua economia. As escolas são as incubadoras da impressionante força de trabalho do país. Com um olho voltado para o futuro, Cingapura fez uma parceria com Roger Weissberg, diretor da Cooperativa para Aprendizagem Acadêmica, Social e Emocional, para elaborar planos de aulas baseados em inteligência emocional para suas escolas.

E por um bom motivo: uma das conclusões tiradas por economistas envolvidos no estudo de Dunedin foi de que ensinar essas habilidades a todas as crianças poderia aumentar a renda de toda uma nação, com ganhos extras à saúde e menores índices de criminalidade.

INTELIGÊNCIA EMOCIONAL BASEADA NA ATENÇÃO PLENA

O treinamento da atenção que as crianças recebem na escola P.S. 112 casa bem com o restante do Inner Resilience Program, que se mantém como modelo de melhores práticas no movimento de aprendizagem social e emocional. Eu me tornei cofundador da Cooperativa para Aprendizagem Acadêmica, Social e Emocional — o grupo que ajudou a propagar esses programas a milhares de distritos escolares de todo o mundo — enquanto escrevia meu livro *Inteligência emocional.*

Eu vi lições de inteligência emocional — isto é, de autoconsciência, autogestão, empatia e habilidades sociais — em sinergia com cursos acadêmicos-padrão. Agora estou me dando conta de que um treinamento básico da atenção é o próximo passo, um método tecnologicamente simples para fortalecer o circuito neural no coração da inteligência emocional.

"Tenho trabalhado com ASE há anos", Linda Lantieri me diz. "Quando acrescentei a peça da atenção plena, vi uma incorporação muito mais rápida da capacidade tranquilizante e da disponibilidade para aprender. Isso acontece entre as crianças menores e mais cedo no ano escolar."

Parece haver uma sinergia natural entre o ASE e o treinamento da atenção como atenção plena. Quando falei com Roger Weissberg, presidente da Cooperativa para Aprendizagem Acadêmica, Social e Emocional, ele me disse que a organização havia acabado de realizar uma revisão dos impactos da atenção plena nos programas de ASE.

"O controle cognitivo e a função executiva parecem fundamentais para a autoconsciência e a autogestão, tanto quanto a teoria acadêmica", Weissberg me disse.

A atenção deliberada, de cima para baixo, é a chave para a autogestão. As partes do cérebro para essa função executiva amadurecem rapidamente desde os anos da pré-escola até mais ou menos a segunda série (e o crescimento dessas redes neurais continua até o começo da vida adulta). Esses circuitos administram tanto o processamento "quente" dos momentos emocionais, quanto o processamento "frio" de informações mais neutras, como a teoria acadêmica.[7] Esses circuitos parecem surpreendentemente flexíveis ao longo de toda a infância, sugerindo que intervenções como a ASE podem melhorá-los.

Um estudo descobriu que ensinar habilidades da atenção a crianças de 4 a 6 anos de idade acelera o desenvolvimento de suas funções executivas. A estrutura neural tanto das capacidades emocionais quanto das cognitivas foi aprimorada por apenas cinco sessões de jogos que exercitam o rastreamento visual (adivinhar onde um pato que mergulhou vai emergir), a localização de um alvo (um personagem de desenho animado) em meio a uma série de distrações, e a inibição do impulso (clicar se uma ovelha surgir num monte de feno, mas não clicar se aparecer um lobo).[8]

A descoberta: os cérebros de crianças de 4 anos de idade que receberam esse breve treinamento se pareciam com os daquelas de 6 anos, e os cérebros das crianças de 6 anos que receberam esse treinamento estavam bem avançados no caminho rumo à função executiva neural vista em adultos.

Embora um gene controle o amadurecimento de regiões do cérebro que tratam da atenção executiva, esses genes por sua vez são regulados pela experiência — e esse treinamento parece ter acelerado suas atividades. O circuito que administra tudo isso — que passa entre o cingulado anterior e a área pré-frontal — se ativa com a regulação da atenção, tanto na sua variedade emocional quanto na cognitiva: administrando os impulsos emocionais, bem como aspectos do QI como raciocínio não verbal e pensamento fluido.

Uma dicotomia mais antiga da psicologia, entre capacidades "cognitivas" e "não cognitivas", situaria as habilidades acadêmicas numa categoria separada das habilidades sociais e emocionais. Mas considerando a forma como a estrutura neural do controle executivo fundamenta tanto a habilidade acadêmica quanto a social/emocional, essa separação parece tão antiquada quanto a divisão cartesiana entre corpo e mente. No design do cérebro, essas habilidades são altamente interativas, e não completamente independentes. Crianças que não conseguem prestar atenção não conseguem aprender. E também não conseguem se controlar.

"Quando dispomos de elementos como um tempo reservado para ficar em silêncio", diz Linda Lantieri, "um Canto da Paz onde as crianças possam ir por conta própria quando precisam se acalmar, além das atividades de atenção plena, obtemos mais tranquilidade e autogestão, de um lado, e foco aprimorado e capacidade de mantê-lo, de outro. Mudamos a psicologia e a autoconsciência das crianças".

Ao ensinar às crianças as habilidades que as ajudam a se acalmar e focar, "estabelecemos uma fundação de autoconsciência e autogestão em que podemos estruturar as outras habilidades de ASE como ouvir ativamente, identificar sentimentos e assim por diante.

"Esperávamos que as crianças usassem suas habilidades de ASE quando tivessem sua atenção sequestrada, mas não conseguiam acessá-las", Lantieri me diz. "Agora, percebemos que elas precisam de uma ferramenta mais básica primeiro: controle cognitivo. É o que elas obtêm com os parceiros de respiração e a atenção plena. Depois que sentem como isso pode ajudá-las, ficam confiantes e pensam: 'Eu posso fazer isso.'

"Algumas crianças utilizam esses recursos durante as provas — usam um Biodot", um pequeno dispositivo plástico que muda de cor quando a temperatura da pele muda (assim como a circulação sanguínea naquela área). Isso "indica quando elas estão ficando ansiosas demais para pensar adequadamente para o teste. Se o indicador sinaliza que estão muito estressadas, usam a atenção plena para se acalmarem e retomarem o foco, e voltam a prestar atenção à prova quando conseguem pensar mais claramente.

"As crianças compreendem que quando não vão bem numa prova não é por serem burras, mas porque 'Quando estou supernervoso a resposta está lá, mas eu não consigo chegar até ela. Mas eu sei como me concentrar e me acalmar, então vou conseguir responder'. Elas têm a atitude de que estão no comando delas mesmas — sabem o que fazer para se ajudar."

O Inner Resilience Program está em escolas de Youngstown, em Ohio, a Anchorage, no Alaska. "Ele funciona melhor quando é usado em combinação com um programa de ASE", diz Lantieri. "Todos esses lugares fazem isso."

DESATANDO OS NÓS

A literatura científica sobre os efeitos da meditação se constitui de uma miscelânea de resultados ruins, bons e impressionantes numa mistura de metodologias questionáveis, planejamentos insuficientes e estudos de excelência. Então eu pedi ao decano da neurociência contemplativa, Richard Davidson, de Wisconsin, para fazer uma seleção de tudo e resumir os benefícios claros para a atenção da prática da atenção plena. Ele imediatamente relacionou duas coisas importantes.

"A atenção plena", ele disse, "estimula a clássica rede de atenção no sistema frontoparietal do cérebro, que funciona em conjunto para alocar a atenção. Esses circuitos são fundamentais ao movimento básico da atenção: desligar seu foco de uma coisa, transferi-lo para outra e ficar com aquele novo objeto de atenção".

Outra melhoria-chave está na atenção seletiva, pela inibição da força das distrações. Isso nos permite focar no que é importante em vez de nos distrairmos com o que está acontecendo ao nosso redor — você pode manter seu foco no significado destas palavras em vez de tê-lo afastado ao, digamos, conferir esta nota final.[9] Esta é a essência do controle cognitivo.

Embora até agora haja apenas alguns poucos estudos bem realizados sobre atenção plena em crianças, "em adultos parece haver muitos dados sobre atenção plena e redes de atenção", segundo Mark Greenberg, professor de desenvolvimento humano na Universidade Estadual da Pensilvânia.[10] Greenberg, que está ele próprio liderando estudos de atenção plena em jovens, é cauteloso, mas otimista.[11]

Um dos maiores benefícios para os estudantes é a compreensão. Mentes divagando geram buracos na compreensão. O antídoto para a divagação da mente é a metaconsciência, a atenção à própria atenção, como na capacidade de *perceber que você não está percebendo* o que deveria estar percebendo e corrigir o foco. A atenção plena fortalece esse músculo fundamental da atenção.[12]

Há também os bem estabelecidos efeitos relaxantes, como a calma que emana do exercício dos parceiros de respiração, na sala de aula. Esse impacto fisiológico sugere uma redução no ponto de ajuste para a estimulação do circuito do nervo vago, a chave para manter a calma em situações de estresse e se recuperar rapidamente de aborrecimentos. O nervo vago administra várias habilidades, mais notadamente o ritmo cardíaco — e, portanto, a rapidez da recuperação do estresse.[13]

Um tônus maior do nervo vago, que pode resultar da atenção plena e de outras formas de meditação, leva a mais flexibilidade de muitas formas.[14] As pessoas têm mais condições de administrar tanto a atenção quanto suas emoções. Na esfera social, podem criar relacionamentos positivos com mais facilidade e ter interações mais efetivas.

Além desses benefícios, quem pratica a atenção plena demonstra diminuição de sintomas numa variedade impressionante de transtornos psicológicos, desde um simples nervosismo até a hipertensão e a dor crônica. "Alguns dos maiores efeitos encontrados com a atenção plena são biológicos", diz Davidson, acrescentando: "É algo surpreendente para um exercício que treina a atenção."

Jon Kabat-Zinn fundou o programa Redução de Estresse Baseado na Atenção Plena, que disparou uma onda mundial de atenção plena implementada em milhares de hospitais e clínicas, e na sociedade como um todo, seja em prisões ou em projetos de desenvolvimento de lideranças. Ele me diz: "Nossos pacientes tipicamente nos procuram porque estão sobrecarregados de estresse ou dor. Mas há algo de especial no ato de prestar atenção em seus próprios estados internos e ver o que precisa mudar na sua vida. As pessoas param de fumar por conta própria ou mudam a forma como comem e começam a perder peso, apesar de, como regra, nunca dizermos nada diretamente sobre essas coisas."

Praticamente qualquer variedade de meditação, em essência, recicla nossos hábitos de atenção — especialmente a rotina-padrão de uma mente divagando.[15] Quando três tipos de meditação foram examinados — concentração, geração de bondade e consciência aberta —, todas as técnicas acalmaram as áreas da divagação da mente.

Então, embora os games ofereçam uma promissora forma de aprimorar habilidades cognitivas, a atenção plena e métodos semelhantes de treinamento da atenção apresentam uma alternativa ou complemento. As duas abordagens de treinamento podem estar se fundindo, como no jogo de respiração *Tenacity*. Quando conversei com Davidson, ele me disse: "Estamos tirando o que podemos aprender da pesquisa da meditação e adaptando para os games, de modo que os benefícios possam se espalhar mais amplamente. Nossa pesquisa sobre atenção e tranquilidade instrui o design dos games."

Ainda assim, métodos como a atenção plena parecem oferecer uma forma "orgânica" de ensinar habilidades de foco sem os riscos de horas intermináveis de games afastando garotos da esfera social.[16] De fato, a atenção plena parece influenciar o circuito cerebral que nos torna mais envolvidos com o mundo, não afastados.[17] Se um game bem desenvolvido consegue fazer o mesmo ainda é algo a ser visto.[18]

O psiquiatra da UCLA Daniel Siegel descreve a estrutura que conecta a sintonia com nós mesmos e com os outros como um "circuito de ressonância" que a prática da atenção plena fortalece.[19] Uma vida bem conectada, argumenta dr. Siegel, começa com o circuito dos centros executivos pré-frontais do cérebro, que têm dupla função: também trabalham quando nos sintonizamos numa relação empática.

A atenção plena fortalece as conexões entre as zonas executivas pré-frontais e a amígdala, especialmente os circuitos que podem dizer "não" aos impulsos — uma habilidade vital para atravessarmos a vida (como vimos na Parte Dois).[20]

Uma função executiva aprimorada significa uma distância mais ampla entre o impulso e a ação, em parte por produzir a metaconsciência, a capacidade de observarmos nossos processos mentais em vez de apenas sermos dominados por eles. Isso cria pontos de decisão que não tínhamos antes: podemos oprimir impulsos incômodos que normalmente nos levariam a agir.

ATENÇÃO PLENA EM AÇÃO

A Google é uma fortaleza do alto QI. Ouvi dizer que ninguém consegue sequer uma entrevista de emprego lá a menos que consiga apresentar resultados de provas que o posicionem entre o 1% dos mais inteligentes. Assim, quando fiz uma palestra sobre inteligência emocional lá alguns anos atrás, fiquei surpreso ao encontrar uma multidão reunida numa das maiores salas de reunião do Googleplex, com monitores transmitindo minha fala para pessoas em outras salas lotadas. Esse entusiasmo acabou sendo canalizado mais tarde para um curso na Universidade Google chamado "Busque Dentro de Você".

Para criar esse curso, o empregado número 107 da Google, Chade--Meng Tan, se uniu à minha velha amiga Mirabai Bush, fundadora do Center for Contemplative Mind [Centro para a Mente Contemplativa] na Sociedade, para elaborar uma experiência que aprimora a autoconsciência — por exemplo, usando uma meditação de consciência corporal para entrar em sintonia com sentimentos. Uma bússola interna ajuda muito na Google, onde muitas inovações se originaram da política da empresa de ceder um dia de trabalho por semana a seus funcionários para que se dedicassem a seus projetos favoritos. Mas Meng, como é amplamente conhecido, tem uma visão mais abrangente: tornar o curso disponível para além da Google, em particular para líderes.[21]

Há ainda o recém-formado [Institute for Mindful Leadership [Instituto para Liderança Atenta] em Minneapolis, que treinou líderes de empresas como Target, Cargill, Honeywell Aerospace e muitas outras ao redor do mundo. Outra meca tem sido o Center for Contemplative Mindfulness-Based Stress [Centro de Redução de Estresse Baseado na Atenção Plena] da Escola de Medicina da Universidade de Massachusetts em Worcester, que tem um centro de treinamento para executivos. Miraval, um sofisticado resort no Arizona, ofereceu um retiro anual de atenção plena para CEOs durante muitos anos com orientação de Jon Kabat--Zinn, cujo trabalho no centro que ele fundou deu origem ao movimento da atenção plena.

Programas de atenção plena têm sido organizados por grupos tão diversos como a unidade de capelania no exército dos Estados Unidos, a Faculdade de Direito de Yale e a General Mills, onde mais de trezentos executivos estão aplicando métodos de liderança atenta.

Que diferença isso faz? Numa empresa de biotecnologia em que o programa da Google "Busque Dentro de Você" foi ministrado, dados iniciais sugerem que a atenção plena melhora tanto a autoconsciência quanto a empatia. Aqueles que participaram do treinamento demonstraram um aumento de habilidades específicas de atenção plena, incluindo uma maior capacidade de observar e descrever suas próprias experiências e de agir com consciência, disse Philippe Goldin, psicólogo de Stanford que avaliou os efeitos do programa.

"Os participantes disseram que se tornaram mais capazes de utilizar estratégias de autorregulação — como redirecionar a atenção para aspectos menos perturbadores de situações delicadas — no calor do momento em que suas atenções estavam sendo sequestradas", Goldin acrescentou. "Eles estão promovendo a preparação do músculo da atenção para que possam escolher qual aspecto da experiência devem observar. É um redirecionamento volitivo da atenção. E eles são mais capazes de usar essas habilidades da atenção quando elas se mostram realmente necessárias.

"Também descobrimos um aumento da preocupação empática pelos outros e uma capacidade de ouvir melhor", disse Goldin. "Um é uma atitude, o outro é a habilidade em si, o músculo. São coisas vitalmente importantes no local de trabalho."

Uma chefe de divisão da General Mills foi ao curso de atenção plena para dar um tempo na sua sensação de opressão. Quando voltou ao trabalho, ela pediu que seus subordinados diretos fizessem uma pausa reflexiva antes de chamá-la para uma reunião. O objetivo dessa pausa era questionar a necessidade da chefe da divisão gastar seu tempo numa reunião.

O resultado: o que antes era uma agenda que ia das nove da manhã às cinco da tarde com reuniões do começo ao fim ganhou três horas diárias para suas próprias prioridades.

Eis algumas reflexões para ajudar a avaliar seu nível de atenção plena:[22]

- Você tem dificuldades de lembrar o que alguém acabou de lhe dizer durante uma conversa?
- Não se lembra de nada do caminho para o trabalho de manhã?
- Não sente o sabor da comida quando está comendo?

- Presta mais atenção ao seu iPod do que à pessoa com quem está?
- Está lendo este livro com pouca atenção?

Quanto maior o número de respostas "sim", maior a probabilidade de você fechar a mente em vez de sintonizá-la. A atenção plena nos dá um nível maior de escolhas de foco.

A falta de atenção, na forma da divagação da mente, pode ser a maior desperdiçadora de atenção no local de trabalho. O foco em nossa experiência no aqui e agora — como na tarefa em execução, na conversa que estamos tendo ou na construção do consenso numa reunião — demanda que desliguemos o "eu", aquele fluxo de pensamento que gera o mosaico mental de coisas todas-sobre-mim irrelevantes ao que está acontecendo agora.[23]

A atenção plena desenvolve nossa capacidade de mirar nosso foco no presente observando nossa experiência momento a momento de uma forma imparcial e não reativa. Nós praticamos o abandono de pensamentos sobre qualquer coisa e abrimos nosso foco para o que quer nos venha à mente no fluxo de consciência, sem nos perdermos num fluxo de pensamentos sobre uma única coisa. Esse treinamento tende à generalização, de forma que naqueles momentos em que precisamos prestar atenção a *isto* e deixar de lado nosso fluxo de pensamento sobre *aquilo,* conseguimos deixar um de lado e nos focarmos no outro.

A prática da atenção plena diminui a atividade no chamado circuito-eu centrando no córtex pré-frontal medial — e quanto menos solilóquios, mais conseguimos viver o momento.[24] Quanto mais tempo as pessoas praticam meditação de atenção plena, mais seus cérebros conseguem dissociar os dois tipos de autoconsciência e ativar os circuitos que liberam a presença aqui e agora da tagarelice em torno do "eu" da mente.[25]

Produzir controle executivo ajuda especialmente àqueles de nós para quem qualquer contratempo, mágoa ou decepção cria cascatas intermináveis de ruminação. A atenção plena permite que bloqueemos o fluxo de pensamentos que poderia, de outra forma, nos levar a afundar na tristeza ao modificar nosso relacionamento com o próprio pensamento. Em vez de sermos arrebatados por esse fluxo, podemos fazer uma pausa e ver que *são apenas pensamentos* — e decidir se iremos ou não fazer algo a respeito deles.

Em resumo, a prática da atenção plena fortalece o foco, especialmente o controle executivo, a capacidade da memória de trabalho e o poder de manter a atenção. Alguns desses benefícios podem ser percebidos com até vinte minutos de prática por apenas quatro dias (embora quanto mais tempo se pratique, mais duradouros sejam os efeitos).[26]

Há também o conceito de multitarefas, a ruína da eficiência. Ser "multitarefa" na realidade significa trocar o que está preenchendo a capacidade da memória de trabalho — e interrupções rotineiras de um determinado foco no trabalho podem significar minutos perdidos para a tarefa original. Podem ser necessários de dez a 15 minutos para o foco total ser recuperado.

Quando profissionais de recursos humanos foram treinados em atenção plena e depois testados numa simulação do frenesi que viviam diariamente — marcando reuniões para participantes de conferências, procurando salas disponíveis, propondo uma pauta de reunião e assim por diante, ao mesmo tempo que recebiam telefonemas, torpedos e e-mails diversos lhes falando sobre vários assuntos —, o treinamento de atenção plena melhorou suas concentrações perceptivelmente. E mais: se mantiveram focados em suas tarefas por mais tempo e com mais eficiência.[27]

Eu estava numa reunião no escritório da More Than Sound Productions (administrada por um dos meus filhos) quando nosso foco divagou: havia conversas paralelas acontecendo e algumas pessoas conferiam discretamente seus e-mails. Essa desintegração do nosso foco compartilhado era um momento conhecido de centenas de outras reuniões — um sinal de que a eficiência do grupo estava afundando. Mas, de repente, uma pessoa disse: "Está na hora de alguns momentos de atenção", se levantou e tocou um pequeno gongo.

Todos ficamos sentados juntos em silêncio por alguns minutos até que o gongo tocou de novo e retomamos nossa reunião — mas com energia renovada. Foi um momento extraordinário para mim, mas não para a More Than Sound, onde, aparentemente, a equipe se reúne a intervalos irregulares para compartilhar alguns minutos de atenção plena, sinalizados pelo soar daquele gongo. Eles dizem que a pausa em grupo limpa suas mentes e lhes dá uma nova dose de foco energizado.

Não é surpresa que essa pequena editora reconheça o valor da atenção plena. Quando passei por lá, haviam acabado de publicar *Mindfulness at Work* [Atenção plena no trabalho], um áudio-livro de Mirabai Bush, a mulher que introduziu a atenção plena na Google.

VENDO O QUADRO MAIS AMPLO

Líderes empresariais são cada vez mais pressionados pela aceleração da complexidade nos sistemas por onde precisam navegar: há a globalização dos mercados, dos fornecedores e das organizações, a hipervelocidade das tecnologias de informação em evolução, os perigos ecológicos iminentes, os produtos que chegam ao mercado e se tornam obsoletos mais rapidamente. Isso tudo pode fazer nossa cabeça girar.

"A maioria dos líderes simplesmente não faz pausas", me diz um experiente *coach* de liderança. "Mas todos precisamos de tempo para refletir."

O chefe dele, dirigente de uma megaempresa de gerenciamento de investimentos, afirma: "Se eu não me reservo esse tipo de tempo, fico realmente imprestável."

O ex-CEO da Medtronic, Bill George, concorda. "Os líderes de hoje se sentem acuados. Eles têm compromissos marcados a cada 15 minutos ao longo de todo o dia, com milhares de interrupções e distrações. É preciso encontrar algum tempo de tranquilidade no dia apenas para refletir."

Reservar algum tempo regular para refletir na agenda diária ou semanal pode ajudar a vencer a hiperatividade habitual, avaliar a situação e olhar adiante. Pensadores muito diferentes, do deputado Tim Ryan ao economista da Universidade de Columbia Jeffrey D. Sachs, estão defendendo a atenção plena como forma de ajudar líderes a verem o quadro mais amplo.[28] Eles propõem que não precisamos apenas de líderes atentos, mas de uma sociedade atenta, uma sociedade com triplo foco: em nosso próprio bem-estar, no bem-estar dos outros e nas operações dos sistemas mais amplos que moldam nossas vidas.

A atenção plena do eu, argumenta Jeffrey Sachs, economista da Universidade de Columbia, incluiria uma leitura mais precisa do que nos faz verdadeiramente felizes. Dados econômicos globais mostram que uma vez que um país atinge um nível modesto de renda — o suficiente para as necessidades básicas — não há qualquer relação entre felicidade e riqueza. Coisas intangíveis como relações afetuosas com pessoas que amamos e atividades significativas tornam as pessoas muito mais felizes do que, digamos, fazer compras ou trabalhar.

Mas podemos julgar mal o que fará com que nos sintamos bem. Sachs argumenta que, se prestarmos mais atenção à forma como usamos nosso dinheiro, correremos menos risco de sermos vítimas de anúncios sedutores de produtos que não nos deixarão nem um pouco mais felizes. A atenção plena nos levaria a ter desejos materiais mais modestos e a gastar mais tempo e energia atendendo às nossas necessidades mais profundas e satisfatórias, nossas necessidades de significado e conexão.

A atenção plena aos outros no nível social, diz Sachs, significa prestar atenção ao sofrimento dos pobres e à rede de assistência social, que está extremamente desgastada nos Estados Unidos e em muitas outras economias avançadas. Ele argumenta que, enquanto os pobres recebem ajuda apenas para sobreviver, isso simplesmente gera uma pobreza intergeracional. O que se precisa fazer é incrementar a educação e a saúde das crianças mais pobres de uma geração para que elas possam seguir a vida com níveis mais altos de habilidades e não precisem do mesmo tipo de ajuda de que suas famílias precisaram.

A isso eu acrescentaria programas, como a atenção plena, que fortalecem o controle executivo do cérebro. Na pesquisa de Nova Zelândia, as crianças que melhoraram o autocontrole ao longo da infância conseguiram alcançar a mesma renda e os mesmos benefícios à saúde que aquelas que sempre conseguiram atrasar a gratificação. Mas esses aprimoramentos do controle de impulsos se deveram ao acaso, não a um planejamento. Não faria sentido ensinar essas habilidades a todas as crianças?

Há ainda a consciência dos sistemas no nível global, como o impacto humano sobre o planeta. Resolver problemas no nível dos sistemas exige foco sistêmico. A atenção plena do futuro significa levar em conta as consequências de longo prazo de nossas próprias ações para a geração dos nossos filhos e dos filhos deles, e assim por diante.

PARTE SEIS

O LÍDER BEM FOCADO

18

COMO LÍDERES CONDUZEM A ATENÇÃO

"Morte por PowerPoint" se refere àquelas apresentações intermináveis e divagantes que a ferramenta parece estimular. Essas apresentações podem ser dolorosas quando refletem uma falta de pensamento focado e noção debilitada do que importa. Um sinal de capacidade de apontar o que é importante é como alguém responde à simples pergunta: "Qual é a ideia principal?"

Ouvi dizer que, quando uma reunião está se aproximando, Steve Balmer, CEO da Microsoft (berço do pavoroso PowerPoint), proíbe apresentações de PowerPoint. No lugar, pede para ver o material de antemão para que, quando estiver frente a frente na reunião, possa ir direto ao ponto e fazer as perguntas que mais importam de maneira direta, em vez de fazer um caminho longo e sinuoso até chegar lá. Como ele diz: "Isso melhora o foco."[1]

Direcionar a atenção aonde ela precisa ir é uma tarefa básica da liderança. O talento neste caso está na capacidade de voltar a atenção ao lugar certo na hora certa, percebendo tendências, revelando realidades e aproveitando oportunidades. Mas não é apenas o foco de um único tomador de decisão estratégico que faz uma empresa vencer ou quebrar: é toda a amplitude de atenção e destreza que envolve a todos.[2]

Simples números de pessoas tornam a atenção cumulativa de uma organização mais distributiva do que a de um indivíduo, com uma divisão de trabalho por quem presta atenção no quê. Esse foco múltiplo torna a capacidade de atenção de uma organização mais adequada a ler e reagir a sistemas complexos do que a de qualquer pessoa.

A atenção nas organizações, assim como ocorre com os indivíduos, tem uma capacidade limitada. As organizações também precisam escolher onde investir a atenção, focando nisso enquanto ignoram aquilo. As funções centrais de uma organização — financeiro, marketing, recursos humanos, e assim por diante — descrevem o foco de um grupo em particular.

Sinais do que pode ser chamado de "transtorno de déficit de atenção" organizacional incluem tomar decisões erradas por falta de dados, não parar para refletir, ter problemas para obter atenção no mercado e a incapacidade de focar no que e onde importa.

Tomemos como exemplo obter atenção no mercado, onde a moeda é o foco dos clientes. Os critérios para atrair atenção ficam cada vez mais exigentes. O que era empolgante no mês passado parece um tédio hoje. Embora uma das estratégias para virar cabeças seja provocar nossos sistemas de baixo para cima com efeitos especiais surpreendentes e atraentes, está havendo o renascimento de um método mais antigo: contar uma boa história.[3] Histórias fazem mais do que atrair nossa atenção: elas a mantêm. Esta é uma lição que não se perdeu nas "indústrias da atenção", como a mídia, a TV, o cinema, a música e a publicidade — todas jogando um jogo de soma zero pela nossa atenção, onde a vitória de um é a derrota do outro.

A atenção tende a focar no que tem significado — no que importa. A história que um líder conta pode inspirar um foco em particular com essa ressonância, indicando para os outros onde colocar atenção e energia.[4]

A liderança em si dependente de capturar efetivamente e direcionar a atenção coletiva. Liderar a atenção exige os seguintes elementos: primeiro, focar a própria atenção; depois, atrair e direcionar a atenção dos outros; e atrair e manter a atenção dos empregados e colegas, dos consumidores ou clientes.

No nível organizacional, um líder bem focado pode equilibrar um foco interior no clima e na cultura com outro foco na paisagem competitiva, e um foco exterior nas realidades maiores que moldam o ambiente em que a organização opera.

O campo de atenção de um líder — isto é, as questões e metas particulares em que ele se foca — guia a atenção daqueles que os seguem, quer o líder as articule explicitamente ou não. As pessoas fazem suas escolhas sobre onde se focar com base na percepção que têm do que é importante para seus líderes. Este efeito propagador dá aos líderes uma carga extra de responsabilidade: não estão guiando apenas suas próprias atenções, mas, em grande parte, as atenções de todo mundo.[5]

Pensemos, por exemplo, na estratégia adequada. A estratégia de uma organização representa o padrão *desejado* de atenção organizacional, aquilo a que todo mundo deveria dedicar um grau de seu foco, cada um à sua própria maneira.[6] Uma determinada estratégia define o que ignorar e o que importa: fatia de mercado ou lucro? Concorrentes atuais ou em potencial? Quais novas tecnologias? Quando líderes escolhem uma estratégia, estão guiando a atenção.

DE ONDE VEM A ESTRATÉGIA?

Kobun Chino, mestre de *kyudo* e arqueiro Zen, foi convidado uma vez para demonstrar suas habilidades no Instituto Esalen, o famoso centro de educação de adultos em Big Sur, na Califórnia, logo depois do Centro Zen Tassajara na estrada que vem de São Francisco.

Chegou o dia da demonstração, e alguém montou um alvo de arco e flecha numa colina coberta de grama em cima de um penhasco na beira do Oceano Pacífico. Chino se colocou a uma boa distância do alvo, posicionou os pés na postura tradicional de um arqueiro, endireitou as costas, puxou o arco muito lentamente, esperou um instante e então soltou a flecha.

A flecha passa voando muito longe do alvo, faz um arco contra o céu aberto e cai no Oceano Pacífico bem abaixo. Todos os que estão assistindo ficam espantados.

Então Kobun Chino grita com alegria: "Na mosca!"

"O gênio", observou Arthur Schopenhauer, "atinge o alvo que os outros não veem".

Kobun Chino foi o mestre Zen do lendário CEO da Apple, o falecido Steve Jobs. Entre os alvos não vistos em que Jobs acertou estava o então radical conceito de um computador que qualquer um pudesse compreender e usar com facilidade, não apenas os *geeks* — uma ideia que de alguma forma havia escapado de todas as empresas de computadores da época. Depois de criar o primeiro computador de mesa da Apple, ele e seu time transferiram a mesma interface amigável ao usuário para o iPod, o iPad e o iPhone, todos produtos úteis que não havíamos nos dado conta de que precisávamos — nem imaginado, para começo de conversa — até que os vimos.

Quando Steve Jobs voltou para a Apple em 1997, depois de ter sido expulso em 1984, encontrou uma empresa com um mar de produtos — computadores, produtos periféricos para computadores, 12 tipos diferentes de Macintosh. A empresa estava enfrentando dificuldades. Sua estratégia foi simples: foco.

Em vez de dezenas de produtos, eles se concentrariam em apenas quatro: um computador e um laptop para cada um de dois mercados — consumidores e profissionais. Exatamente como em sua prática Zen, onde reconhecer que se está distraído ajuda na concentração, ele viu que "decidir o que *não* fazer é tão importante quanto decidir o que fazer".[7]

Jobs era incansável em filtrar o que ele considerava irrelevâncias, tanto pessoalmente como na vida profissional. Mas sabia que para simplificar efetivamente era preciso compreender a complexidade que se está reduzindo. Uma única decisão de simplificar, como a máxima de Jobs de que os produtos da Apple permitem que um usuário faça qualquer coisa em três cliques ou menos, exigia uma profunda compreensão da função dos comandos e botões de que se estava abrindo mão e exigia também que se encontrassem alternativas elegantes.

Mais de um século antes da Apple, houve outra visão radical que tornou a máquina de costura Singer um enorme sucesso comercial no mundo todo. A ideia revolucionária da época foi de que donas de casa poderiam operar um dispositivo mecânico — um pensamento radical no século XIX, muito antes de as mulheres ganharem o direito ao voto nos Estados Unidos. E a Singer facilitou a compra das máquinas pelas mulheres, oferecendo-lhes crédito estendido, outra medida inovadora.

Só em 1876, a Singer vendeu mais de 262.316 máquinas, um número imenso para a época. Um de seus fundadores construiu o edifício Dakota, prédio de apartamentos que virou um cartão-postal de Manhattan e onde viveram figuras notáveis como John Lennon. Em 1908, a novíssima sede de 47 andares da empresa, o Singer Building, era o edifício mais alto do mundo.

Minha mãe, que nasceu em 1910 (e faleceu dois meses antes do centésimo aniversário), possuía uma Singer desde sua adolescência. Eu me lembro de, quando criança, ir com ela até a loja de moldes local. Mulheres da sua época costumavam fazer as próprias roupas e as da família. Mas, quando eu cheguei — o terceiro filho que ela teve mais tarde —, minha mãe passou a comprar as minhas roupas.

Mudanças culturais como donas de casa comprarem máquinas de costura — e depois, um século mais tarde, passarem a comprar as roupas da família, que estavam cada vez mais sendo produzidas por mão de obra barata no exterior — abrem continuamente novas oportunidades: novos grupos de consumidores, formas de comprar, necessidades com a evolução das sociedades, tecnologias, canais de distribuição ou sistemas de informação. Cada avanço abre portas para uma porção de estratégias potencialmente vencedoras.

A Apple e a Singer deixaram pegadas frescas no caminho que seus concorrentes seguiram num jogo desesperado de pega-pega. Hoje, uma mini-indústria de consultores está pronta para guiar empresas através de um manual-padrão de escolhas estratégicas. Mas essas estratégias de prateleira ajustam as táticas de uma organização — elas não mudam o jogo.

O significado original da palavra "estratégia" vem do campo de batalha. Quer dizer "a arte do líder" — na época, os generais. Estratégia era a forma como se distribuíam os recursos. Tática era a forma como as batalhas eram lutadas. Hoje, os líderes precisam gerar estratégias que façam sentido em quaisquer que sejam os sistemas mais amplos em que operam — uma tarefa para o foco externo.

Uma nova estratégia significa uma reorientação do que hoje é rotina para um foco diferente. Pensar em uma estratégia radicalmente inovadora exige que se tenha percepção de uma posição original, uma posição que seus concorrentes não vejam. Táticas vencedoras estão amplamente disponíveis, no entanto, são desconsideradas por quase todo mundo.

Exércitos de consultores oferecem complexas ferramentas analíticas para ajustar uma estratégia. Mas eles paralisam quando se trata de responder à grande questão: para início de conversa, de onde vem uma estratégia vencedora? Um artigo clássico sobre estratégia faz essa observação casualmente e deixa por isso mesmo: encontrar estratégias vencedoras "exige criatividade e insight".[8]

Esses dois ingredientes usam tanto o foco interno quanto o externo. Quando Marc Benioff, fundador e CEO da Salesforce, se deu conta pela primeira vez do potencial da computação em nuvem, ele estava monitorando a evolução de uma tecnologia de mudança de sistema — um foco externo — junto com sua própria intuição de como seria uma empresa que oferecesse esse tipo de serviços. A empresa dele, que gerencia relacionamentos com clientes, assumiu uma posição pioneira nessa área competitiva.

Os melhores líderes têm consciência sistêmica, o que os ajuda a responder a pergunta constante de aonde devemos ir e como. O autodomínio e as habilidades sociais se baseiam no foco em si mesmo e no outro, combinados para produzir a inteligência emocional que move o motor humano necessário para chegar lá. Um líder precisa verificar uma escolha estratégica potencial em relação a tudo o que sabe. E depois que a escolha estratégica é feita, ela precisa ser comunicada com paixão e habilidade, usando empatia cognitiva e emocional. Mas essas habilidades pessoais sozinhas não funcionarão se não contarem com sabedoria estratégica.

"Se você pensa de maneira sistêmica", diz Larry Brilliant, "isso conduz a forma como você lida com valores, visão, missão, estratégia, metas, táticas, soluções, avaliações e o ciclo de feedback que recomeça todo o processo".

O DETALHE REVELADOR NO HORIZONTE

Em meados dos anos 2000, o Blackberry havia se tornado o queridinho da TI corporativa. As empresas adoravam que o sistema rodasse em suas próprias redes fechadas, confiáveis, velozes e seguras. Elas entregavam os aparelhos aos funcionários aos milhares, e a palavra *crackberry* (que designa o vício dos usuários em seus telefones Blackberry) entrou para o léxico da língua inglesa. O fabricante conquistou o domínio do mercado com base em quatro forças-chave: facilidade de digitação, excelente segurança, bateria de longa duração e compressão de dados sem fio.

Por um tempo, o Blackberry foi uma tecnologia revolucionária, mudando as regras do jogo ao substituir concorrentes (nesse caso, algumas funções de PCs e laptops, e, completamente, os telefones celulares). Mas mesmo com os Blackberries dominando o mercado corporativo e se tornando rapidamente uma moda entre os consumidores, o mundo estava mudando. O iPhone deu início a uma era em que mais e mais trabalhadores compravam suas próprias marcas de smartphones — não necessariamente Blackberries — e as empresas se adaptavam ao deixar os funcionários levarem seus próprios equipamentos para as redes corporativas. De repente, a segurança da Blackberry no mercado corporativo evaporou e eles passaram a ter de concorrer com todo mundo.

A RIM (*Research in Motion* — Pesquisa em Movimento), empresa fabricante do Blackberry com sede no Canadá, demorou para se atualizar. Quando introduziu a tela sensível ao toque, por exemplo, não tinha comparação com os que estavam há mais tempo no mercado. A rede fechada do Blackberry, que um dia foi considerada uma vantagem, se tornou um peso num mundo em que os próprios telefones — o iPhone, os aparelhos com sistema Android — se tornaram plataformas para seus mundos de aplicativos.

A RIM era presidida por dois CEOs que eram engenheiros, e o sucesso inicial da marca foi baseado em engenharia de qualidade. Depois que esses dois CEOs foram forçados a sair pelo conselho administrativo, a empresa anunciou que voltaria a se concentrar no mercado corporativo como seu mercado principal, embora a maior parte do crescimento viesse do lado dos consumidores.

Segundo Thorsten Heins, o novo CEO da RIM, a empresa havia perdido importantes mudanças de paradigma em seu nicho ecológico. Eles haviam ignorado a mudança nos Estados Unidos para as redes sem fio de quarta geração (4G), deixando de produzir aparelhos para a 4G mesmo quando a concorrência já conquistava esse mercado. Subestimaram o quanto a tela sensível ao toque do iPhone se tornaria popular e se mantiveram presos ao teclado físico.

"Quando se tem uma ótima interface sensível ao toque, as pessoas se dispõem a sacrificar o tempo de duração da bateria", Heins diz. "Nós achávamos que isso não iria acontecer. A mesma coisa em relação à segurança", enquanto as empresas mudavam seus padrões para permitir que os funcionários ingressassem nas redes corporativas com seus próprios smartphones.[9]

Embora a marca Blackberry tenha um dia parecido revolucionária, agora, de acordo com a avaliação de um analista, eles "pareciam não ter ideia do que os consumidores queriam".[10]

Apesar de ter continuado líder em mercados como a Indonésia, apenas cinco anos depois de o Blackberry dominar o mercado americano a

RIM perdeu 75% de seu valor de mercado. Enquanto escrevo isto, a RIM anunciou uma derradeira tentativa de recuperar participação de mercado com um novo telefone. Mas a RIM pode ter iniciado um capítulo na vida da empresa que pode ser fatal — um "vale da morte".

Essa expressão é de Andrew Grove, o lendário CEO fundador da Intel, ao relatar um momento de quase morte da história de sua empresa. Em seus primeiros anos, a Intel produzia microchips de silício para o que na época era a nascente indústria de computadores. Segundo Grove, a alta administração não prestou atenção às mensagens vindas de suas próprias equipes de vendas de que os consumidores estavam mudando aos bandos para chips mais baratos produzidos no Japão.

Se a Intel não tivesse uma linha paralela de microprocessadores — que se tornaram o onipresente "*Intel Inside*" no auge dos laptops —, a empresa teria morrido. Mas, na época, Grove admite, a Intel sofria de uma "dissonância estratégica" ao deixar de fabricar chips de memória — seu primeiro negócio de sucesso — para projetar microprocessadores.

O título do livro de Grove — *Só os paranoicos sobrevivem* — concorda tacitamente com a necessidade de vigilância, em busca do detalhe revelador no horizonte. Isso se confirma em particular para o setor de tecnologia, em que os ciclos de vida supercurtos dos produtos (em comparação com, por exemplo, refrigeradores) tornam o ritmo da inovação bastante intenso.

O ciclo acelerado de inovações de produtos no setor de tecnologia faz dele uma boa fonte de estudos de caso (de certo modo parecido com o papel que as moscas drosófilas, que procriam freneticamente, desempenham para a genética). Na área de games, o aparelho com controle remoto da Nintendo Wii roubou mercado do PlayStation 2 da Sony. O Google acabou com a supremacia do Yahoo como portal preferido da web. A Microsoft, que em determinado momento chegou a dominar 42% do mercado para sistemas operacionais de telefones celulares, viu os lucros do iPhone abafarem a receita total da empresa. Inovações reorganizam nossa ideia do que é possível.

Quando a Apple lançou o iPod, a Microsoft levou quatro ou cinco anos para lançar o Zune, sua versão do produto — e mais seis anos para matar esse fracasso.[11] A fixação da Microsoft em sua mina de ouro, a família Windows de software, dizem os analistas, é responsável pelo fracasso em frear a marcha da Apple rumo à supremacia de mercado através do iPod, do iPhone e do iPad.

Como Clay Shirky observa, em relação ao fracasso em se desviar o foco das zonas de conforto: "Primeiro as pessoas que estão no comando do antigo sistema não percebem a mudança. Quando percebem, deduzem que não é importante. Então percebem que é um nicho e, depois, uma moda. E quando finalmente compreendem que o mundo realmente mudou, já deixaram passar grande parte do tempo que tinham para se adaptar."[12]

PENSE DIFERENTE

Durante seus dias difíceis, a RIM ofereceu um exemplo de manual da rigidez organizacional, em que uma empresa que prospera sendo a primeira a comercializar uma novidade tecnológica fica para trás em sucessivas ondas de inovação por fixar o foco na antiga novidade, não na próxima. Uma organização que mantém o foco voltado para dentro pode ter um desempenho admirável. Mas se ela não estiver sintonizada com o mundo maior em que opera, esse desempenho pode terminar ocorrendo a serviço de uma estratégia fracassada.

Qualquer curso de escola de administração a respeito de estratégia falará sobre duas abordagens: a exploração e a investigação. Algumas pessoas — e alguns negócios, como a RIM — obtêm sucesso através de uma estratégia de exploração, na qual aprimoram e aprendem como melhorar uma capacidade, tecnologia ou um modelo de negócio existentes. Outras encontram o caminho para o sucesso através da investigação, fazendo experiências com alternativas inovadoras em relação ao que conhecem.

Empresas com uma estratégia vencedora tendem a refinar suas operações e ofertas correntes, não explorar mudanças radicais no que oferecem. Um ato de equilíbrio mental — investigar o novo enquanto explora o que está dando certo — não ocorre naturalmente. Mas pesquisas descobriram que aquelas empresas que podem tanto explorar quanto investigar — como a Samsung fez com os smartphones — são "ambidestras": separam cada estratégia em unidades diferentes, com culturas e formas de operar bastante distintas. Ao mesmo tempo, têm um time de líderes bem coeso, que fica de olho no equilíbrio dos focos interno, externo e no outro.[13]

O que funciona no nível organizacional encontra paralelo na mente individual. O executivo da mente, o árbitro de aonde nosso foco será direcionado, administra tanto a concentração exigida pela exploração quanto o foco aberto demandado pela investigação.

A investigação significa nos desconectarmos de um foco corrente para buscarmos novas possibilidades, e permite flexibilidade, descoberta e inovação. A exploração mantém o foco no que já está sendo feito para que se possa refinar as eficiências e melhorar o desempenho.

Os que exploram podem encontrar um caminho mais seguro, com menos riscos, para os lucros, enquanto que os que investigam têm a chance, em potencial, de encontrar muito mais sucesso com a próxima novidade — embora os riscos de fracasso sejam maiores, e o horizonte de retorno, mais distante. A exploração é a tartaruga; a investigação, a lebre.

A tensão entre essas duas linhas opera na mente de cada tomador de decisão. Você fica com a tecnologia de baterias em que sua empresa está se aperfeiçoando e fazendo render cada vez mais? Ou investe, digamos, em pesquisa e desenvolvimento para a criação de uma nova técnica de armazenamento de energia que poderia tornar as baterias obsoletas (ou não)? São essas as decisões estratégicas práticas que fazem uma empresa prosperar ou quebrar, como vem defendendo há anos o mago da teoria estratégica de Stanford, James March.[14]

Os melhores tomadores de decisão são ambidestros no equilíbrio das duas estratégias, sabendo quando passar de uma para a outra. Eles conseguem liderar organizações que seguem os dois caminhos, que são capazes, por exemplo, de crescer inovando e contendo custos simultaneamente — duas operações bastante diferentes. A Kodak era excepcional em fotografia analógica, mas tropeçou na nova realidade competitiva das câmeras digitais.

Esse perigo é abundante durante o declínio de um negócio, quando as empresas compreensivelmente focam em sobreviver e atingir as metas cortando custos — mas frequentemente à custa de deixar de se preocupar com suas pessoas ou de se manter atualizado em relação às mudanças do mundo. O modo de sobrevivência estreita nosso foco.

Mas prosperar também não é garantia de ambidestreza. Essa mudança pode ser mais difícil para os que são apanhados no que Grove, da Intel, chama de "armadilha do sucesso". Ele observa que todas as empresas irão enfrentar um momento em que terão de mudar dramaticamente para sobreviver, quanto mais para melhorar o desempenho. "Basta deixar o instante passar", ele avisa, "para começar o declínio".

Durante muito tempo, Grove diz, a Intel ainda manteve seus melhores profissionais de desenvolvimento trabalhando com chips de memória — mesmo quando a sobrevivência da empresa passou a depender dos microprocessadores —, o que, ao longo da década seguinte, viria a se tornar um imenso motor de crescimento. A Intel estava tendo dificuldade para passar da exploração para a investigação.

O slogan da Apple, "Pense diferente", impõe uma mudança para a investigação. Mudar para um novo território, em vez de se entrincheirar para aumentar a eficiência, são posturas mais do que contrastantes — no nível cerebral, as duas representam funções mentais e mecanismos neurais inteiramente diferentes. O controle da atenção é a chave para os tomadores de decisão que precisam fazer a mudança.

Exames cerebrais realizados em 63 experientes tomadores de decisão, enquanto seguiam estratégias exploradoras ou investigadoras num jogo de simulação — ou trocavam de uma para outra —, revelaram o circuito subjacente específico de cada tipo de foco.[15] A exploração era acompanhada por atividades no circuito cerebral de expectativa e recompensa — é agradável sair-se bem numa rotina confortável e familiar. Mas a investigação mobilizava a atividade nos centros executivos do cérebro e nos centros de controle da atenção. Aparentemente, buscar por alternativas para uma estratégia corrente demanda foco intencional.

O primeiro movimento rumo a um novo território exige se desligar de uma rotina agradável e combater a inércia. Esse pequeno ato de atenção demanda o que a neurociência chama de "esforço cognitivo". Essa pitada de esforço do controle executivo libera a atenção para vagar amplamente e perseguir novos caminhos.

O que impede as pessoas de fazerem esse pequeno esforço neural? Para começar, sobrecarga mental, estresse e privação de sono (sem mencionar bebidas alcoólicas) esgotam o circuito executivo necessário para fazer uma mudança cognitiva como essa, o que nos mantém na nossa rotina mental. E o estresse da sobrecarga, da falta de sono e do apelo a substâncias tranquilizantes é muito frequente entre aqueles que desempenham tarefas muito exigentes.

19

O FOCO TRIPLO DO LÍDER

Quando tinha apenas 11 anos de idade, Steve Tuttleman começou a ler o *Wall Street Journal* com o avô, um hábito que quatro décadas mais tarde mudou para seu *tablet*. Todo dia ele confere mais de vinte sites, além de notícias e *feeds* de opinião exibidos por um leitor de RSS. A começar pelo momento em que acorda, e depois meia dúzia de vezes ao longo do dia, ele checa as últimas notícias, principalmente nos sites do *New York Times*, do *Wall Street Journal* e no Google News. Um aplicativo para web organiza conteúdos das 26 revistas que ele assina atualmente, de modo que ele pode marcar artigos para ler depois. Tuttleman diz: "Se um artigo é de grande importância, ou demanda algum estudo, ou precisa ser salva para futura referência, então eu retorno a ele quando posso me dedicar."

Tem ainda as publicações especializadas, cada uma delas vinculada a um interesse de negócios particular. A *National Restaurant News* tem relação com a cadeia de franquias Dunkin' Donuts, na qual ele tem participação. O *Bowler's Journal* o mantém informado para administrar a Ebonite, empresa de sua propriedade que vende bolas e equipamentos para jogadores de boliche. O *Journal of Practical Estate Planning*, junto com meia dúzia de publicações semelhantes, o ajudam a se manter a par do que pode ser relevante para sua função de diretor da Hirtle Callaghan, que administra recursos de instituições filantrópicas, universidades e indivíduos com grandes patrimônios líquidos. E a *Private Equity Investor* o ajuda a acompanhar as condições para o negócio que ele lidera como presidente da Blue 9 Capital.

"É um volume de leitura e tanto, certamente", Tuttleman me diz. "Às vezes eu tenho a impressão de que isso me toma tempo demais. Mas estou sempre fazendo conexões com o que leio. É algo que me dá base para aquilo que faço."

Quando Tuttleman foi procurado em 2004 para investir numa cadeia de varejo chamada Five Below, ele conta: "Eles apresentaram projeções para uma loja-modelo, e os números estavam corretos para os custos e as margens."

Mas Tuttleman foi além dos números, visitando uma das seis lojas, onde comparou seus sinais internos com a forma como os outros estavam reagindo. "As lojas ofereciam uma seleção atraente de produtos, com um ponto de vista definido. O público-alvo é de consumidores entre 12 e 15 anos de idade, e o que mais se vê nas lojas são mães com os filhos. Mas, acima de tudo, eu vi que as pessoas gostavam da loja, e *eu* gostei da loja."

Ao longo dos anos seguintes, Tuttleman investiu mais dinheiro na Five Below. O que era uma cadeia de seis lojas em 2004 cresceu para 250 até o final de 2012, e a empresa passou por uma bem-sucedida oferta pública inicial de ações. A empresa abriu o capital na esteira da fracassada oferta pública inicial de ações do Facebook, mas se saiu bem mesmo assim.

"As pessoas me trazem oportunidades de investimento o tempo todo", conta Tuttleman. "Elas me entregam um 'livro' que detalha os números de uma empresa que está no mercado. Mas eu preciso avaliar isso num contexto mais amplo, do que está acontecendo na sociedade, na cultura e na economia. Eu estou sempre procurando pelo que está acontecendo no mundo. Precisamos ter uma visão de campo ampliada."

Em 1989, Tuttleman comprou ações da Starbucks, da Microsoft, da Home Depot e do Walmart. Ele ainda possui as mesmas ações. Por que as comprou? "Eu comprei o que *eu* gostava", ele explica. "Eu sigo a minha intuição."

Quando tomamos uma decisão como essa, os sistemas subcorticais operam fora da percepção consciente — reunindo as regras de decisão que nos guiam e armazenam a nossa sabedoria de vida — e emitem suas opiniões como uma sensação. Essa sutil excitação — *Isso parece bom* — orienta a nossa direção antes mesmo de conseguirmos exprimir a decisão em palavras.

Os empresários mais bem-sucedidos reúnem dados que podem ser relevantes para uma decisão-chave de maneira muito mais ampla — e de uma variedade de fontes maior — do que a maioria das pessoas consideraria relevante. Mas eles também se dão conta de que, quando estão diante de uma decisão importante, intuições são dados também.

Os circuitos subcorticais que sabem dessas verdades intuitivas antes que tenhamos palavras para descrevê-las incluem a amígdala e a ínsula. Uma revisão especializada sobre intuições conclui que usar sentimentos como informação é uma "estratégia de julgamento geralmente sensata" em vez de ser uma fonte constante de erros, como um hiper-racional pode vir a argumentar.[1] O ato de nos sintonizarmos com nossos sentimentos como fonte de informação toca numa vasta quantidade de regras de decisão que a mente reúne inconscientemente.

O tutorial de Tuttleman para sua intuição provavelmente tem raízes naqueles primeiros anos lendo o *Wall Street Journal* com seu avô, que, como imigrante russo, havia conseguido um emprego num mercado e acabou comprando a loja, depois comprando o distribuidor que fornecia para a loja. Depois de vender essa empresa, se tornou investidor da bolsa de valores.

Como seu pai e seu avô antes dele, conta Tuttleman, "eu sempre soube que seria investidor. As conversas à mesa de jantar quando eu era criança eram sempre sobre negócios. Estou nesse ramo há quase trinta anos, e sempre tive um portfólio de empresas. Toda empresa tem suas próprias questões com as quais eu estou sempre lidando. Ainda estou construindo aquela base de dados interna".

O ponto central de decisões inteligentes, portanto, vem não apenas de ser um especialista na área, mas também de ter um alto nível de autoconsciência. Se você conhece a si mesmo tão bem como conhece o seu negócio, pode ser mais perspicaz na interpretação dos fatos (enquanto, espera-se, se protege das distorções internas que possam embaçar suas lentes).[2]

Do contrário, ficamos apenas com a fria racionalidade que aparece, por exemplo, nas árvores de decisão (ferramentas do que é conhecido como a "teoria da utilidade esperada"), em que pesamos e computamos os prós e contras de todos os fatores relevantes. Um problema: a vida raramente se organiza tão bem. Outro: nossa mente ascendente informações fundamentais que nossa mente descendente não consegue acessar diretamente, que dirá incluir naquela árvore de decisão. O que parece bom no papel pode não ser tão incrível na realidade, como no caso dos mercados não regulados de derivativos de crédito de risco ou no caso da invasão do Iraque.

"Os líderes mais bem-sucedidos estão constantemente em busca de novas informações", diz Ruth Malloy, diretora global de liderança e talento do Hay Group. "Eles querem compreender o território em que operam. Precisam estar alertas a novas tendências e localizar padrões emergentes que possam ser importantes para eles."

Quando dizemos que um líder tem "foco", normalmente estamos nos referindo à sua concentração total nos resultados dos negócios, ou numa estratégia particular. Mas uma concentração bem afiada é o suficiente? E quanto ao resto do repertório da atenção?

As escolhas de negócios de Tuttleman integram dados de uma busca externa ampla, em sintonia com suas reações intuitivas e com a leitura de como outras pessoas se sentem. Existe um forte argumento em favor de que os líderes precisam de toda a amplitude dos focos interno, no outro e externo para se sobressaírem — e que uma fraqueza em qualquer um deles pode desequilibrá-los.

LÍDERES INSPIRADORES

Vamos pensar em dois líderes. O Líder número 1 trabalha como executivo de alto nível numa empresa de construção. Durante o boom imobiliário do Arizona, no começo dos anos 2000 (e bem antes da quebra resultante), ele trocava de empregos sem parar, sempre indo para uma posição mais alta. Sua agilidade para galgar a escada corporativa, porém, não foi acompanhada por suas habilidades como líder inspirador. Quando pediram que ele desse uma declaração de intenções para guiar sua empresa rumo ao futuro, ele se atrapalhou com a tarefa. "Ser melhor do que a concorrência" foi o melhor que ele conseguiu dizer.

O Líder número 2 dirigia uma instituição sem fins lucrativos que oferecia serviços sociais e de saúde para comunidades hispânicas no sudeste dos Estados Unidos. Sua declaração fluiu livremente e era focada diretamente em metas maiores: "criar um bom ambiente para esta comunidade, que vem cuidando da nossa empresa por todos esses anos, torná-la um empreendimento com participação nos lucros (...) e beneficiária de nossos produtos". A visão dele era positiva e, ao mesmo tempo, incluía uma visão expandida dos envolvidos.

Nas semanas seguintes, foi pedido que funcionários que trabalhavam diretamente para cada um dos líderes avaliassem confidencialmente quão inspiradores eles consideravam serem seus chefes. O Líder número 1 recebeu uma das notas mais baixas entre os cinquenta líderes avaliados. O Líder número 2 ficou com uma das notas mais altas.

O mais intrigante foi que todos os líderes haviam sido avaliados numa medida cerebral de "coerência", o grau com que circuitos dentro de uma região se interconectam e coordenam suas atividades. A região específica ficava na área pré-frontal do lado direto de seus cérebros, numa zona ativa na integração entre pensamento e emoção, bem como na compreensão de pensamentos e emoções dos outros. Os líderes inspiradores demonstraram um alto nível de coerência nessa área-chave para a consciência de si e do outro, e os líderes fracos, um nível muito baixo.[3]

Líderes que inspiram podem articular valores compartilhados que repercutem e motivam o grupo. Esses são os líderes com quem as pessoas adoram trabalhar, que trazem à tona a visão que move a todos. Mas para falar do coração, para o coração, um líder precisa primeiro conhecer seus valores. Isso demanda autoconsciência.

Inspirar liderança demanda estar em sintonia tanto com uma realidade emocional interna quanto com a daqueles a quem queremos inspirar. Esses são os elementos da inteligência emocional, que eu precisei repensar um pouco à luz da nossa nova compreensão do foco.

A atenção é discutida apenas indiretamente no mundo da inteligência emocional: como parte da "autoconsciência", que é a base da autogestão, e da "empatia", o alicerce da eficiência nos relacionamentos. No entanto, a consciência de nós mesmos e dos outros, e suas aplicações no gerenciamento do nosso mundo interno e dos nossos relacionamentos, são a essência da inteligência emocional.

Atos de atenção permeiam o tecido da inteligência emocional porque, no nível da arquitetura cerebral, a linha divisória entre emoção e atenção fica indistinta. Os circuitos neurais da atenção e os dos sentimentos se sobrepõem de muitas maneiras, compartilhando caminhos neurais ou interagindo.

Porque cérebro mescla seus circuitos para a atenção e para a inteligência emocional alguns desses circuitos neurais compartilhados são também os que distinguem a inteligência emocional de sua variedade mais acadêmica, o QI.[4] Isso significa que um líder pode ser muito inteligente mas não necessariamente ter as habilidades de foco associadas à inteligência emocional.

Vamos pensar na empatia. Um mal comum da liderança é não saber ouvir. Eis como um CEO avaliou sinceramente sua própria dificuldade com essa forma de empatia: "Meu cérebro corre demais. Então, mesmo que eu tenha escutado tudo o que alguém disse, a menos que você demonstre que compreendeu tudo, as pessoas não acham que estão sendo ouvidas adequadamente. Às vezes, realmente não ouvimos porque estamos correndo. Assim, se realmente queremos tirar o melhor das pessoas, precisamos ouvi-las de verdade e elas precisam sentir que realmente foram ouvidas. Então, eu preciso aprender a diminuir o ritmo e melhorar nesse sentido, tanto para me sentir melhor quanto para fazer com que as pessoas ao meu redor se sintam melhor."[5]

Um *coach* de executivos baseado em Londres me diz: "Quando repasso às pessoas o feedback dos outros, frequentemente eles dizem que os executivos não ouvem com atenção. Quando lhes dou treinamento para melhorar sua capacidade prestar atenção às pessoas, eles costumam dizer: 'Eu consigo fazer isso.'"

Então eu observo: "Você *consegue* fazer, mas a questão é com que *frequência* você faz isso." Nós prestamos muita atenção nos momentos que nos são mais importantes. Mas em meio ao ruído constante e às distrações da vida profissional, ouvir mal se tornou epidêmico.

Ainda assim, escutar atentamente vale a pena. Um CEO me contou sobre uma vez em que sua empresa estava presa numa disputa com uma agência estatal, a respeito da compra de uma grande extensão de área florestal. Em vez de simplesmente deixar a questão para os advogados, o CEO marcou uma reunião com o chefe da agência.

Na reunião, o chefe da agência fez um longo discurso de reclamações sobre a empresa do CEO e sobre como a área precisava ser preservada e não urbanizada. O CEO simplesmente ouviu atentamente por 15 minutos. A essa altura, ele havia percebido que as necessidades de sua empresa e as da agência poderiam se tornar compatíveis. Ele propôs um compromisso segundo o qual a empresa usaria apenas uma pequena porção do terreno e declararia o restante como área de preservação perpétua.

A reunião terminou com os dois apertando as mãos e celebrando um acordo.

CEGO PELO PRÊMIO

Ela era sócia de um imenso escritório de advocacia que levava sua equipe à loucura. Fazia microgerenciamento, estava constantemente duvidando dos membros da equipe, reescrevendo textos que não estavam de acordo com seus padrões, embora estivessem perfeitamente bons. Sempre encontrava alguma coisa para criticar, mas nada para elogiar. Seu foco constante no lado negativo desmoralizava a equipe — um dos melhores integrantes pediu demissão e outros estavam tentando passar para outras áreas do escritório.

Líderes com esse estilo super-realizador e superfocado, como essa advogada crítica demais, são chamados de "marcadores de ritmo" [pacesetters], o que quer dizer que eles gostam de liderar pelo exemplo, estabelecendo um ritmo rápido que imaginam que os outros irão imitar. Marcadores de ritmo tendem a se valer de uma estratégia de liderança por "comando e coação", em que simplesmente dão ordens e esperam ser obedecidos.

Líderes que apresentam apenas os estilos de marcação de ritmo ou comando — ou ambos —, mas não apresentam qualquer outro estilo, criam um ambiente tóxico, que desanima seus liderados. Esse tipo de líder pode conseguir resultados de curto prazo através de atos heroicos pessoais, como sair para fechar um negócio ele próprio, mas faz isso às custas da construção de suas organizações.

"Liderança fora de controle" foi o título de um artigo da *Harvard Business Review* sobre o lado obscuro da marcação de ritmo, escrito por Scott Spreier e seus colegas do Hay Group. "Eles são tão focados no prêmio", Spreier me disse, "que ficam cegos para o impacto que provocam sobre as pessoas que estão ao seu redor".

O artigo de Spreier apresentou essa sócia-advogada durona como um exemplo excelente do pior lado da marcação de ritmo. Líderes assim não ouvem, muito menos tomam decisões por consenso. Eles não se dedicam a conhecer as pessoas com quem trabalham dia após dia. Em vez disso, reportam-se a elas apenas em seus papéis unidimensionais. Esse tipo de líder não ajuda as pessoas a desenvolverem novos pontos fortes ou a aperfeiçoarem suas capacidades, mas simplesmente tratam suas necessidades de aprender como defeitos. São vistos como arrogantes e impacientes.

E estão se espalhando. Um estudo de rastreamento descobriu que o número de líderes super-realizadores em organizações de todos os tipos tem crescido constantemente entre os que ocupam posições de liderança desde os anos 1990.[6] Esse foi um período em que o crescimento econômico criou uma atmosfera em que atos heroicos do tipo elevar-o-nível-a-qualquer-custo eram celebrados. As desvantagens desse estilo — como cometer lapsos éticos, trabalhar com pressa e tratar mal as pessoas — eram frequentemente ignoradas.

Mas depois veio uma série de derrocadas e estouros de bolha, do colapso da Enron ao fracasso das empresas pontocom. Uma realidade de negócios mais sóbria chamou a atenção para o lado sombrio dos marcadores de ritmo, com seu foco obstinado nos resultados fiscais em detrimento de outras questões básicas de liderança. A partir da crise financeira de 2008, "muitas empresas promoveram líderes fortes, bons para lidar com emergências", me disse Georg Vielmetter, consultor em Berlim. "Mas isso muda o coração da organização. Dois anos depois, esses mesmos líderes haviam criado um clima em que a confiança e a lealdade haviam evaporado."

O fracasso aqui não está apenas em alcançar a meta, mas em se conectar com as pessoas. O modo simplesmente-faça passa por cima das preocupações humanas.

Toda organização precisa de pessoas com o foco direcionado a objetivos importantes, o talento de aprender continuamente a fazer cada vez melhor e a capacidade de ignorar as distrações e manter o foco obstinado. Inovação, produtividade e crescimento dependem desse tipo de profissionais de alto desempenho.

Mas apenas até certo ponto. Metas ambiciosas de receita ou crescimento não são a única forma de avaliação da saúde de uma organização — e se elas são atingidas ao custo de outras questões básicas, perdas no longo prazo, como a saída de funcionários de qualidade, podem se sobrepor a sucessos de curto prazo, levando a fracassos posteriores.

Quando nos fixamos numa meta, o que quer que seja relevante a esse ponto focal ganha prioridade. Focar não é apenas selecionar a coisa certa, mas também dizer "não" às coisas erradas — e o foco vai longe demais quando diz "não" para as coisas certas também. A fixação obstinada numa meta se transforma em *super*-realização quando a categoria de "distrações" aumenta para incluir preocupações válidas de outras pessoas, suas boas ideias e informações fundamentais. Sem falar na disposição, na lealdade e na motivação delas.

O fundamento dessa pesquisa remonta aos estudos de David McClelland, professor de Harvard que pesquisou como uma motivação saudável para realizar alimenta o empreendedorismo. Mas, desde o começo, ele percebeu que alguns líderes de alto desempenho "são tão fixados em encontrar atalhos para atingir as metas que podem não ser muito exigentes quanto aos meios que utilizam para alcançá-las".[7]

"Dois anos atrás, recebi uma avaliação de desempenho que me fez parar para pensar", confidencia o CEO de um escritório imobiliário de âmbito global. "Eu era ótimo nos negócios, mas tinha problemas com liderança inspiracional e empatia. Como eu achava que era bom nisso, no começo, neguei o problema. Então refleti e me dei conta de que eu normalmente era compreensivo, mas me fechava no instante em que alguém não estava fazendo bem o seu trabalho. Eu ficava muito frio, chegava a ser cruel até.

"Me dei conta de que meu maior medo é do fracasso. É o que me move. Então, quando alguém da minha equipe me decepciona, esse medo se manifesta."

Quando o medo sequestra esse CEO, ele parece voltar ao modo marcador de ritmo. "Se não tem autoconsciência, quando você se sente preso pela necessidade de cumprir uma meta", diz Scott Spreier, *coach* de líderes experientes, "você perde a empatia e entra no piloto automático".

O antídoto para isso: perceber a necessidade de ouvir, motivar, influenciar e cooperar — um conjunto de habilidades interpessoais que líderes marcadores de ritmo normalmente não estão acostumados a usar. "Nos piores casos, os marcadores de ritmo não têm empatia", me disse George Kohlrieser, um mago da liderança na IMD, uma escola de administração suíça. Kohlrieser ensina líderes de todo o mundo a se tornarem líderes "de bases seguras", cujos estilos empáticos e de apoio emocional estimulam as pessoas que eles lideram a trabalhar da melhor forma possível.[8]

"Somos todos marcadores de ritmo aqui", admite com certa melancolia o CEO de uma das maiores empresas financeiras do mundo. Mas ter um bando de marcadores de ritmo não precisa ser danoso à motivação: pode funcionar se todos os funcionários foram selecionados por terem um alto nível de talento e desejo de obter sucesso — ou seja, marcando ritmo.

Um analista financeiro descreveu assim um banco em que uma cultura marcadora de ritmo levou ao tratamento arrogante de seus clientes: "Eu não poria meu dinheiro lá — mas recomendaria comprar suas ações."

ADMINISTRANDO NOSSO IMPACTO

Nas primeiras semanas depois do desastroso derramamento de petróleo da BP no Golfo do México, em 2010, enquanto inúmeros animais e pássaros marinhos morriam e moradores do Golfo condenavam a catástrofe, executivos da BP tornaram-se exemplos de como não administrar uma crise.

O ponto alto da insensatez foi quando o CEO da BP, Tony Hayward, declarou de forma vergonhosa que: "Ninguém quer que isso tudo termine mais do que eu. Quero a minha vida de volta."

Em vez de demonstrar o mínimo de preocupação com as vítimas do derramamento, pareceu incomodado pelo inconveniente. E continuou, alegando que o desastre não era culpa da BP, culpou seus prestadores de serviços terceirizados e não assumiu qualquer responsabilidade.[9] Tiveram ampla circulação fotos dele no auge da crise navegando despreocupadamente num iate, durante as férias.

Na avaliação de um executivo de relações públicas da BP: "A única vez que Tony Hayward abriu a boca foi para enfiar os pés pelas mãos. Ele não compreendia o animal que é a mídia. Não compreendia a percepção do público."[10]

Signe Spencer, coautora de um dos primeiros livros sobre competência no ambiente de trabalho, me conta que há uma competência recentemente identificada vista em alguns líderes de alto nível — chamada de "administrar seu impacto sobre os outros" — que consiste em aproveitar habilmente sua visibilidade e o papel que desempenham para obterem um impacto positivo.[11]

Tony Hayward, cego ao impacto que tinha sobre os outros, que dirá à percepção do público sobre sua empresa, detonou uma explosão de hostilidade, com artigos de primeira página exigindo saber por que ele ainda não havia sido demitido, e até o presidente Obama declarando que o teria demitido. A saída de Hayward da BP foi anunciada no mês seguinte.

O desastre, desde então, custou à BP cerca de 40 bilhões de dólares em multas, fez quatro executivos serem acusados de negligência e levou o governo dos Estados Unidos a proibir novos negócios com a BP — incluindo novos contratos no Golfo — por causa da "falta de integridade nos negócios".

Tony Hayward é um caso exemplar dos custos de um líder com déficit de foco. "Para prever como as pessoas irão reagir, você precisa ler as reações que as pessoas têm a você", diz Spencer. "Isso demanda autoconsciência e empatia num ciclo de autorreforço. Você se torna mais consciente de como será visto pelas outras pessoas."

Com alto nível de autoconsciência, ela acrescenta, é possível desenvolver mais facilmente um bom autogerenciamento. "Se você se gerencia melhor, você influencia melhor", Spencer diz. Durante a crise do derramamento de petróleo, Hayward parece ter falhado em tudo isso — e não conseguiu administrar seu próprio impacto.

O foco triplo demanda um malabarismo de atenção, e líderes que fracassam nisso o fazem às custas de si próprios e de suas organizações.

20

DO QUE DEPENDEM OS BONS LÍDERES?

Quando eu era aluno de graduação em Harvard, David McClelland provocou uma pequena tempestade ao publicar um artigo controverso no principal periódico da nossa profissão, *The American Psychologist*. McClelland colocava em dúvida uma suposição consagrada: de que boas notas na escola previam sucesso na carreira.

Ele reconheceu as fortes evidências de que o QI é a melhor forma de prever que tipo de emprego qualquer aluno do ensino médio poderá vir a ter. As notas também classificam muito bem as pessoas por seus papéis nos locais de trabalho. Habilidades acadêmicas (e o QI que elas refletiam em termos gerais) refletem o nível de complexidade cognitiva com que uma pessoa é capaz de lidar e, portanto, que tipo de trabalho ela é capaz de desempenhar. É preciso estar, de um modo geral, um pouco acima da curva média de inteligência (um QI de 115) para ser especialista ou executivo de alto nível, por exemplo.

Mas o que é pouco discutido (pelo menos nos círculos acadêmicos, onde é menos aparente) é que depois que estamos trabalhando com um grupo de colegas que são mais ou menos tão inteligentes como nós, apenas nossas habilidades cognitivas não fazem com que nos destaquemos — especialmente como um líder. Há um efeito chão para o QI quando todas as pessoas de um grupo têm o mesmo alto nível.

McClelland argumentou que, uma vez que a pessoa estava em determinado emprego, competências específicas como autocontrole, empatia e persuasão eram pontos fortes muito mais importantes para o sucesso do que as notas acadêmicas. Ele propôs uma metodologia, chamada "modelo de competência" — hoje comum em organizações internacionais — para identificar as principais habilidades que transformavam alguém em ator de destaque numa organização específica.

O artigo, "Testing for Competence Rather than Intelligence" [Testando competência em vez de inteligência], foi bem recebido entre aquelas pessoas das organizações que no dia a dia realmente avaliavam o desempenho no trabalho e precisavam decidir quem promover, quem era um líder mais efetivo e quais talentos estimular em pessoas promissoras. Elas tinham indicadores um tanto rigorosos para determinar o sucesso e o fracasso no trabalho e sabiam que as notas de uma pessoa e o prestígio da escola que frequentaram tinham pouco ou nada a ver com sua real eficiência.

Como o ex-diretor de um grande banco me disse: "Eu estava contratando os melhores e mais inteligentes, mas ainda via uma curva em sino para o sucesso e me perguntava por quê." McClelland tinha a explicação para isso.

Mas o artigo causou controvérsia entre muitos acadêmicos, alguns dos quais não conseguiam compreender que se sair bem em seus cursos tinha pouco a ver com o modo como seus alunos iriam se sair em seus futuros empregos (a menos que esse emprego fosse de professor universitário).[1]

Agora, décadas depois daquele artigo controverso, modelos de competência contam uma história clara: habilidades não acadêmicas como empatia normalmente se sobrepõem aos talentos puramente cognitivos na formação de líderes de destaque.[2] Num estudo realizado no Hay Group (que absorveu a McBer, a empresa que o próprio McClelland fundou, e batizou sua divisão de pesquisa de Instituto McClelland), líderes que demonstravam força em oito ou mais dessas competências não cognitivas criavam atmosferas de trabalho altamente energizadas e de alto desempenho.[3]

Mas Yvonne Sell, diretora de prática de liderança e talento na filial do Hay Group do Reino Unido, que realizou o estudo, descobriu que esse tipo de líder é raro: apenas 18% dos executivos atingiram esse nível. Três quartos dos líderes com três ou menos pontos fortes em habilidades pessoais produziam climas *negativos*, em que as pessoas se sentiam indiferentes ou desmotivadas. Lideranças ruins parecem ser predominantes — mais da metade dos líderes ficavam situados dentro dessa categoria de baixo impacto.[4]

Outros estudos apontam para a mesma conclusão sobre as habilidades suaves. Quando a Accenture entrevistou cem CEOs sobre as habilidades necessárias para comandar uma empresa de maneira bem-sucedida, surgiu um conjunto de 14 habilidades, de pensar globalmente e criar uma visão compartilhada inspiradora a abraçar mudanças e ter conhecimento técnico.[5] Nenhuma pessoa poderia ter todas elas. Mas emergiu uma *meta*-capacidade: a autoconsciência. Presidentes de empresas precisam desta capacidade para avaliar seus próprios pontos fortes e fracos, e desse modo se cercarem de uma equipe de pessoas cujos pontos fortes complementem os seus.

E, no entanto, a autoconsciência raramente aparece naquelas listas de competências que as organizações utilizam para analisar os pontos fortes de seus melhores profissionais.[6] Esse tipo sutil de foco pode ser subjetivo demais, embora as habilidades que refletem um alto controle cognitivo, que são construídas sobre essa base de autoconsciência, sejam tão frequentes, e incluem persistência, resiliência e o impulso de atingir metas.

Em suas muitas formas, de simplesmente ouvir a ler os caminhos de influência de uma organização, a empatia aparece com mais frequência nos estudos de competências de liderança. A maior parte das competências para líderes de alto desempenho se concentra na categoria mais visível que é construída com base na empatia: forças de relacionamento, como influência e persuasão, trabalho em equipe, cooperação e coisas do gênero. Porém, essas habilidades de liderança mais visíveis não se baseiam apenas na empatia, mas também na capacidade de gerenciar a nós mesmos e perceber como o que fazemos impacta os outros.

A singular capacidade de focar que permite a compreensão dos sistemas recebe nomes que variam de organização para organização e de um modelo de competência para outro: visão global, reconhecimento de padrões e pensamento sistêmico, entre eles. Isso inclui a capacidade de visualizar a dinâmica de sistemas complexos e prever como uma decisão tomada em determinado momento irá se ramificar para criar um efeito num momento distante ou perceber de que forma o que fazemos hoje irá importar em cinco semanas, ou em meses, anos ou décadas.

O desafio para os líderes vai além de ter forças nos três tipos de foco. O segredo é encontrar o equilíbrio e usar o foco certo no momento certo. O líder bem focado equilibra os fluxos de dados oferecidos por cada um, entrelaçando-os com naturalidade. Reunindo dados sobre atenção com os de inteligência emocional e desempenho, este foco triplo surge como um motivador oculto da excelência.

ENCONTRANDO O EQUILÍBRIO CERTO

Pegue qualquer grupo de trabalho e pergunte a cada um dos integrantes: "Quem é o líder?", e eles provavelmente responderão com o nome de quem ostenta o cargo.

Depois, pergunte: "Quem é a pessoa mais *influente* do seu grupo?" A resposta a essa pergunta identifica o líder informal e revela como aquele grupo realmente opera.

Esses líderes informais tendem a ter a menor diferença entre as próprias avaliações de suas habilidades e a visão dos outros.[7] Eles têm mais autoconsciência do que os colegas de equipe. Vanessa Druskat, psicóloga da Universidade de New Hampshire, que realizou este estudo, diz: "Líderes informais frequentemente surgem de um modo temporário, dependendo do contexto. Para nossa pesquisa, perguntamos: 'Quem você diria que é o líder informal na maior parte do tempo?'"

A pesquisa mostra que se esse líder tem talentos de empatia em equilíbrio com outras habilidades, o desempenho da equipe tende a ser melhor. "Se o líder tem baixo nível de empatia", Druskat me disse, "e um alto nível de impulso de realização, o foco do líder nas metas prejudica o desempenho da equipe. Mas é importante ressaltar que se o líder tem altos níveis de empatia e baixos níveis de autocontrole, o desempenho também é reduzido — empatia demais atrapalha na hora de chamar a atenção das pessoas quando elas estão se comportando mal".

Uma gerente de banco me diz: "Trabalho com serviços financeiros e nunca usei a palavra 'empatia' no trabalho – até agora. O segredo é amarrá-la à nossa estratégia: comprometimento do funcionário e boa experiência de consumidor. A empatia é uma forma de nos diferenciarmos de nossos concorrentes. Ouvir é fundamental."

Essa gerente está em boa companhia. Ouvi a mesma mensagem dos CEOs da Clínica Mayo e da Clínica Cleveland, dois dos mais importantes hospitais do mundo.

E o CEO de uma das maiores empresas de administração de fundos do mundo me conta que os mais ambiciosos alunos da graduação em administração se candidatam para trabalhar em sua empresa, motivados pela visão de salários imensos. Mas, ele lamentou, o que estava procurando eram pessoas "que se importam com viúvas e bombeiros aposentados cujas economias de toda uma vida nós administramos" — em outras palavras, um foco empático que inclui a humanidade daqueles cujo dinheiro está em jogo.

Por outro lado, um foco obstinado em pessoas não é o bastante. Vamos considerar um executivo que começou como operador de empilhadeira e chegou a gerente de manufatura para a Ásia numa empresa multinacional. Apesar de seu cargo elevado, era conversando com os trabalhadores no chão da fábrica que ele se sentia mais à vontade. Ele sabia que deveria estar pensando estrategicamente, mas preferia ser uma "pessoa sociável".

"Ele não tinha o equilíbrio certo entre o foco no outro e o foco externo", diz Spreier. "Ele estava mal focado e não estava lidando bem com a estratégia. Não gostava daquilo. Intelectualmente, sabia que deveria se preocupar com a estratégia, mas, emocionalmente, simplesmente não conseguia se envolver."

Pode haver um desafio neural para se alcançar o equilíbrio certo entre focar em atingir um alvo e perceber como os outros estão reagindo. Meu colega de longa data, Richard Boyatzis, professor da escola de administração da Case Western, me diz que sua pesquisa demonstra que a rede neural que se envolve quando focamos numa meta é diferente do circuito de exploração social. "Eles inibem um ao outro", diz Boyatzis. "Os líderes mais bem-sucedidos vão e voltam entre esses dois circuitos em segundos."

É claro que as empresas precisam de líderes focados em obter melhores resultados. Mas esses resultados serão mais robustos no longo prazo, quando os líderes pararem de simplesmente dizer às pessoas o que elas devem fazer ou de fazer as coisas eles mesmos, e passarem a ter um outro foco: a motivação em ajudar as outras pessoas a serem bem-sucedidas também.

Esses líderes se dão conta, por exemplo, de que se uma pessoa falhou em algum ponto hoje, ela pode trabalhar para desenvolver a competência que esteja faltando. Líderes assim reservam um tempo para orientar e aconselhar. Em termos práticos, isso significa:

- Ouvir atentamente e articular uma visão autêntica do rumo geral que energize os outros, ao mesmo tempo que esclarece quais são suas expectativas.
- Fazer *coaching* com base no que a pessoa diz querer da vida, da carreira e do emprego atual.
- Prestar atenção aos sentimentos e necessidades das pessoas, e demonstrar preocupação.
- Dar ouvidos a conselhos e experiências; ser colaborativo e tomar decisões por consenso quando apropriado.
- Celebrar vitórias, rir, sabendo que se divertir não é perda de tempo, mas uma maneira de construir capital emocional.

Esses estilos de liderança, usados em conjunto ou conforme for mais adequado a cada momento, ampliam a visão de um líder capaz de lançar mão dos focos interno, no outro e externo. Essa amplitude máxima de foco, e a maior compreensão e flexibilidade da resposta que ela suporta, pode render frutos. Uma pesquisa feita pelo Instituto McClelland sobre esses estilos de liderança mostra que líderes mais competentes usam esses estilos conforme lhes parece apropriado — cada um representa um foco e uma aplicação únicos. Quanto maior o repertório de estilos de um líder, mais energizado será o clima da organização e melhores serão seus resultados.[8]

ABERTURA

O dirigente de uma empresa de saúde estava avaliando um grupo de mais de quarenta gerentes sob sua orientação num novo trabalho. Numa reunião, durante a qual cada um se levantou para abordar diferentes questões, ele percebeu cuidadosamente como os outros gerentes prestavam atenção a quem estava falando. Ele viu que todos ficaram fascinados por um dos gerentes, ouvindo-o de verdade, ao passo que quando outro se levantou para falar, todos baixaram os olhos para as próprias mesas — um sinal claro de que ele os havia perdido.

A abertura emocional, a capacidade de perceber esses sutis sinais emocionais num grupo, funciona mais ou menos como uma câmera. Podemos aproximar a imagem para focar nos sentimentos de uma pessoa ou afastá-la para captar os sentimentos coletivos — seja numa sala de aula ou num grupo de trabalho.

Para líderes, a abertura garante uma interpretação mais precisa, por exemplo, do apoio ou da oposição a uma proposta. Fazer uma boa interpretação disso pode significar a diferença entre uma iniciativa fracassada ou uma útil correção no meio do caminho.[9]

Captar sinais emocionais reveladores — como o tom da voz, as expressões faciais e assim por diante — num nível de grupo pode nos dizer, por exemplo, quantas pessoas daquele grupo estão sentindo medo ou raiva, quantas estão esperançosas e otimistas, ou sentindo desprezo e indiferença. Esses sinais oferecem uma avaliação mais rápida e verdadeira dos sentimentos do grupo do que, por exemplo, perguntar o que eles estão sentindo.

No trabalho, as emoções coletivas — às vezes chamadas de clima organizacional — fazem uma imensa diferença, por exemplo, no serviço de atendimento ao consumidor, no absenteísmo e no desempenho do grupo de um modo geral.

Uma noção mais sutil da faixa de emoções em um grupo — quantos sentem medo, esperança e o restante da escala emocional — pode ajudar um líder a tomar decisões que transformam medo em esperança ou desprezo em positividade.

Um dos obstáculos que nos impedem de alcançar esta visão tão aproximada é a atitude, implícita no ambiente de trabalho, de que o profissionalismo exige que ignoremos nossas emoções. Alguns relacionam esse ponto cego emocional à ética de trabalho entranhada nas normas de ambientes laborativos no ocidente, que vê o trabalho como uma obrigação moral que exige reprimir a atenção voltada para os nossos relacionamentos e para o que sentimos. De acordo com essa visão tão comum, prestar atenção em tais dimensões humanas prejudica a eficiência nos negócios.

Mas, nas últimas décadas, o campo da pesquisa organizacional vem oferecendo amplas evidências de que essa é uma suposição equivocada, e que os mais competentes membros ou líderes de equipes usam uma ampla abertura para reunir a informação emocional de que precisam para lidar bem com as necessidades emocionais de seus colegas de equipe ou empregados.

Percebermos a floresta emocional ou apenas nos concentrarmos em uma das árvores: é isso que determina a nossa abertura. Quando os participantes de uma pesquisa viam, por exemplo, desenhos animados retratando uma pessoa sorrindo cercada por outras franzindo o cenho, os equipamentos de acompanhamento do olhar revelavam que a maior parte deles direcionava a atenção apenas ao rosto sorridente, ignorando os demais.[10]

Parece haver uma tendência (pelo menos entre estudantes universitários ocidentais, que são a maioria dos sujeitos desses estudos psicológicos) de ignorar o coletivo maior. Na sociedade do leste asiático, por outro lado, mais pessoas captam naturalmente os padrões de um grupo — uma abertura mais ampla aparece com facilidade.

O mago da liderança Warren Bennis usa a expressão "observadores de primeira classe" para aqueles que direcionam uma atenção focada a cada situação e um constante, por vezes contagiante, senso de fascinação em relação ao que está acontecendo no momento. Ótimos ouvintes são um tipo de observadores de primeira classe.

Duas das principais rotinas mentais que ameaçam a capacidade de perceber são suposições incontestadas e regras básicas nas quais se deposita uma confiança excessiva. Elas precisam ser testadas e refinadas constantemente, em comparação com as realidades em modificação. Uma maneira de fazer isso é o que a psicóloga de Harvard Ellen Langer chama de atenção plena ambiental: questionamento e escuta constantes, investigação, experimentação e reflexão — reunir percepções e perspectivas de outras pessoas. Esse envolvimento ativo produz perguntas mais inteligentes, um melhor aprendizado e um radar mais sensível à futuras mudanças.

O CÉREBRO SISTÊMICO

Pense num executivo, identificado num desses estudos de cargos governamentais, cujo histórico o marcava como líder inovador de sucesso.[11]

O primeiro emprego dele na Marinha foi na sala de rádio do navio. Ele logo dominou o sistema de rádio, até que disse: "Eu sabia fazer aquilo melhor do que qualquer outro no navio. Era a mim que procuravam quando havia problemas. Mas me dei conta de que, se queria ser um sucesso, precisava dominar o navio."

Então ele se dedicou a aprender como as diferentes partes do navio trabalhavam em conjunto e como cada uma delas interagia com a sala de rádio. Mais adiante em sua carreira, quando foi promovido a um cargo muito maior trabalhando como civil para a Marinha, ele disse: "Assim como dominei o funcionamento da sala de rádio e depois do navio, me dei conta de que precisava dominar o funcionamento da Marinha."

Enquanto alguns de nós temos jeito para lidar com sistemas, para a maioria dos líderes — como esse executivo — essa compreensão é uma força adquirida. Mas a consciência sistêmica na ausência da autoconsciência e da empatia não será suficiente para uma liderança de destaque. Precisamos equilibrar o foco triplo, não contar com apenas um ponto forte.

Vamos considerar o paradoxo de Larry Summers: ele sem dúvida tem QI de gênio e é brilhante como pensador de sistemas. Ele foi, afinal, um dos mais jovens professores a ser efetivado na história de Harvard. Mas, anos depois, Summers foi, na verdade, demitido da presidência de Harvard por seu corpo docente, que estava farto de seus ataques insensíveis — mais notadamente por rejeitar a aptidão das mulheres à ciência.

Esse padrão parece estar de acordo com o que Simon Baron-Cohen, da Universidade de Oxford, identificou como sendo um estilo cerebral extremo, que se sobressai na análise de um sistema, mas fracassa na empatia e sensibilidade ao contexto social que vem junto com ele.[12]

A pesquisa de Baron-Cohen descobriu que num número pequeno — mas significativo — de pessoas, essa força vem junto com um ponto cego para o que outras pessoas estão sentindo e pensando, e para interpretar situações sociais. Por esse motivo, embora pessoas com compreensão sistêmica superior sejam recursos importantes, elas não necessariamente são líderes eficientes se lhes faltar a necessária inteligência emocional.

O executivo de um banco me explicou como foi criado um plano de carreira para as pessoas com esse tipo de talento, que permite que elas progridam em status e salário com base apenas em suas habilidades como brilhantes analistas de sistemas, em vez de galgar os cargos de liderança. Dessa forma, o banco consegue manter essa equipe talentosa e permitir que seus integrantes avancem na carreira, ao mesmo tempo que recruta líderes de um grupo diferente. Esses líderes podem então consultar os especialistas em sistemas quando necessário.

A EQUIPE BEM FOCADA

Numa organização internacional, as pessoas eram contratadas exclusivamente por suas experiências técnicas, sem preocupação com suas habilidades pessoais ou interpessoais — incluindo o trabalho em equipe. Talvez previsivelmente, uma equipe de cem integrantes nessa empresa entrou em colapso, com muitos desentendimentos e prazos sendo constantemente perdidos.

"O gerente da equipe nunca teve a oportunidade de parar para refletir com alguém", me disse o *coach* de liderança que foi contratado para ajudar. "Ele não tinha um único amigo com quem pudesse conversar abertamente. Quando eu dei a ele a oportunidade de reflexão, começamos com seus sonhos e, depois, com seus problemas.

"Quando demos um passo para trás, a fim de olhar para a equipe, ele se deu conta de que estava vendo tudo através de uma única e pequena lente — o modo como eles o estavam constantemente decepcionando —, mas ele não vinha pensando no *porquê* das pessoas estarem se comportando daquela maneira. Não tinha uma tomada de perspectiva, não conseguia ver as coisas pelo ponto de vista da equipe."

O líder da equipe focou seu pensamento no que estava errado com cada um dos membros, nas falhas específicas deles e em sua indignação por eles estarem prejudicando seu próprio desempenho. Achou fácil pôr a culpa nas deficiências deles.

Mas depois que conseguiu mudar o foco para a perspectiva da equipe a respeito do que não estava funcionando, seu diagnóstico sobre o problema mudou. Ele se deu conta de que havia muito ressentimento entre os membros da equipe. Os cientistas mais teóricos desdenhavam dos engenheiros mais pragmáticos e operacionais, que, por sua vez, desprezavam o que consideravam pesquisadores sem os pés no chão.

Outro tipo de conflito era de cunho nacionalista. A imensa equipe era como uma minúscula ONU, com membros de vários países do mundo — muitos dos quais estavam em conflitos uns com os outros, e esses conflitos se refletiam em muitas das tensões entre as pessoas.

A retórica do grupo era de que essas divisões não existiam (e portanto *não podemos falar sobre isso*) — mas, na realidade, o líder da equipe viu que precisava abrir o jogo. "Foi aí que começou a acertar as coisas", disse o *coach* dele.

Psicóloga da Universidade de New Hampshire, Vanessa Druskat considera que equipes de alto desempenho seguem normas que aprimoram a autoconsciência coletiva, como trazer à tona discordâncias latentes e resolvê-las antes que elas explodam.

Um recurso para lidar com as emoções da equipe: criar hora e lugar para conversar sobre o que está passando pela cabeça das pessoas. A pesquisa de Druskat, feita com Steven Wolff, descobriu que muitas equipes não fazem isso — das normas listadas no estudo, é a demonstrada com menor frequência. "Mas se uma equipe faz isso", ela diz, "há uma grande recompensa positiva.

"Eu estava na Carolina do Norte trabalhando com uma equipe, e o recurso que usamos para ajudá-los a discutir questões emocionalmente carregadas foi um grande elefante de cerâmica", Druskat me contou. "Todos concordaram com uma norma que dizia: qualquer um, em qualquer momento, pode pegar o elefante e dizer: 'Eu quero levantar um elefante', querendo dizer que queria falar sobre algo que o estava incomodando.

"Imediatamente, um cara — e estamos falando apenas de altos executivos — fez isso. Ele começou a falar sobre como estava ocupado e como outras pessoas da equipe não se davam conta disso e estavam demandando demais do seu tempo. 'Vocês precisam se dar conta de que esta é a minha época do ano mais movimentada', ele disse aos demais. Seus colegas disseram que não faziam ideia disso e estavam todos se perguntando por que ele andava tão indiferente. Alguns estavam levando aquilo para o lado pessoal. Depois disso, vários outros falaram, colocando coisas para fora, limpando o ar. Em menos de uma hora, aquela parecia uma equipe completamente diferente."

"Para colher a sabedoria coletiva de um grupo são necessárias duas coisas: presença atenta e sensação de segurança", diz Steven Wolff, diretor do GEI Partners.[13] "É preciso ter um modelo mental compartilhado de que se está num lugar seguro — e não algo do tipo *Se eu disser a coisa errada vou ganhar uma anotação no meu arquivo*. As pessoas precisam se sentir livres para falar.

"Estar presente", Wolff esclarece, "significa estar consciente do que está acontecendo e fazer perguntas a respeito. Eu aprendi a valorizar emoções negativas — não é que eu goste delas, mas elas apontam para um pote de ouro no final do arco-íris caso consigamos nos manter presentes para elas. Quando sentir uma emoção negativa, você deve parar e perguntar a si mesmo: 'O que está acontecendo aqui?', para que possa começar a compreender a questão por trás dos sentimentos, e então compreender o que está acontecendo dentro de você que é visível para a equipe. Mas isso exige que o grupo seja um contêiner seguro, para que você possa dizer o que realmente está acontecendo".

Esse ato coletivo de autoconsciência limpa o ar da estática emocional. "Nossa pesquisa", Wolff acrescenta, "mostra que esse é um sinal de uma equipe de alto desempenho. Fica mais fácil dar um tempo para trazer à tona e explorar os sentimentos negativos da equipe".

Como ocorre com os indivíduos, equipes de ponta se destacam no foco triplo. Para uma equipe, autoconsciência significa se ligar às necessidades de seus membros, trazendo problemas à tona e estabelecendo intencionalmente regras que ajudam — como "levantar o elefante". Algumas equipes criam regras como um "check-in" diário no começo de uma reunião para saber como cada pessoa está se sentindo.

A empatia de uma equipe se aplica não apenas à sensibilidade entre os membros, mas também à compreensão da visão e dos sentimentos de outras pessoas e grupos com quem a equipe tem contato — uma empatia de nível grupal.

As melhores equipes também interpretam a dinâmica da organização com eficiência. Druskat e Wolff descobriram que esse tipo de consciência sistêmica está fortemente ligado ao desempenho positivo da equipe.

O foco da equipe pode se voltar tanto para alguém a quem ajudar na organização mais ampla, quanto para onde encontrar os recursos e a atenção de que a equipe precisa para cumprir suas metas. Ou pode se voltar para as preocupações dos outros membros da organização capazes de influenciar as aptidões da equipe, ou ainda se perguntar se o que a equipe está pensando coincide com a estratégia maior e as metas da unidade.

Equipes de ponta também costumam se envolver em encontros de *coaching* coletivos, onde uma equipe reflete periodicamente sobre seu funcionamento como grupo para promover mudanças com base nessa reflexão — um exercício de autoconsciência grupal. Segundo Druskat, um feedback tão sincero de dentro "aumenta a efetividade do grupo, principalmente no começo".

Elas também criam uma atmosfera positiva. Divertir-se é um sinal de fluxo compartilhado. Tim Brown, CEO da IDEO, uma consultoria de inovação, chama isso de "brincadeira séria". Ele diz: "Brincar é igual a confiar, um espaço em que as pessoas podem correr riscos. Apenas correndo riscos é que chegamos às ideias mais valiosas."

PARTE SETE

O QUADRO MAIS AMPLO

21

LIDERANDO PARA O FUTURO DISTANTE

Meu falecido tio Alvin Weinberg foi um físico nuclear que frequentemente fazia o papel da consciência de sua área. Foi demitido como diretor do Laboratório Nacional de Oak Ridge depois de 25 anos no cargo, porque não parava de falar sobre os perigos da segurança dos reatores e do lixo nuclear. Ele também, de maneira controversa, se opôs a usar o tipo de combustível reator que produz material para armas.[1] Então, como fundador do Instituto para Análise de Energia, deu início a uma das pioneiras unidades de pesquisa e desenvolvimento no país sobre energia alternativa. Foi um dos primeiros cientistas a alertar sobre a ameaça do CO_2 e do aquecimento global.

Um dia, Alvin me confidenciou sua ambivalência em relação a empresas privadas, visando ao lucro, gerenciarem usinas de energia nuclear, temendo que o objetivo do lucro significasse que elas teriam de reduzir medidas de segurança — uma premonição do que acabou contribuindo para o desastre de Fukushima, no Japão.[2]

Alvin ficava especialmente perturbado com o fato de que a indústria da energia nuclear nunca havia resolvido o problema do que fazer com o lixo radioativo. Ele pediu que fosse encontrada uma solução que resistisse pelo mesmo tempo que o lixo se mantivesse radioativo — como uma instituição dedicada a guardar aquelas pilhas e manter as pessoas seguras por séculos ou milênios.[3]

Decisões tomadas com um horizonte distante em mente levantam perguntas como: De que modo o que fazemos hoje terá importância em um século, ou em quinhentos anos, para os netos dos netos dos nossos netos?

Nesse futuro longínquo, as especificidades das nossas ações de hoje podem muito bem desaparecer como sombras distantes de ancestrais esquecidos. O que poderia ter mais consequências duradouras são as regras que estabelecemos, os princípios de ação organizadores que sobrevivem por muito mais tempo depois da morte de seus criadores.

Existem grupos de pesquisas, bem como grupos corporativos e governamentais, que pensam profundamente sobre possíveis cenários futuros. Vamos considerar as seguintes projeções para o mundo em 2025, feitas pelo [U. S. National Intelligence Council [Conselho Nacional de Inteligência dos Estados Unidos]:[4]

- Impactos ecológicos da atividade humana irão produzir escassez de recursos como solo cultivável.
- A demanda econômica por energia, comida e água irá superar rapidamente os recursos disponíveis — a falta d'água começará em breve.
- Essas tendências irão criar choques e perturbações em nossas vidas, economias e nos sistemas políticos.

Quando esse relatório foi entregue, o governo federal ignorou os resultados. Não há qualquer agência, escritório ou posicionamento particular do governo encarregado em agir para o longo prazo. Políticos preferem focar no curto prazo — no que é preciso para se reeleger, principalmente — sem prestar praticamente nenhuma atenção ao que precisa ser feito agora para proteger as gerações futuras. Os políticos, como os líderes empresariais, normalmente tomam decisões para o ganho no curto prazo, não para a realidade do longo prazo. Manter seus empregos exige mais atenção deles do que salvar o planeta ou os pobres.

Assim como os políticos e os empresários, a maioria de nós prefere soluções imediatas. Psicólogos cognitivos acreditam que as pessoas tendem a favorecer o agora em decisões de todos os tipos, como *vou comer uma torta com sorvete agora e talvez comece uma dieta depois.*

Isso também faz parte das nossas metas. "Nós nos ocupamos do presente, do que é necessário para o sucesso agora", diz Elke Weber, a cientista cognitiva da Universidade de Columbia. "Mas isso é ruim para as metas mais distantes, que não recebem a mesma prioridade na mente. O foco futuro se torna um luxo, esperando que as necessidades presentes sejam atendidas primeiro."

Em 2003, o prefeito de Nova York, Michael Bloomberg, decretou a proibição do fumo em bares. A decisão foi fortemente combatida — proprietários de bares disseram que a medida iria destruir seus negócios; os fumantes a odiaram. Bloomberg respondeu: "Vocês podem não gostar, mas irão me agradecer dentro de vinte anos."

Quanto tempo leva para que a reação do público se torne positiva? Elke Weber olhou para a proibição de cigarros de Bloomberg, entre outras decisões do gênero, para responder à pergunta: "Fizemos estudos de caso de quanto tempo levou para que uma mudança que foi inicialmente impopular se tornasse o novo e aceito status quo. Nossos dados demonstram que o período é de seis a nove meses.

"Até mesmo os fumantes passaram a gostar da proibição depois de um tempo", Weber acrescenta. "Passaram a gostar de ficar com outros fumantes ao ar livre. E todo mundo gosta que os bares não cheirem mais a fumaça impregnada."

Outro estudo de caso: o governo provincial da Columbia Britânica criou um imposto para emissões de carbono. Seria uma receita neutra: as taxas coletadas eram distribuídas entre os cidadãos da província. No começo, houve imensa oposição ao novo imposto. Mas, depois de um tempo, as pessoas começaram a gostar de receber seus cheques. Quinze meses depois, o imposto já era bem-visto pela população.[5]

"Os políticos estão encarregados do nosso bem-estar", diz Weber. "Eles precisam saber que as pessoas lhes agradecerão mais tarde por uma decisão difícil agora. É como criar adolescentes — às vezes ingrato no curto prazo, mas recompensador no longo prazo."

REMODELANDO SISTEMAS

Logo depois que o Furacão Sandy devastou grandes áreas da região da cidade de Nova York, falei com Jonathan F. P. Rose, um dos fundadores do movimento de planejamento de comunidades verdes, que estava escrevendo um livro que vê as cidades como sistemas.[6] "Estamos num ponto de inflexão sobre a crença de que a mudança climática é um problema sério para o longo prazo com que precisamos lidar", disse Rose. "Os piores efeitos do Sandy foram sobre a região de Wall Street. Não se ouve ninguém negando o aquecimento do clima atualmente. Na cultura de Wall Street, um trimestre é muito tempo. Mas o Sandy pode tê-los feito pensar num horizonte de tempo muito mais distante.

"Se reduzíssemos nossa produção de gases de efeito estufa hoje, ainda assim levaria pelo menos trezentos anos para o clima começar a esfriar, talvez muito mais", Rose acrescentou. "Temos fortes vieses cognitivos voltados para nossas necessidades do presente e pensamos pouco no futuro distante. Mas pelo menos estamos começando a reconhecer o grau ao qual pusemos os sistemas humano e natural em risco. Agora precisamos de uma liderança. Grandes líderes devem ter a fundamental visão de longo prazo que a compreensão de um sistema traz."

Reinventar os negócios para um futuro distante poderia significar encontrar valores compartilhados apoiados por todos os envolvidos, de acionistas a funcionários, de consumidores a comunidades em que uma empresa opera. Alguns chamam isso de "capitalismo consciente", orientando o desempenho de uma empresa para beneficiar a todos os envolvidos, não apenas de olho nos números do trimestre que agradam aos acionistas (e estudos já demonstram que empresas como a Whole Foods e a Zappos, que têm essa visão mais ampla, na verdade se saem melhor financeiramente do que seus concorrentes orientados puramente pelo lucro).[7]

Se um líder for articular esses valores compartilhados efetivamente, ele precisa primeiro olhar para dentro de si para encontrar uma visão-guia genuinamente sincera. A alternativa pode ser vista nas declarações de missão vazias defendidas pelos executivos mas desmentidas pelas ações da empresa (ou deles mesmos).

Até mesmo os líderes de grandes empresas podem se cegar para consequências de longo prazo se sua perspectiva temporal é muito limitada. Para serem verdadeiramente ótimos, os líderes precisam expandir seus focos até um horizonte mais distante, décadas à frente, ao mesmo tempo que levam sua compreensão sistêmica a um foco muito mais apurado. E suas lideranças precisam reformular os próprios sistemas.

Isso me faz pensar em Paul Polman, CEO da Unilever, que me surpreendeu quando ambos participamos de um painel no Fórum Econômico Mundial, em Davos, na Suíça. Ele aproveitou a oportunidade para anunciar que a Unilever havia adotado a meta de diminuir a pegada ambiental da empresa pela metade até 2020 (isso foi em 2010, o que lhes dava uma década para chegar lá). Foi um anúncio elogiável, mas um pouco banal: muitas empresas socialmente responsáveis anunciam metas sobre o aquecimento global parecidas.[8]

Mas o que ele disse a seguir realmente me chocou: a Unilever está comprometida em obter sua matéria-prima agrícola junto a pequenas fazendas, com o objetivo de se ligar a meio milhão de pequenos produtores globalmente.[9] Os fazendeiros envolvidos cultivam principalmente chá, mas a iniciativa de abastecimento incluirá também safras de cacau, óleo de palma, baunilha, açúcar de coco e uma variedade de frutas e vegetais. As fazendas envolvidas estão em áreas que vão da África ao Sudeste da Ásia e na América Latina, com algumas na Indonésia, na China e na Índia.

A Unilever espera não apenas conectar esses pequenos fazendeiros à sua cadeia de suprimentos como também trabalhar com grupos como o Rainforest Alliance, para ajudá-los a melhorar suas práticas de cultivo e se tornarem fornecedores confiáveis em mercados globais.[10]

Para a Unilever, essa diversificação dos fornecedores diminui os riscos num mundo turbulento, em que a segurança alimentar desponta como um problema futuro. Para os fazendeiros, significa geração de renda e um futuro mais seguro.

Polman observou que esse redesenho da cadeia de suprimentos da empresa resultaria em muitos benefícios, como deixar mais dinheiro em fazendas comunitárias locais e melhorar a saúde e a educação dessas regiões. O Banco Mundial vê o apoio ao pequeno produtor como a forma mais eficiente de estimular o desenvolvimento econômico e reduzir a pobreza nas áreas rurais.[11]

"Em mercados emergentes, três em cada quatro pessoas de baixa renda dependem direta ou indiretamente da agricultura para seus sustentos", é o que diz Cherie Tan, que capitaneia a iniciativa da Unilever de comprar de pequenos produtores. Oitenta e cinco por cento do total de fazendas do mundo são desse tipo. "Então há ótimas oportunidades", ela acrescenta.

Se vemos uma empresa como pouco mais do que uma máquina de fazer dinheiro, ignoramos sua rede de conexões com pessoas que trabalham lá, as comunidades em que elas operam, seus consumidores e clientes, e a sociedade de um modo geral. Líderes com uma visão mais ampla trazem esses relacionamentos para o foco também.

Embora ganhar dinheiro seja importante, é claro, líderes com esta abertura aumentada prestam atenção em *como* ganham dinheiro e, assim, fazem escolhas de um modo diferente. Suas decisões operam por uma lógica que não se reduz a simples cálculos de lucro/prejuízo — ela vai além da linguagem da economia. Eles equilibram o retorno financeiro com o bem público.[12]

De acordo com esse ponto de vista, uma boa decisão permite que sejam atendidas tanto as necessidades do presente quanto aquelas de uma rede mais ampla de pessoas — incluindo futuras gerações. Esses líderes inspiram: eles articulam um propósito comum maior que dá significado e coerência ao trabalho de todos e envolve as pessoas emocionalmente através de valores que fazem com que elas se sintam bem em relação ao trabalho que executam, as motivam e as mantêm no caminho.

O foco em necessidades sociais pode por si só gerar inovação, se combinado com um campo expandido de atenção ao que as pessoas precisam. Gerentes da divisão indiana de uma empresa global de bens de consumo viram camponeses com os rostos cheios de cortes por conta do uso de lâminas de barbear enferrujadas. Assim, encontraram meios de produzir novas lâminas que fossem baratas o suficiente para que aqueles homens pudessem comprá-las.[13]

Projetos como esse criam climas organizacionais em que o trabalho tem significado e envolve as paixões das pessoas. Quanto às equipes que desenvolveram as lâminas mais baratas, seus esforços ganham uma maior probabilidade de se tornarem um “bom trabalho”: onde as pessoas estão engajadas, trabalham com excelência e encontram sentido no que fazem.

OS LÍDERES DO QUADRO MAIS AMPLO

Imagine o impacto do que vem acontecendo há anos na empresa de sorvetes Ben & Jerry’s. Um de seus sabores mais populares, Chocolate Fudge

Brownie, precisa que brownies sejam misturados ao sorvete. A Ben & Jerry's recebe seus carregamentos desses saborosos bolos da padaria Greyston, localizada numa vizinhança pobre do Bronx. A padaria treina e emprega pessoas com dificuldade de encontrar trabalho, inclusive pais que já viveram nas ruas com suas famílias e agora vivem em conjuntos habitacionais de baixo custo. O lema da padaria é: "Não contratamos pessoas para fazer brownies. Fazemos brownies para contratar pessoas."

Atitudes como esta refletem perfeitamente um novo tipo de pensamento para abordar os problemas mais difíceis. Mas há um ingrediente escondido em qualquer solução verdadeira: aprimorar nossa atenção e compreensão — sobre nós mesmos, os outros, nossas comunidades e sociedades.

No sentido de que os líderes influenciam ou orientam as pessoas na direção de um objetivo compartilhado, a liderança é algo amplamente distribuído. Seja numa família, nas redes sociais, numa organização ou na sociedade como um todo, somos todos líderes, de um jeito ou de outro.

O líder bom o suficiente opera com a suposição de um sistema que beneficie um único grupo, executando uma missão como foi orientado a fazer, operando com um único nível de complexidade. Um grande líder, ao contrário, define uma missão, age em muitos níveis e aborda os problemas mais graves. Grandes líderes não se contentam com os sistemas como eles são, mas veem aquilo que eles podem se tornar e então trabalham para melhorá-los, para beneficiar um círculo mais amplo.

Há também aquelas almas raras que passam da mera competência à sabedoria, e então operam em benefício da própria sociedade em vez de um grupo político ou um negócio específico. Elas são livres para pensar muito, muito longe. Seus pensamentos incluem o bem-estar da humanidade como um todo, não um único grupo. Eles veem as pessoas como Nós, não como Nós e Eles. E deixam um legado para as futuras gerações — esses são os líderes de que nos lembraremos um século ou mais depois. Pense em Jefferson e Lincoln, Gandhi e Mandela, Buda e Jesus.

Uma das desordens cruéis de hoje é o paradoxo do Antropoceno: sistemas humanos impactam os sistemas globais que dão sustentação à vida, no que parece estar caminhando para um crash de sistema em câmera lenta. Encontrar soluções demanda um raciocínio antropocênico, compreender os pontos de alavancagem dentro das dinâmicas desses sistemas de modo a redefinir um curso para um futuro melhor. Esse nível de complexidade se soma a camadas de outras questões que estão diante dos líderes hoje, enquanto os desafios se tornam cada vez mais complexos.

Por exemplo, através dos impactos ecológicos e de saúde do nosso estilo de vida, as pessoas mais ricas do mundo estão criando sofrimento desproporcional para os mais pobres. Talvez tenhamos de reinventar nossos próprios sistemas econômicos, fatorando-os em necessidades humanas, não apenas em crescimento econômico.

Considere o crescente abismo entre os muito mais ricos e poderosos e os mais pobres em todo o mundo. Enquanto os ricos detêm o poder, como vimos, o próprio status os deixa cegos às verdadeiras condições dos pobres, deixando-os indiferentes a esse sofrimento. Quem, então, pode falar a verdade para o poder?

"Civilizações deveriam ser julgadas não pela maneira como tratam as pessoas mais próximas do poder, mas pela maneira como tratam aquelas mais distantes dele — seja por raça, religião, gênero, riqueza ou classe — ao longo do tempo", diz Larry Brilliant. "Uma grande civilização teria compaixão e amor por elas também."

Embora os benefícios e prazeres de uma economia robusta sejam sedutores, há também as "doenças da civilização", como o diabetes e as doenças cardíacas, que pioram com os rigores e com o estresse das rotinas que tornam esse estilo de vida possível (e também, é claro, com essa maravilha econômica que é a junk food). Isso se intensifica quando fracassamos em tornar os serviços médicos igualmente disponíveis para todos.

Há ainda os eternos problemas de desigualdade na educação e no acesso às oportunidades. Países e culturas que privilegiam um grupo de elite enquanto reprimem outros. Nações que estão falindo, degenerando para feudos em guerra — e assim por diante.

Problemas de tamanha complexidade e urgência demandam uma abordagem de solução de problemas que integre nossa autoconsciência e a forma como agimos, além de nossa empatia e compaixão, com uma compreensão detalhada dos sistemas em jogo.

Para começar a abordar essas questões, precisamos de líderes que foquem em vários sistemas: geopolítico, econômico e ambiental, para citar alguns. Mas, infelizmente para o mundo, o problema com muitos líderes é que eles têm o foco estreito demais. Estão preocupados com os problemas imediatos de hoje e, assim, não têm amplitude de foco suficiente para os desafios de longo prazo que enfrentamos como espécie.[14]

Peter Senge, que leciona na Escola de Administração Sloan do MIT, desenvolveu a "organização da aprendizagem", que leva a compreensão sistêmica para dentro das empresas.[15] "Essencial para a compreensão dos sistemas é o seu horizonte de tempo", Senge me disse. "Se ele é curto demais, você irá ignorar os ciclos de feedback essenciais e pensará em soluções de curto prazo que não funcionarão no longo prazo. Mas se esse horizonte for longo o bastante, você terá uma chance de visualizar melhor os sistemas-chave em ação."

"Quanto maior for o seu horizonte", Senge acrescenta, "maior o sistema que você conseguirá enxergar."

Mas "transformar sistemas de larga escala é difícil", disse Rebecca Henderson num encontro do MIT sobre sistemas globais. Henderson leciona ética e meio ambiente na Harvard Business School e usa um modelo sistêmico para buscar soluções. Reciclar, por exemplo, ela observa, representa "mudança nas margens", enquanto abandonar o combustível fóssil completamente representaria uma mudança no sistema.

Henderson, que também ministra um curso surpreendentemente popular na escola de administração sobre "reimaginar o capitalismo", defende uma transparência que informasse precisamente, por exemplo, as emissões de CO_2 de cada empresa. Isso levaria os mercados a favorecerem quaisquer meios que diminuíssem essas emissões.

Na mesma reunião do MIT sobre sistemas globais em que Henderson falou, o Dalai Lama disse: "Precisamos influenciar os tomadores de decisão para prestarem atenção às questões que importam para a humanidade no longo prazo", como a crise ambiental e a desigualdade da distribuição de renda — "não apenas em seus interesses nacionais".

"Nós temos a capacidade de pensar como será o futuro daqui a vários séculos", disse o Dalai Lama, acrescentando: "Comece a tarefa mesmo que ela não vá ser terminada durante a sua vida. Esta geração tem a responsabilidade de remodelar o mundo. Se fizermos um esforço, isso poderá ser realizado. Mesmo que tudo pareça sem esperanças agora, nunca desista. Ofereça uma visão positiva, com entusiasmo e alegria, e uma perspectiva otimista."

Um foco triplo pode nos ajudar a nos tornarmos bem-sucedidos, mas com que objetivo? Devemos perguntar a nós mesmos: a serviço do que exatamente estamos usando quaisquer que sejam nossos talentos? Se nosso foco serve apenas para nossos objetivos pessoais — interesse próprio, recompensa imediata e o nosso pequeno grupo —, no longo prazo, todos nós, como espécie, estamos condenados.

Uma lente mais ampla para o nosso foco abrange sistemas globais, considera as necessidades de todos, inclusive dos pobres e fracos, e olha para muito adiante no tempo. Não importa o que estejamos fazendo ou que decisões estejamos tomando, o Dalai Lama sugere esses autoquestionamentos para avaliar nossa motivação:

É apenas para mim, ou para outros?

É para o benefício de poucos, ou de muitos?

É para agora, ou para o futuro?

Agradecimentos

Este livro foi costurado pelos fios de múltiplas fontes, muitas das quais pessoas com quem conversei. Seus insights enriqueceram meu pensamento, e eu citei essas pessoas generosas ao longo do texto. Além dos que foram mencionados no livro, sou grato às seguintes pessoas por suas orientações, dicas, histórias, e-mails, apartes casuais, observações etc.:

Steve Arnold, da Polaris Venture Partners; Rob Barracano, da Faculdade de Champlain; Bradley Connor, MD, do Centro Médico de Weill Cornell; Toby Cosgrove, da Clínica Cleveland; Howard Exton-Smith, da Oxford Change Management; Larry Fink, da BlackRock; Alan Gerson, da AG International Law; Roshi Bernie Glassman, da Zen Peacemakers; Bill Gross, da Idealab; Nancy Henderson, da Academy at Charlemont; Mark Kriger, da BI Norwegian Business School; Janice Maturano, do Instituto para a Liderança de Atenção Plena; David Mayberg, da Universidade de Boston; Charles Melcher, do Future of Storytelling; Walter Robb, da Whole Foods Market; Peter Miscovich, da Jones Lang La-Salle; John Noseworthy, da Clínica Mayo; Miguel Pestana, da Unilever; Daniel Siegel, da UCLA; Josh Spear, da Undercurrent; Jeffrey Walker, da MDG Health Alliance; Lauris Woolford, do Banco Fifth Third; Jeffrey Young, do Centro de Terapia Cognitiva de Nova York. Um agradecimento especial a Tom Roepke, que me recebeu gentilmente na Escola Pública 112, e a Wendy Hasenkamp, do Insituto Mente e Vida, pelo seu feedback perceptivo. Àqueles inadvertidamente omitidos dessa lista, deixo também minha gratidão.

Agradeço aos meus colegas, membros do Conselho de Liderança do Fórum Econômico Mundial e do grupo de Liderança de Atenção Plena em

Cambridge, por um conjunto de insights atenciosos. Outra fonte de pontos cruciais foram as discussões entusiasmadas com o Grupo de Pesquisa Colaborativa sobre Inteligência Emocional nas Organizações (do qual sou codiretor), uma rede global de profissionais ligados a organizações e pesquisadores acadêmicos.

Além disso, estou colhendo dados ainda não publicados de estudos conduzidos por meus colaboradores no Hay Group, a consultoria global que fez uma parceria comigo no desenvolvimento do Inventário de Competências Emocionais e Sociais (*Emotional and Social Competence Inventory* – ESCI), uma avaliação de desenvolvimento de liderança. Um muito obrigado a Yvonne Sell, do Hay Group de Londres, por sua pesquisa usando esse instrumento, e a Ruth Malloy, do Hay Group de Boston. E também a Garth Havers, na África do Sul; a Scott Speier, em Boston; e a Georg Veilmetter, em Berlim.

Como sempre, tenho uma dívida especial com Richard Davidson, grande amigo e fonte superatualizada de dados em neurociência, com paciência para explicá-los todos e para responder minhas perguntas intermináveis. Rowan Foster, meu assistente, tem sido fiel em procurar artigos sobre pesquisas, às vezes obscuros, e em manter esse trem nos trilhos.

E minha esposa, Tara Bennett-Goleman, tem sido uma fonte inesgotável de compreensão, insights, inspiração e amor.

Fontes

DANIEL GOLEMAN

Para mais informações: www.DanielGoleman.info
Para contactar Daniel Goleman: Contact@danielgoleman.info
Para adquirir a versão em áudio deste livro e o treinamento que a acompanha, "Cultivando o foco", assim como outros áudios, DVDs e livros de Daniel Goleman: www.MoreThanSound.net

Organizações

Daniel Goleman é codiretor do Grupo de Pesquisa Colaborativa sobre Inteligência Emocional nas Organizações, com sede na Universidade de Rutgers, que promove pesquisas entre acadêmicos e profissionais de organizações: www.creio.org
Daniel Goleman é membro e faz parte do conselho fundador do Instituto Mente e Vida, que teve início ao produzir reuniões do Dalai Lama com cientistas, e agora conduz uma série de iniciativas, promovendo inclusive pesquisas sobre métodos contemplativos: www.mindandlife.org
Daniel Goleman é cofundador da Cooperativa para Aprendizagem Acadêmica, Social e Emocional, atualmente sediada na Universidade de Illinois, em Chicago, que estabeleceu as melhores diretrizes práticas para a aprendizagem social e emocional em escolas e promove pesquisas sobre os programas desenvolvidos: www.casel.org

INFORMAÇÕES SOBRE A ATENÇÃO PLENA

O Centro para a Atenção Plena em Medicina, Saúde e Sociedade, fundado por Jon Kabat-Zinn no Centro Médico de Massachusetts, tem se dedicado ao uso, amplamente difundido, da redução do estresse baseada na atenção plena nos cuidados de saúde e na medicina, assim como em áreas tão diversas quanto o sistema prisional e a psicoterapia: www.umassmed.edu/cfm

"Atenção Plena na Educação" e "Sistemas e Meio Ambiente": ambos são programas do Instituto Garrison: www.garrisoninstitute.org

"Sistemas e Sustentabilidade" se tornou um programa da Associação Peter Senge para Aprendizagem Organizacional: www.solonline.org

A transparência ecológica numa perspectiva sistêmica, e vista através da fina lente da análise do ciclo de vida, foi desenvolvida em vários sentidos na Fundação New Earth, dando origem, em particular, à *Earthster*, uma plataforma *business-to-business* de transparência ecológica em cadeias de suprimentos; à *Handprinter*, uma maneira positiva de monitorar nossos impactos ambientais; e à *Social Hotspots*, que identifica nas cadeias de suprimentos questões como injustiça social ou tratamento inadequado a trabalhadores: www.newearth.info

Liderança de Atenção Plena é o foco do que Chad-Meng Tan desenvolveu a partir do seu trabalho no Google: o Instituto de Liderança Procure Dentro de Você Mesmo: www.siyli.org

LIVROS E AUDIOLIVROS RECOMENDADOS

Teresa Amabile e Steven Kramer, *The Progress Principle* (O princípio do progresso). Boston: Harvard Business Review Press, 2011.

Tara Bennett-Goleman, *Emotional Alchemy* (Alquimia emocional). Nova York: Three Rivers Press, 2002.

Tara Bennett-Goleman, *Mind Whispering: A New Map to Freedom From Self-Defeating Emotional Habits* (Sussurros da mente: um novo esquema para se libertar de hábitos emocionais derrotistas). São Francisco: HarperOne, 2013.

Mirabai Bush, *Mindfulness at Work I* (Atenção plena no trabalho I) [em áudio]. Northampton, MA: MoreThanSound Productions, 2013.

Thomas H. Davenport e John C. Beck, *A Economia da Atenção: Compreendendo o novo diferencial de valor dos negócios.* Rio de Janeiro: Elsevier, 2001.

Richard J. Davidson e Sharon Begley, *O Estilo Emocional do Cérebro.* Rio de Janeiro: Sextante, 2013.

Jean Decety e William Ickes (org.), *The Social Neuroscience of Empathy* (A neurociência social da empatia). Cambridge, MA: The MIT Press, 2011.

K. Anders Ericsson (org.), *The Road to Excellence: The acquisition of expert performance in the arts and sciences, sports and games* (A estrada para a excelência: a aquisição do desempenho de especialista em artes, ciências, esportes e jogos). Nova Jersey: Lawrence Erlbaum Associates, 1996.

Eugene T. Gendlin, *Focusing* (Focando). Nova York: Bantam Books, 1982.

Bill George, *Liderança Autêntica: Resgate os valores fundamentais e construa organizações duradouras*. São Paulo: Editora Gente, 2009.

Daniel Goleman, *Inteligência Ecológica: O impacto do que consumimos e as mudanças que podem melhorar o planeta*. Rio de Janeiro: Campus, 2009.

Daniel Goleman, *Leadership: The power of emotional intelligence* (Liderança: o poder da inteligência emocional). Northampton, MA: MoreThanSound Productions, 2012.

Daniel Goleman, *Relax* (Relaxe) [em áudio]. Northampton, MA: MoreThan Sound Productions, 2012.

Daniel Goleman, *Inteligência Social: O poder das relações humanas.* Rio de Janeiro: Elsevier, 2011.

Jon Kabat-Zinn, *Wherever You Go, There You Are* (Onde quer que você vá, lá está você). Nova York: Hyperion, 2005.

Daniel Kahneman, *Rápido e Devagar: Duas formas de pensar.* Rio de Janeiro: Objetiva, 2012.

Linda Lantieri, *Building Emotional Intelligence: Techniques to Cultivate Inner Strength in Children* (Construindo a inteligência emocional: técnicas para cultivar a força interior em crianças). Boulder, CO: Sounds True, 2008.

Michael Posner e Mary Rothbart, *Educating the Human Brain* (Educando o cérebro humano). Washington: American Psychological Association, 2006.

Daniel J. Siegel, *The Mindful Brain: Reflection and Attunement in the Cultivation of Well-Being* (O cérebro em atenção plena: reflexão e harmonização para o cultivo do bem-estar). Nova York: W. W. Norton & Company, 2007.

John D. Sterman, *Business Dynamics: Systems Thinking and Modeling for a Complex World* (A dinâmica dos negócios: pensamentos e modelos sistêmicos para um mundo complexo). Nova York: McGraw-Hill, 2000.

Chade-Meng Tan, *Search Inside Yourself. The Unexpected Path to Achieving Success, Happiness and World Peace* (Procure dentro de você: a trilha inesperada para o sucesso, a felicidade e a paz mundial). São Francisco: HarperOne, 2012.

Notas

CAPÍTULO 1. A HABILIDADE SUTIL

1 Por exemplo, o tronco cerebral, logo acima da medula espinhal, abriga o barômetro neural que percebe a nossa relação com o ambiente e aumenta ou diminui o nível de alerta de energia e atenção de acordo com quão vigilantes precisamos estar. Mas cada aspecto da atenção tem seu próprio circuito distinto. Para conceitos básicos, ver: Michael Posner e Steven Petersen, The Attention System of the Human Brain (O sistema de atenção do cérebro humano), *Annual Review of Neuroscience*, 1990, 13: 25-42.

2 Esses sistemas incluem, por exemplo, o biológico e o ecológico; o econômico e o social; o químico e o físico — tanto a física newtoniana quanto a quântica.

3 M. I. Posner e M. K. Rothbart, Research on Attention Networks as a Model for the Integration of Psychological Science (Pesquisas sobre redes de atenção como um modelo para a integração da ciência psicológica), *Annual Review of Psychology* 58 (2007): 1-27, p. 6

4 Anne Treisman, How the Deployment of Attention Determines What We See (Como a aplicação da atenção determina o que vemos), *Visual Search and Attention* 14 (2006): 4-8.

5 Ver Nielsen Wire, 15 de dezembro de 2011. <http://blog.nielsen.com/nielsenwire/online_mobile/new-mobile-obsession-u-s-teens-triple-data-usage/>

6 Mark Bauerlein, Why Geny-Y Johnny can't read nonverbal cues (Por que o Johnny da Geração Y não sabe ler sinais não verbais), *Wall Street Journal*, 28 de agosto de 2009.

7 Os critérios para ser "viciado" não especifica um número absoluto de horas para jogar video game (ou doses de bebida, aliás), mas se concentra em de que forma o hábito cria problemas em outras partes da vida — na escola, socialmente ou dentro da família. Um vício em jogar video game pode provocar destruição pessoal semelhante ao abuso de drogas ou bebidas. Daphne Bavelier et al., Brains on Video Games (Cérebros em video games), *Nature Reviews Neuroscience* dezembro de 2011, Vol. 12, 763-768.

8 Wade Roush, Social Machines (Máquinas sociais), *Technology Review*, agosto de 2005.

9 Herbert Simon, Designing organizations for an information-rich world (Projetando organizações para um mundo repleto de informação), em Donald M. Lamberton, ed., *The Economics of Communication e Information*. Cheltenham, Inglaterra: Edward Elgar, 1997. Citado em Thomas H. Davenport e John C. Back, *A economia da atenção*. Editora Campus, 2001.

CAPÍTULO 2. NOÇÕES BÁSICAS

1. Atenção: William James, Principles of Psychology (Princípios de Psicologia), 1890, citado em Schooler et al., 2011.
2. Ronald E. Smith et al., Measurement and correlates of sport-specific cognitive and somatic trait anxiety: The sport anxiety scale (Medidas e correlatos de traços somáticos e cognitivos de ansiedade específica de esportes: a escala da ansiedade esportiva), *Anxiety, Stress & Coping: An International Journal* 2, 4, 1990. 263-280
3. Tentar se focar em uma coisa e ignorar todo o resto representa uma espécie de conflito para o cérebro. O mediador de tais conflitos mentais é o córtex cingulado anterior (CCA), que localiza esses problemas e recruta outras partes do cérebro para resolvê-los. Para se concentrar num foco de atenção, o CCA aciona as áreas pré-frontais para controle cognitivo, o que silencia os circuitos que causam distração e os amplia para obter foco completo.
4. Cada uma dessas capacidades essenciais reflete aspectos da atenção que figura em nossa exploração aqui. Richard J. Davidson e Sharon Begley, *O estilo emocional do cérebro*, Sextante, 2013.
5. Captura de fase: Heleen A. Slagter et al., Theta phase synchrony and conscious target perception: Impact of intensive mental training (Sincronia da fase teta e percepção-alvo consciente: o impacto do treinamento mental intensivo), *Journal of Cognitive Neuroscience* 21, 8, 2009. 1536-1549.
6. O córtex pré-frontal mantém nossa atenção enquanto uma região próxima, o córtex parietal, a aponta para um alvo em particular. Quando nossa concentração diminui, essas regiões silenciam, e nosso foco fica à deriva, indo de uma coisa para outra, conforme elas atraem nossa atenção.
7. Nesses estudos, os cérebros de pessoas com TDAH demonstravam muito menos atividade na área pré-frontal e menos sincronia de captura de fase: A. M. Kelly et al., Recent advances in structural and functional brain imaging studies of attention-deficit/hiperactivity disorder (Avanços recentes em estudos de imagens cerebrais estruturais e funcionais do transtorno de déficit de atenção/hiperatividade), *Behavioral and Brain functions* 4, 2008. p. 8.
8. Estudos identificam mentes de leitores divagadores: Jonathan Smallwood et al., Counting the cost of an absent mind: Mind wandering as an underrecognized influence on educational performance (Contabilizando o custo de uma mente ausente: a divagação da mente como influência pouco reconhecida no desempenho educacional), *Psychonomic Bulletin and Review*, 2007, 14,12, 230-236.
9. Nicholas Carr, *The Shallows* (Os superficiais). Nova York: Norton, 2011.
10. Martin Heidegger, *Discourse on Thinking* (Discurso sobre o pensamento). Nova York: Harper & Row, 1966, p. 56. Heidegger é citado em Carr, 2011, em seu alerta sobre "o que a internet está fazendo com nossos cérebros" — que não é algo muito bom, sob seu ponto de vista.
11. George A. Miller, The magical number seven, plus or minus two: some limits on our capacity for processing information (O mágico número sete, mais ou menos dois: alguns limites na nossa capacidade de processar informação), *Psychological Review* 63 (1956): 81-97.
12. Steven J. Luck e Edward K. Vogel, The capacity for visual working memory for features e conjunctions (A capacidade de memória de trabalho visual para características e conjunções), *Nature* 390, 1997, 279-281.
13. Clara Moskowitz, "Mind's Limit Found: 4 Things at Once", *LiveScience*, 27 de abril, 2008/ http://www.livescience.com/2493-mind-limit-4.html
14. David Garlan et al., Toward distraction-free pervasive computing (Rumo à computação generalizada livre de distrações), *Pervasive Computing, IEEE*, 1,2, 2002. 22-31.

15 Clay Shirky, *Lá vem todo mundo*. Zahar, 2012.

16 Em política organizacional, laços fracos podem ser uma força oculta. Em organizações matriciais, em vez de lidar com linhas de comando, as pessoas costumam precisar influenciar alguém sobre quem não têm controle direto. Laços fracos correspondem a capital social, relacionamentos a que se pode apelar em busca de ajuda e conselhos. Sem quaisquer ligações naturais com outro grupo que precisa influenciar, suas chances são muito fracas.

17 Veja a entrevista de Thomas Malone em Edge.org, <http://edge.org/conversation/collective-intelligence>

18 Howard Gardner, William Damon, *Good Work (Bom trabalho)* [detalhes TK]; Mihaly Csikszentmihalyi, *Good Business (Bom negócio)*. Nova York: Viking, 2003.

19 Amostragem de fluxo e experiência: Mihaly Csikszentmihalyi e Reed Larson, Being Adolescent: Conflict and Growth in the Teenage Years (Ser adolescente: conflito e crescimento na adolescência). Nova York: Basic Books, 1984.

20 Pode haver inclusive um nível moderado de ativação de rede-padrão quando estamos "na zona". Michael Esterman et al., In the zone or zoning out? Tracking behavioral e neural fluctuations during sustained attention (Na zona ou fechando a mente? Rastreamento de flutuações comportamentais e neurais durante atenção continuada), *Cerebral Cortex*, publicado on-line: 31 de agosto de 2012.

CAPÍTULO 3. ATENÇÃO SUPERIOR E ATENÇÃO INFERIOR

1 Henri Poincaré, citado em Arthur Koestler, *The Act of Creation* (O ato da criação). Londres: Hutchinson, 1964, 115-116.

2 Alguns cientistas cognitivos chamam esses sistemas de "mentes" separadas; eu me referi ao sistema de cima para baixo como "via superior" e o de baixo para cima como "via inferior" em meu livro *Inteligência emocional*. Daniel Kahneman, em seu livro *Rápido e devagar: duas formas de pensar* (Objetiva, 2012), usa os termos "Sistema 1" e "Sistema 2", que ele chama de "ficções explicativas". Considero esses dois difíceis de se manterem, como "Coisa 1" e "Coisa 2" em *O gatola da cartola*. Dito isso, quanto mais se mergulha na estrutura neural, menos satisfatórias se tornam "a parte de cima" e "a parte de baixo". Mas servem.

3 Kahneman, 2012, p. 31.

4 A coluna humana é outro dos muitos exemplos em que a evolução apresentou um design bom o bastante, mas não perfeito: construído com base em sistemas mais antigos, aquela pilha de ossos de coluna única funciona adequadamente — embora um tripé flexível de três colunas tivesse sido muito mais forte. Qualquer pessoa com uma hérnia de disco ou artrite cervical pode testemunhar essas imperfeições.

5 Lolo Jones em Sean Gregory, Lolo's No Choke, *Time*, 30 de julho de 2012, 32-38.

6 Sian Beilock et al., When paying attention becomes counter-productive (Quando prestar atenção se torna contraproducente), *Journal of Experimental Psychology* 18, 1, 2002, 6-16.

7 Esforços para relaxar têm grandes chances de dar errado, principalmente em momentos em que estamos nos esforçando para desempenhar. Ver Daniel Wegner, Ironic effects of trying to relax under stress (Efeitos irônicos de tentar relaxar sob estresse), *Behaviour Research and Therapy*, 35, 1, 1997, 11-21.

8 Daniel Wegner, How to think, say or do precisely the worst thing for any occasion (Como pensar, dizer ou fazer exatamente a pior coisa para qualquer ocasião), *Science*, 3 de julho de 2009, 48-50.

9 Christian Merz et al., Stress impairs retrieval of socially relevant information (Estresse prejudica a recuperação de informações socialmente relevantes), *Behavioral Neuroscience*, 124, 2, 2010, 288-293.

10 Pesquisa com psicólogos: Unshrinkable (Impossíveis de analisar), *Harper's Magazine*, dezembro de 2009, 26-27.

11 Yuko Hakamata et al, Attention bias modification treatment (Tratamento de modificação de tendência de atenção), *Biological Psychiatry* 68, 11, 2010, 982-990.

12 Norman B. Schmidt et al., Attention training for generalized social anxiety disorder (Treinamento da atenção para transtorno de ansiedade social generalizado), J. Abnormal Psych., 118, 1, 2009. 5-14.

13 Chua, Roy Y. J. e Zou, Xi (Canny), The Devil Wears Prada? Effects of Exposure to Luxury Goods on Cognition and Decision Making (O diabo veste Prada? Efeitos da exposição a itens de luxo na cognição e na tomada de decisão), 2 de novembro de 2009, Unidade de Comportamento Organizacional da Harvard Business School, Artigo de trabalho Nº 10-034. Disponível em SSRN: http://ssrn.com/abstract=1498525 ou http://dx.doi.org/10.2139/ssrn.1498525.

14 Gavan J. Fitzsimmons et al., Non-conscious Influences on Consumer Choice (Influências não conscientes nas escolhas do consumidor), em *Marketing Letters*, 13:3, 2002, 269-279.

15 Sentimentos guiam o foco: Patrik Vuilleumier e Yang-Ming Huang, Emotional Attention: Uncovering the Mechanisms of Affective Biases in Perception (Atenção emocional: descobrindo os mecanismos das tendências afetivas na percepção), Current Directions in Psychological Science, 2009, 18:3, 148-152.

16 Arne Ohman et al., Emotion drives attention: Detecting the snake in the grass (A emoção guia a atenção: detectando a cobra no gramado), *Journal of Experimental Psychology: General*, 2001, 130, 3. 466-478.

17 Elizabeth Blagrove e Derrick Watson, Visual marking and facial affect: can an emotional face be ignored? (Marcação visual e influência facial: uma expressão emocional pode ser ignorada?), Emotion, 10,2, 2010, 147-68.

18 Resiliência: A. J. Schackman et al., Reduced capacity to sustain positive emotion in major depression reflects diminished maintenance of fronto-striatal brain activation (Uma capacidade reduzida de sustentar emoções positivas em depressões importantes reflete uma manutenção diminuída da ativação frontoestriatal do cérebro), PNAS, 106, 2009, 22445-50.

19 Ellen Langer, *Mindfulness [Atenção plena]*, Reading, MA: Addison-Wesley, 1989.

CAPÍTULO 4. O VALOR DE UMA MENTE À DERIVA

1 Metade dos nossos pensamentos: Eric Klinger, Daydreaming and fantasizing: thought flow and motivation (Sonhos acordados e fantasias: fluxo de pensamento e motivação), em K. D. Markman et al. (eds), *Handbook of Imagination e Mental Stimulation* (Manual de imaginação e estímulo mental). Nova York: Psychology Press, 225-240.

2 Kalina Christoff, Undirected thought: Neural determinants and correlates (Pensamentos não direcionados: determinantes e correlatos neurais), Brain Research.

3 Christoff, 2012, op cit p. 57.

4 Uma surpresa: Kalina Christoff et al., Experience sampling during fMRI reveals default network and executive system contributions to mind wandering (Amostragem experimental durante ressonância magnética revela as contribuições da rede-padrão e do sistema executivo

à divagação da mente), PNAS, 26 de maio de 2009, vol 106 nº 21, 8.719-8.724. As áreas executivas principais: o córtex cingulado anterior e o córtex pré-frontal dorso lateral. Padrão: córtex pré-frontal medial e circuitos relacionados.

5 J. Wiley e A.F. Jarosz, Working memory capacity, attentional focus, and problem solving (Capacidade de memória de trabalho, foco de atenção e resolução de problemas), *Current Directions in Psychological Science* (Direções atuais em ciências psicológicas), no prelo, 2012.

6 Funções da divagação da mente: Jonathan Schooler et al., Meta-awareness, perceptual decoupling e the wandering mind (Metaconsciência, desconexão perceptiva e a mente divagante), Trends in Cognitive Science, julho de 2011, 15, 7 319-326.

7 Serendip: citação em Steven Johnson, *De onde vêm as boas ideias*, Jorge Zahar, 2011.

8 Criatividade no TDAH: Holly White e Priti Singh, Creative style e achievement in adults with ADHD (Estilo criativo e realização em adultos com TDAH), *Personality e Individual Differences (Diferenças de personalidade e individuais)*, 50,5 673-677.

9 ADDH e ADD: Kirsten Weir, Pay attention to me (Preste atenção em mim), *Monitor on Psychology*, março de 2012, 70-72.

10 Shelley Carson et al., Decreased Latent Inhibition Is Associated With Increased Creative Achievement in High-Functioning Individuals (Inibição latente diminuída está associada a maiores realizações criativas em indivíduos de alto nível funcional), JPSP, Vol. 85(3), setembro de 2003, 499-506.

11 Siyuan Liu et al., Neural correlates of lyrical improvisation: An fMRI study of freestyle rap (Correlatos neurais de improvisação lírica: um estudo com ressonância magnética de rap Freestyle), *Scientific Reports*, 2, 834, 2012.

12 A frase de Einstein foi citada por Robert L. Oldershaw num comentário postado na revista *Nature* em 21 de maio de 2012.

13 Jaime Lutz, Peter Schweitzer, code breaker, photographer; loved music; at 80 (Peter Schweitzer, criptoanalista, fotógrafo; amava música; aos 80 anos), *The Boston Globe*, 17 de novembro de 2011. B14.

14 Vidas interiores do trabalho: mais de 12 mil registros diários de 238 trabalhadores do conhecimento: Teresa Amabile e Seven Kramer, The Power of Small Wins (O poder das pequenas vitórias) *Harvard Business Review*, maio de 2011. 72-80.

CAPÍTULO 5. ENCONTRANDO O EQUILÍBRIO

1 Essa questão foi feita a milhares de pessoas por um aplicativo do iPhone que faz o aparelho tocar em momentos aleatórios ao longo do dia. Em quase metade das vezes as mentes das pessoas se afastaram da atividade em que elas estavam envolvidas. Os psicólogos de Harvard Matthew Killingsworth e Daniel Gilbert, que desenvolveram o aplicativo, analisaram os relatórios de 2.250 homens e mulheres norte-americanos para ver com que frequência suas mentes estavam em outro lugar e como estavam seus humores. Ver Matthew Killingsworth e Daniel Gilbert, A wandering mind is an unhappy mind (Uma mente divagando é uma mente infeliz), *Science*, 12 de novembro de 2010, v. 330, 932.

2 Localizar o "eu" no córtex pré-frontal medial simplifica demais a questão, ainda que muitos neurocientistas cognitivos considerem isso conveniente. Uma versão mais complexa do "eu", o self é visto como um fenômeno emergente, com base na atividade de muitos circuitos neurais, inclusive o pré-frontal medial. Ver, por exemplo, J. Smallwood e J. W. Schooler, "The Restless Mind", *Psychological Bulletin* 132 (2006): 946-958.

3 Conversa mental: Norman A. S. Farb et al., Attending to the present: mindfulness meditation reveals distinct neural modes of self-reference (Comparecendo ao presente: meditação de atenção plena revela modos neurais distintos de autorreferência), SCAN, 2, 2007, 313-322.

4 E. D. Reichle et al., Eye movements during mindless reading (Movimentos dos olhos durante leitura desatenta), *Psychological Science*, 21, 1.300-1.310.

5 J. Smallwood et al., Going AWOL in the brain — mind wandering reduces cortical analysis of the task environment (Ausentando-se no cérebro — divagação mental reduz análise cortical do ambiente da tarefa), *J. Cogn. Neuroscience*, 20, 458-469; J. W. Y. Kam et al., Slow fluctuations in attentional control of sensory córtex (Flutuações lentas no controle da atenção do córtex sensorial), *J. Cogn.* Neurocience, 2011, 23, 460-470.

6 Cedric Galera, Mind wandering and driving: responsibility case-control study (Mind wandering and driving: responsibility case-control study), *British Medical Journal*, publicado on-line em 13 de dezembro de 2012. doi: 10.1136/bmj.e8105

7 O que significa que esses circuitos cerebrais nem sempre trabalham em oposição.

8 Cooperação: K.D. Gerlach et al., Solving future problems: default network and executive activity associated with goal-directed mental simulations (Resolvendo problemas futuros: rede-padrão e atividade executiva associadas a simulações mentais direcionadas a metas), *Neuroimage*, 2011, 55, 1.816-1.824.

9 Inversamente, quanto menos percebemos que nossa mente divagou, mais forte é a atividade nas zonas neurais destacadas, e maior sua força disruptiva sobre a tarefa em questão. Pelo menos duas regiões pré-frontais do cérebro envolvidas nesse desvio estão exatamente entre aquelas que percebem que saímos do trilho: o córtex pré-frontal dorsolateral e o cíngulo anterior dorsal.

10 Fora do caminho: Christoff et al., 2009, op cit. No entanto, observam os autores, esta conclusão é baseada na inferência reversa, a suposição de que se uma região cerebral é ativada durante uma tarefa mental ela é uma base neural para essa tarefa. Para habilidades cognitivas mais altas, isso pode não se sustentar, já que a mesma região pode ser ativada por processos mentais múltiplos e muito diferentes. Essa descoberta desafia a suposição de que as redes executiva e padrão sempre operam uma em oposição à outra — isto é, se uma está ativa, a outra está parada. Isso pode, de fato, ser o que ocorre em operações mentais bastante específicas, como foco intenso numa tarefa em andamento. Mas em grande parte da vida mental pode ajudar misturar o foco aumentado com uma abertura divagante. Isso certamente ajuda a passar o tempo durante uma longa viagem de carro. Ver também M. D. Fox et al., The human brain is intrinsically organized into dynamic, anticorrelated functional networks (O cérebro humano é intrinsecamente organizado em redes funcionais dinâmicas desassociadas), *PNAS*, 102: 9673-9678.

11 Déficit de atenção: Catherine Fassbender, A lack of default network suppression is linked to increased distractibility in ADHD (Falta de supressão de rede-padrão está ligada ao aumento da distração no TDAH), *Brain Research*, vol. 1.273, 114-128.

12 O teste de consciência aberta se chama "piscada de atenção". Ver H. A. Slagter et al., Mental training affects distribution of limited brain resources (Treinamento mental afeta a distribuição de recursos cerebrais limitados), 2007, *PLoS Biology*, 5, e 138.

13 William Falk, escrevendo na *The Week*, 10 de agosto de 2012, 3.

14 Stephen Kaplan, Meditation, Restoration, and the Management of Mental Fatigue (Meditação, restauração e o gerenciamento da fadiga mental), *Environment and Behavior*, 33, 480, 2001. <http://eab.sagepub.com/content/33/4/480>.

15 De baixo para cima: Marc Berman et al., The cognitive benefits of interacting with nature (Os benefícios cognitivos da interação com a natureza), *Psychological Science*, 2008, (19)12, 1.207-1.212.

16 Marc Berman, Jon Jonides e Stephen Kaplan, The cognitive benefits of interacting with nature (Os benefícios cognitivos da interação com a natureza), *Psychological Science*, 19, 12, 2008. 1.207-1.212.

17 Murais: Gary Felsten, Where to take a study break on the college campus: An attention restoration theory perspective (Onde fazer um intervalo nos estudos no campus da universidade: uma perspectiva da teoria da restauração da atenção), *Journal of Environmental Psychology*, março de 2009, 160-167.

CAPÍTULO 6. O LEME INTERNO

1 Uma técnica chamada "focalizando" ensina às pessoas como tirar proveito dessa sabedoria vital e externa à consciência, através da percepção de mudanças internas e sutis em sentimentos. Ver: Eugene Gendlin, Focusing (New York: Bantam, 1981).

2 John Allman, The von Economo neurons in the frontoinsular and cingulate anterior cortex (Os neurônios von Economo no córtex anterior frontoinsular e cingulado), *Anais da Academia de Ciências* de Nova York, 2011, 1.225, 59-71.

3 Discurso de Steve Jobs em Stanford em 2005: Lev Grossman e Harry McCracken, The inventor of the future (O inventor do futuro), *Time*, 17 de outubro de 2011. 44.

4 Ínsula e autoconsciência: A. D. Craing, How do you feel? Interoception: the sense of the physiological condition of the body (Como você está se sentindo? Interocepção: a noção da condição fisiológica do corpo), *Nature Reviews Neuroscience*, 3, 2002. 655-66.

5 Arthur D. Craig, How do you feel — now? The anterior insula and human awareness. (Como você está se sentindo — agora? A ínsula anterior e a consciência humana.), *Nature Reviews Neuroscience*, Vol. 10(1), jan 2009, 59-70. doi: 10.1038/nrn2555.

6 Alexitimia: G. Bird et al., Empathic brain responses in insula are modulated by levels of alexithymia but not autism (Respostas empáticas do cérebro na ínsula são moduladas por níveis de alexitimia, mas não autismo), *Brain*, 133, 2010, 1.515-1.525.

7 Marcadores somáticos: este circuito inclui o córtex somatossensorial insular direito e a amígdala, entre outros. Antonio Damasio, *The Feeling of What Happens (A sensação do que acontece)*, Nova York: Harcourt, 1999.

8 Os dois eus: Norman Farb et al. Attending to the present: mindfulness meditation reveals distinct neural modes of self-reference (Comparecendo ao presente: meditação de atenção plena revela modos neurais distintos de autorreferência), SCAN, 2007, 2, 313-322. *SCAN*, 2007, 2, 313-322.

CAPÍTULO 7. VENDO A NÓS MESMOS COMO OS OUTROS NOS VEEM

1 O abismo self-outro: os dados se baseiam na análise de avaliações TK 360. Ver Fabio Sala, Executive blindspots: Discrepancies between self-other ratings (Pontos cegos executivos: discrepâncias entre avaliações self-outro), *Journal of Consulting Psychology: Research and Practice*, 54, 4, 222-229.

2 Bill George e Doug Baker, *True North Groups (Verdadeiros grupos Norte)*. San Francisco: Berrett-Koehler Publishers, 2011. 28.

3 Nalini Ambady et al., Surgeon's tone of voice: A clue to malpractice history (O tom de voz do médico: sinal do histórico de erros médicos), *Surgery*,132, 1, 5-9, 2002.

4 Michael J. Newcombe e Neal M. Ashkanasy, The role of affective congruence in perceptions of leaders: an experimental study (O papel da congruência afetiva na percepção dos líderes: um estudo experimental), *Leadership Quarterly*, 13, 5, 2002. 601-604.

5 Daniel Kahneman, *Rápido e devagar, duas formas de pensar*. Editora Objetiva, 2012.

6 John U. Ogbu, *Minority Education and Caste: The american system in cross-cultural perspective* (Educação das minorias e castas: o sistema americano numa perspectiva multicultural). Nova York: Academic Press, 1978.

CAPÍTULO 8. UMA RECEITA PARA O AUTOCONTROLE

1 M.K. Rothbart et al., Self-regulation and emotion in infancy (Autorregulação e emoção na infância), em Nancy Eisenberg e R. A. Fabes (eds.) *Emotion and Its Regulation in Early Development: New Directions for Child Development* (A emoção e sua regulação do começo do desenvolvimento: novas direções para o desenvolvimento infantil) Nº 55. San Francisco: Jossey-Bass, 1992, pp 7-23.

2 Muitas disciplinas científicas veem o autocontrole como crítico para o bem-estar. Geneticistas comportamentais observam o quanto essas capacidades se devem aos nossos genes e quanto ao ambiente familiar em que nos criamos. Psicólogos do desenvolvimento monitoram como as crianças dominam o autocontrole conforme amadurecem, ficando progressivamente melhores com o atraso da gratificação, o gerenciamento dos impulsos, a autorregulação emocional, o planejamento e a consciência. Especialistas da saúde veem uma ligação entre o autocontrole e a longevidade, enquanto sociólogos focam no baixo autocontrole como indicador de desemprego e crime. Psiquiatras olham para diagnósticos da infância como déficit de atenção e hiperatividade na juventude e, mais tarde na vida, transtornos psiquiátricos, tabagismo, sexo inseguro e direção com bebida. Finalmente, economistas especulam que o autocontrole pode ser uma chave tanto para o bem-estar financeiro quanto para a redução do crime.

3 Posner e Rothbart, 2007, op. cit. A rede para o sistema de alerta une o tálamo e os córtex frontal direito e parietal e é modulada pela acetilcolina. A orientação une estruturas na junção parietal superior, na parietal temporal, campos oculares frontais e colículo superior e é modulada pela noradrenalina. A atenção executiva envolve as áreas cingulada anterior, lateral ventral pré-frontal e áreas dos gânglios basais e é modulada pela dopamina.

4 A atenção seletiva parece ter alguma hereditariedade, embora não haja quase nada de hereditariedade para o alerta, onde mantemos um estado de prontidão para o que quer que ocorra a seguir. Ver J. Fan et al., Assessing the heritability of attentional networks (Avaliando a hereditariedade de redes de atenção), *BMC Neurosci.* 2001, 2:14.

5 Lawrence J. Schweinhart et al. *Lifetime effects: The High/Scope Perry Preschool study through age 40* (Efeitos ao longo da vida: o estudo pré-escolar High/Scope até os 40 anos de idade), Ypsilanti: High/Scope Press, 2005.

6 Estudo pré-escolar: J. J. Heckman, Skill formation and the economics of investing in disadvantaged children (Formação de habilidades e a economia de investir em crianças desfavorecidas), *Science*, 312: 1.900-1.902, 2006.

7 Estudo de Dunedin: Terrie E. Moffitt et al., A gradient of childhood self-control predicts health, wealth and public safety (Um gradiente de autocontrole na infância é indicador de saúde, prosperidade e segurança pública), PNAS 1-16. 2010. www.pnas.org/cgi/doi/10.1073/pnas.1010076108.

8 Elas foram avaliadas de várias formas pelos professores, pais, observadores treinados e eles mesmos aos 3, 5, 7, 9 e 11 anos de idade.

9 June Tangney et al., High self-control predicts good adjustment, less pathology, better grades, and interpersonal success (Alto nível de autocontrole é indicador de ajuste, menos patologias, notas melhores e sucesso interpessoal), *Journal of Personality*, 2004, 72,2, 271-323.

10 Tom Hertz, Understanding Mobility in America (Compreendendo a mobilidade na América), *Center for American Progress*, 2006.

11 Obrigado a Sam Anderson, cujo artigo In Defense of Distraction (Em defesa da distração) me deu esta ideia. *Nova York*, 17 de maio de 2009. http:/nymag.com/news/features/56793/index7.html.

12 Jeanne Nakamura, Optimal experience and the uses of talent (Experiência ideal e os usos do talento), em Mihaly e Isabella Csikszentmihalyi (eds.) *Optimal Experience* [Experiência ideal]. Nova York: Cambridge University Press, 1988.

13 Atenção: Richard Davidson e Sharon Begley, *O estilo emocional do cérebro*. Sextante, 2013.

14 Adele Diamond et al., Preschool program improves cognitive control (Programa pré-escolar melhora o controle cognitivo), *Science*, 318, 2007, 1.387-1.388.

15 Angela Duckworth e Martin E.P. Seligman, Self-discipline outdoes IQ in predicting academic performance of adolescents (Autodisciplina supera o QI na previsão do desempenho acadêmico de adolescentes), *Psychological Science*, 16, 12, 2005, 939-944.

16 Imagens cerebrais: B. J. Casey et al., Behavioral and neural correlates of delay of gratification 40 years later (Correlatos comportamentais e neurais do atraso da gratificação 40 anos depois), <www.pnas.org/cgi/doi/10.1073/pnas.1108561108>.

17 Jeanne McCaffery et al., Less activation in the left dorsolateral prefrontal cortex in the reanalysis of the response to a meal in obese than in lean women and its association with successful weight loss (Menos ativação do córtex pré-frontal dorsolateral na reavaliação da reação a uma refeição em obesos em relação a mulheres magras e sua associação à perda de peso bem-sucedida), *Am J Clin Nutr*, outubro de 2009, vol. 90, nº 4, 928-934.

18 Walter Mischel, citado em Jonah Lehrer, Don't! (Não!), *The New Yorker*, 18 de maio de 2009.

19 A história é contada em Buddhaghosa, *The Path to Purification* (O caminho para a purificação), (Tradução de Bhikku Nanomoli). Boulder, CO: Shambhala Publications, 1979. I,55.

CAPÍTULO 9. A MULHER QUE SABIA DEMAIS

1 Justine Cassell et al., Speech-gesture mismatches: Evidence for one underlying representation of linguistic and nonlinguistic information (Desencontros entre discurso e fala: evidências para uma representação subjacente das informações linguísticas e não linguísticas), *Pragmatics and Cognition*, 7, 1, 1999, 1-34.

2 Expressões faciais durante conflitos conjugais que foram codificados usando o método SPAFF (sistema de codificação de afetos específicos) previu com precisão o número de meses de separação conjugal dentro dos quatro anos seguintes. Em especial, a fugaz expressão facial de desprezo parece ser um forte indicador. John Gottman et al., Facial expressions during marital conflict (Expressões faciais durante conflitos conjugais), *Journal of Family Conflict*, 1,1, 2001, 37-57.

3 Ramseyer, F., e W. Tschacher. Nonverbal synchrony in psychotherapy: relationship quality and outcome are reflected by coordinated body-movement (Sincronia não verbal em psico-

terapia: qualidade de relacionamento e resultados são refletidos por movimentos corporais coordenados), *J. Consult. Clin. Psychol* 79 (2011): 284-295.

4 Justine Cassell et al. BEAT: the Behavior Expression Animation Toolkit (Conjunto de ferramentas de animação por expressão comportamental), *Proceedings of SIGGRAPH '01*, pp. 477-486. 12-17 de agosto de 2001, Los Angeles, CA.

CAPÍTULO 10. A TRÍADE DA EMPATIA

1 Cada um dos três tipos de empatia tem seus próprios blocos de construção neurais e cursos de desenvolvimento. A empatia em todas as suas faces se utiliza de uma imensa gama de estruturas cerebrais. Para uma análise ver: Jean Decety, The Neurodevelopment of Empathy (O neurodesenvolvimento da empatia), *Developmental Neuroscience*, 2010; 32: 257-267.

2 Os três tipos de empatia: para detalhes do circuito de cada um, ver Ezequiel Giechgerrcht e Jean Decety, The costs of empathy among health professionals (Os custos da empatia entre profissionais de saúde), em Jean Decety (ed.) *Empathy: From Bench to Bedside (Empatia: do laboratório à prática clínica)*. Cambridge, MA. 2012.

3 Alan Mulally, CEO da Ford Motor Company, citado em Adam Bryant, 2011, op. cit.

4 O prisioneiro e o arrepio na pele: John Seabrook, Suffering Souls (Mentes sofridas), *The New Yorker*, 10 de novembro de 2008.

5 "Crueldade empática" ocorre quando o cérebro de uma pessoa espelha a aflição de outra, mas também sente prazer com o sofrimento. D. de Quervain et al., The neural basis of altruistic punishment (A base neural da punição altruísta), *Science*, 305: 1.254-1.258, 2004.

6 Cleckley citado em Seabrook, 2008.

7 A dissociação entre os processamentos emocional e cognitivo em sociopatas: ver, e.g., Kent Kiehl et al., Limbic abnormalities in affective processing by criminal psychopaths as revealed by functional magnetic resonance imaging (Anormalidades límbicas em processamento afetivo por psicopatas criminosos conforme revelado por imagens funcionais de ressonância magnética), Biological Psychiatry, 50, 2001, 677-684; Niels Bribaumer et al., Deficient fear conditioning in psychopathy (Condicionamento deficiente do medo em psicopatia), *Archives of General Psychiatry*, 62, 2005, 799-805.

8 Déficit no controle cognitivo: Joseph Newman et al. Delay of gratification in psychopathic and nonpsychopathic offenders (Atraso da gratificação em criminosos psicopatas e não psicopatas), *Journal of Abnormal Psychology*, 101, 4, 1992, 630-636.

9 Ver, e.g., Loren Dyck, Ressonance and dissonance in professional helping relationships at the dyadic level (Ressonância e dissonância em relacionamentos de ajuda profissional no nível de díade), dissertação de Ph.D., Departamento de Comportamento Organizacional, Universidade Case Western Reserve, maio de 2010.

10 A estrutura da empatia emocional neural inclui a amígdala, o hipotálamo, o hipocampo e o córtex orbitofrontal. Ver Decety, 2010, op cit., para detalhes neurais nesta e em outras formas de empatia.

11 Greg J. Stephens et al., Speaker-listener neural coupling underlies successful communication (Conexão neural falante-ouvinte sustenta a comunicação bem-sucedida), PNAS, 107, 32, 2010. 14.425-14.430.

12 Junto com neurônios-espelhos, circuitos como o córtex pré-frontal ventromedial são fundamentais. Ver Jean Decety, To what extent is the experience of empathy mediated by shared neural circuits? (Até que ponto a experiência da empatia é mediada por circuitos neurais

compartilhados?), *Emotion Review*, 2010, 2:3, 204-207. Em estudos de centenas de pessoas assistindo a vídeos de pessoas sentindo dor, Decety não encontrou diferença de gênero na forma como os cérebros respondem — mas uma grande diferença na reação social: as mulheres se classificam como mais empáticas do que os homens.

13 P. L. Jackson et al., To what extent do we share the pain of others? Insight from the neural bases of pain empathy (Até que ponto compartilhamos a dor dos outros? Observação da base neural da empatia da dor), *Pain*, 2006, 125; 5-9.

14 Singer considera que a ínsula registra a dor, o sofrimento e os afetos negativos, enquanto outro circuito no córtex orbitofrontal responde a sensações agradáveis, como o toque suave de alguém. Tania Singer et al., A common role of insula in feelings, empathy and uncertainty (Um papel comum da ínsula em sentimentos, empatia e incerteza), *Trends in Cognitive Sciences*, 13, 8, 2009, 334-340. C. Lamm, C.and T. Singer, T. The role of anterior insular cortex in social emotions (O papel do córtex anterior insular nas emoções sociais), *Brain Structure & Function, 241*(5-6), 579-951. (2010).

15 Funcionamento cerebral de artistas de jazz em comparação com músicos clássico: C. J. Limb et al., Neural substrates of spontaneous musical performance: An fMRI study of jazz improvisation (Substratos neurais de apresentações musicais espontâneas: um estudo com ressonância magnética do improviso no jazz), *PLoS ONE* 3, 2, 2008. [e1679. doi:10.1371/journal.pone.0001679].

16 Jean Decety e Claus Lamm, The role of the right temporoparietal junction in social interaction: how low-level computational processes contribute to metacognition (O papel da junção temporoparietal direita na interação social: como processos computacionais de baixo nível contribuem com a metacognição), *Neurocientista*, 13, 6, 2007, 580-593.

17 Cuidado mamífero: Jean Decety, apresentação ao Consórcio para Pesquisa sobre Inteligência Emocional em Organizações, Cambridge, [Date TK, 2011 ou 2010].

18 Sharee Light e Carolyn Zahn-Waxler, The nature and forms of empathy in the first years of life (A natureza e as formas da empatia nos primeiros anos de vida), em Jean Decety (ed.), *Empathy: From Bench to Bedside* (Empatia: do laboratório à prática clínica). Cambridge, MA: MIT Press. 2012.

19 Ver, por exemplo, Nicholas Carr, *The Shallows* (Os superficiais).

20 C. Daniel Batson et al., An additional antecedent to empathic concern: Valuing the welfare of the person in need (Um antecedente adicional à preocupação empática: valorizando o bem-estar da pessoa com necessidade), *Journal of Personality and Social Psychology* 2007, 93, 1, 65-74. Também, Grit Hein et al., Neural responses to ingroup and outgroup members' suffering predict individual differences in costly helping (Reações neurais para sofrimento de membros de grupos internos e grupos externos prevê diferenças individuais em ajudas de grande valor), *Neuron*, 68, 1, 2010, 149-160.

21 Sujeitos que testemunharam pessoas que haviam se comportado mal em jogos econômicos ou membros de um grupo externo sentindo dor não demonstraram a resposta empática padrão na ínsula do córtex anterior e no córtex cingulado anterior, mas, pelo contrário, demonstraram maior ativação no núcleo acumbente, uma área associada com processamento de recompensa. Tania Singer et al., Empathic neural responses are modulated by the perceived fairness of others (Respostas neurais empáticas são moduladas pela justiça percebida dos outros), *Nature*, 439, 466-469.

22 Chiara Sambo et al., Knowing you care: Effects of perceived empathy and attachment style on pain perception (Saber que você se importa: efeitos da empatia percebida e do apego na percepção da dor), *Pain*, 2010, 151, 3, 687-693.

23 John Couhelan et al., "Let me see if I have this right..." Words that build empathy ("Deixe ver se eu entendi direito..." palavras que produzem empatia). *Annals of Internal Medicine*, 135, 3, 2001. 221-227.

24 Ver, e.g., W. Levinson et al., Physician-patient communication: the relationship with malpractice claims among primary care physicians and surgeons (Comunicação médico-paciente: a relação com reclamações de erros médicos entre médicos clínicos e cirurgiões), JAMA, 1997, 277, 553-569.

25 Jean Decety et al., Physicians down-regulate their pain-empathy response: An ERP study (Médicos regulam suas reações de empatia à dor: um estudo ERP), *Neuroimage*, 50,4, 2010. 1.676-1682.

26 William Osler citado em Decety (ed), 2012, op cit p. 230.

27 Preocupação: Jodi Halpern, Clinical empathy in medical care (Empatia clínica no cuidado médico), em Decety (ed), 2012.

28 M. Hojat et al., The devil is in the third year: A longitudinal study of erosion of empathy in medical school (O diabo está no terceiro ano: um estudo longitudinal da erosão da empatia nas escolas de medicina), *Acad Med.* 84, 9, 2009, 1.182-1.191.

29 Helen Riess et al., Empathy training for resident physicians: A randomized controlled trial of a neuroscience-informed curriculum (Treinamento de empatia para médicos residentes: uma experiência controlada randomizada de um currículo com base na neurociência), *Journal of General Internal Medicine*, 27, 10, 2012; 1.280-1.286.

30 Helen Riess, Empathy in Medicine: A neurobiological Perspective (Empatia na medicina: uma perspectiva neurobiológica), *JAMA* 304,14, 2010; 1.604-1.605.

CAPÍTULO 11. SENSIBILIDADE SOCIAL

1 Príncipe Philip: citado em Ferdinand Mount, The Long Road to Windsor (A longa estrada para Windsor), *The Wall Street Journal*, 14 de novembro de 2011, A15.

2 Fusiforme em autismo: Kim Dalton et al., Gaze fixation and the neural circuitry of face processing in autism (Fixação do olhar e circuito neural de processamento de rostos no autismo), *Nature Neuroscience*, 8, 2005, 519-526. Richard Davidson propôs que o fato de autistas não conseguirem compreender o que é adequado numa situação social se origina de um déficit na aquisição da intuição social.

3 Isto ainda está sendo debatido, com alguns estudos mostrando este efeito, outros não.

4 Por exemplo, Michael W. Kraus et al., Social class rank, threat vigilance e hostile reactivity (Níveis de classes sociais, vigilância de ameaça e reatividade hostil), Personality e Social Psychology Bulletin, 37, 10, 2011. 1.376-1.388.

5 Michael Kraus e Dacher Keltner, Signs of Socioeconomic Status (Sinais de status socioeconômico), *Psychological Science*, vol. 20, 1, 99-106.

6 Estudo holandês: Gerben A. van Kleef et al., 2012, Power, distress, e compassion (Poder, aflição e compaixão), *Psychological Science* 1, 9, 12,1.315-1.322.

7 Michael Kraus, Stephane Cote e Dacher Keltner, Social class, contextualism, e empathic accuracy (Classe social, contextualismo e precisão empática), *Psychological Science*, 21, 11, 1.716-1.723.

8 Ryan Rowe et al.: Automated social hierarchy detection through e-mail network analysis (Detecção de hierarquia social automatizada através de análise de rede de e-mails), Trabalhos

da oficina do 9º WebKDD e do 1º SNA-KDD 2007 sobre mineração de dados na web e análise de redes sociais, 2007, 109-117.

CAPÍTULO 12. PADRÕES, SISTEMAS E DESORDENS

1 Levin, K.et al. (2009). Playing it forward: Path dependency, progressive incrementalism, and the "Super Wicked" problem of global climate change (Andando para a frente: dependência de caminho, incrementalismo progressivo e o problema 'Super Cruel' da mudança climática global), *IOP Conference Series: Earth e Environmental Science* **50** (6).

2 Russell Ackoff, The Art e Science of Mess Management (A arte e a ciência do gerenciamento da desordem), *Interfaces*, fevereiro de 1981, 20-26.

3 Jeremy Ginsberg et al., Detecting influenza epidemics using search engine query data (Detectando epidemias de influenza usando dados de buscas), *Nature*, 19 de fevereiro de 2009, 1.012-1.014.

4 Líderes tribais: foi o que me disse Thomas Davenport, da Harvard Business School.

5 Mas trazer as pessoas para a equação da informação também pode complicar as coisas: há ciúmes sobre quem controla os dados, as rivalidades e as políticas organizacionais que podem prevenir o compartilhamento de informações, o acúmulo e simplesmente ignorar os dados.

6 O livro em andamento de Thomas Davenport, intitulado provisoriamente *Keeping up with the Quants* (Acompanhando os analistas quantitativos), foi citado em Steve Lohr, Sure, Big Data is Great. But So Is Intuition (Claro, grandes volumes de dados são ótimos. Mas a intuição também é), *The New York Times*, 30 de dezembro de 2012, seção de Negócios, p. 3.

7 Como citado por Lohr, 2012, op cit.

CAPÍTULO 13. CEGUEIRA SISTÊMICA

1 É claro que o "sistema" que entrou na sala era apenas uma fatia de sistemas maiores interligados, como o sistema de difusão de informações, que está em meio à mudança do formato impresso para o digital.

2 John D. Sterman, *Business Dynamics: Systems Thinking and Modeling for a Complex World* (Dinâmica de negócios: pensamento sistêmico e modelagem para um mundo complexo). Nova York: McGraw-Hill, 2000.

3 Veja meu livro *Inteligência ecológica* (Rio de Janeiro: Campus, 2009) para mais detalhes sobre cadeia de suprimentos, emissões e o verdadeiro custo ambiental das coisas feitas pelo homem. Ou o vídeo de 20 minutos de Annie Leonard, "The Story of Stuff" (A história das coisas), http://www.storyofstuff.org/.

4 Proposta originalmente pelo grupo de Frank Keil, psicólogo de Yale, a ilusão foi ampliada de sistemas puramente mecânicos ou naturais para os sistemas sociais, econômicos e políticos. Ver, por exemplo, Adam L. Alter et al., "Missing the Trees for the Forest: A Construal Level Account of the Illusion of Explanatory Depth" (Perdendo as árvores para a floresta: um relato interpretativo da ilusão da profundidade explicativa), *Journal of Personality and Social Psychology* 99, n. 3 (2010): 436-451. Essa ilusão pode estar ocorrendo neste livro, já que tem a ver com as largas pinceladas com que eu pinto uma ampla variedade de sistemas cognitivos, emocionais, sociais e neurais. Esse risco é inerente ao jornalismo científico. É por isso que este livro tem muitas notas de rodapé, para aqueles que desejam acompanhar essas linhas de compreensão. Parabéns por ler esta aqui.

5 Ver, por exemplo, Elke Weber, "Experience-Based and Description-Based Perceptions of Longterm Risk: Why Global Warming Does Not Scare Us (Yet)" (Percepções baseadas em experiência e descrição de riscos de longo prazo: por que o aquecimento global não nos assusta [ainda]), *Climatic Change* 77 (2006): 103-120.

CAPÍTULO 14. AMEAÇAS DISTANTES

1 Nassim Nicholas Taleb, *The Black Swan: The Impact of the Highly Improbable* (O cisne negro: o impacto do muito improvável). Nova York: Random House, 2010.

2 Johan Rockstrom et al., "A Safe Operating Space for Humanity" (Um espaço seguro de operação para a humanidade), *Nature* 461 (2009): 472-475.

3 Will Steffen et al., "The Anthopocene: Are Humans Now Overwhelming the Great Forces of Nature?" (O Antropoceno: os seres humanos agora estão oprimindo as forças da natureza?), *Ambio: A Journal of the Human Environment* 36, n. 8 (2007): 614-621.

4 A economia de carbono da China, baseada em índices do Banco Mundial, como relatado em Fred Pearce, "Over the Top" (Exagerado), *New Scientist,* 16 de junho de 2012: 38-43. Por outro lado, ver "China Plans Asia's Biggest Coal-Fired Power Plant" (China planeja a maior usina a carvão da Ásia), em http://phys.org/news/2011-12-china-asia-biggest-coal-fired-power.html.

5 Quando uma empresa global de bens de consumo usou a ACV para avaliar sua pegada de CO_2, o principal fator era quando os clientes aqueciam água para usar detergentes de água quente (convenientemente transferindo a responsabilidade para o consumidor – você pode imaginar quais eram os fatores de dois a dez).

6 O teórico alemão Niklas Luhmann argumenta que todo sistema importante se organiza em torno de um único princípio. Na economia, é o dinheiro; na política, o poder; no mundo social, o amor. Assim, as decisões mais elegantes nessas áreas se tornam simplesmente binárias: com dinheiro/sem dinheiro; com poder/sem poder; com amor/sem amor. Talvez não seja coincidência que nosso cérebro aplique uma regra de decisão primária ou/ou em cada momento de percepção; no microinstante em que percebemos alguma coisa, os centros emocionais somam nossas experiências relevantes e as classificam como "gosto" ou "não gosto". O trabalho de Niklas Luhmann sobre a teoria de sistemas sociológicos, escrito originalmente em alemão, ainda não foi traduzido para o inglês, embora venha sendo muito influente por toda a Europa Ocidental. Eu li apenas comentários a respeito e fui apresentado aos pontos-chave por Georg Vielmutter, cuja dissertação foi em parte baseada nas teorias de Luhmann.

7 Estão sendo desenvolvidas versões simplificadas de softwares de análise de ciclo de vida que podem fazer isso.

8 Jack D. Shepard et al., "Chronically Elevated Corticosterone in the Amygdala Increases Corticotopin Releasing Factor mRNA in the Dorsolateral Bed Nucleus of Stria Terminalis Following Duress" (Corticosterona cronicamente elevada na amígdala aumenta fator mRNA de liberação de corticotropina no núcleo leito da estria terminal dorsolateral após pressão), *Behavioral Brain Research* 17, n. 1 (2006): 193-196.

9 Essa foi a premissa do meu livro *Inteligência ecológica: o impacto do que consumimos e as mudanças que podem melhorar o planeta*. Rio de Janeiro: Campus, 2009.

10 Dados do Departamento de Energia dos Estados Unidos mostram que o aquecimento da água é responsável por 18% a 20% da energia residencial utilizada nacionalmente. Na Nova

Inglaterra, o aquecimento de água custa para uma família de quatro pessoas de quinhentos dólares a bem acima de oitocentos, dependendo do combustível utilizado. Dados da Pesquisa de Consumo de Energia Residencial também mostram que apenas 12% das casas dos Estados Unidos têm uma manta isoladora de aquecedor de água em seus tanques de água, apesar do fato dessa manta, que custa apenas cerca de vinte dólares, poder economizar setenta dólares por ano em consumo de energia e durar o mesmo tempo que o aquecedor (uma média de 13 anos). O simples ato de instalar mantas aquecedoras de água e ajustar as temperaturas em 50 graus centígrados poderia diminuir o consumo total de energia residencial nos Estados Unidos em aproximadamente 2%, junto com importantes benefícios para o clima, a biodiversidade e a saúde humana – e a economia.

11 As crianças da escola darão as mantas para casas de toda a comunidade e farão um acordo: casas que receberem as mantas devolverão os primeiros nove meses de economia para a escola e simplesmente ficarão com o dinheiro depois disso. No total, isso deverá levantar cerca de 15 mil dólares. A escola manterá 5 mil para ajudar com melhorias necessárias, como arrumar o playground, e usará os 10 mil dólares restantes para comprar mantas de aquecimento de água para duas outras escolas fazerem o mesmo.

12 As questões específicas mudam para cada uma das muitas emissões de poluentes – para algumas, o ponto de retorno é em meses, para outras, em anos. Por exemplo, há duas classes principais de emissões de partículas, ambas as quais penetram profundamente em nossos pulmões. Suas taxas de redução variam, mas as impressões estabelecem um único resultado total para os prejuízos à saúde e à biodiversidade provocados por todos os tipos de poluição.

13 Will Wright citado em Chris Baker, "The Creator" (O criador), *Wired,* agosto de 2012. p. 68.

14 Celia Pearce, "Sims, Battlebots, Cellular Automota, God and Go", *Game Studies*, julho de 2012. p. 1.

15 A poluição do ar contribuiu para a ocorrência de 1,2 milhão de mortes prematuras na China, e para um total de 3,2 milhões de mortes no mundo. Ver "Global Burden of Disease Study 2010" (Estudo da carga global de doenças 2010), *The Lancet*, 13 de dezembro de 2013.

16 Meu livro *Ecoliterate* (Ecoalfabetizado), em coautoria com Lisa Bennett e Zenobia Barlow, do Centro de Ecoalfabetização, oferece o argumento para envolver as emoções de estudantes na educação ambiental, embora não inclua o tipo de currículo descrito aqui.

17 Paul Hawken, Reflection (Reflexão), *Garrison Institute Newsletter*, primavera de 2012. p. 9.

CAPÍTULO 15. O MITO DAS 10 MIL HORAS

1 O maior impulso à notoriedade da regra das 10 mil horas foi do quase eterno best-seller de Malcolm Gladwell, *Fora de série*. Eu também tive uma pequena participação em sua popularidade: em 1994, escrevi no *New York Times* sobre a pesquisa de onde veio a regra – o trabalho de Anders Ericsson, um cientista cognitivo da Universidade Estadual da Flórida. Sua pesquisa descobriu, por exemplo, que os mais importantes violinistas das melhores academias de música já haviam praticado seus instrumentos por 10 mil horas, enquanto os que haviam praticado por apenas 7,5 mil horas tendiam a ser segundos violinos. Daniel Goleman, "Peak Performance: Why Records Fall" (Desempenho máximo: por que recordes são superados), *The New York Times*, 11 de outubro de 1994. C1.

2 Eu entrevistei Anders Ericsson para aquele artigo de 1994 do *New York Times*.

3 Anders Ericsson et al., "The Role of Deliberate Practice in the Acquisition of Expert Performance" (O papel do treino deliberado na aquisição do desempenho de especialista), *Psycho-*

logical Review 47 (1993): 273-305. Basta pensar em Itzhak Perlman, que chegou à Escola Julliard – o hiperseletivo conservatório de artes dramáticas e musicais – como prodígio aos 13 anos e estudou por oito anos com Dorothy DeLay, sua instrutora de violino na escola. Ela esperava muita disciplina; seus alunos praticavam cinco horas por dia, e DeLay lhes dava feedback e estímulo constantes. Para Perlman, isso significou pelo menos 12 mil horas de treino inteligente somadas quando ele deixou a escola. Mas, depois de lançado, será que este nível de prática é suficiente para se manter por conta própria? Treinadores de uma vida inteira são lugares-comuns entre artistas profissionais: cantores rotineiramente contam com fonoaudiólogos, assim como atletas de elite com seus treinadores. Ninguém atinge níveis mundiais sem um grande professor. Até mesmo Perlman ainda tem uma treinadora: a mulher dele, Toby, ela mesma violinista concertista, a quem ele conheceu na Julliard. Há mais de quarenta anos, Perlman valoriza suas duras críticas como um "ouvido extra".

4 E, lembre-se, depois que uma rotina se torna automática, tentar pensar em como a estamos executando pode interferir nessa execução: o circuito de cima para baixo toma o lugar do de baixo para cima, mas não efetivamente.

5 K. Anders Ericsson, "Development of Elite Performance and Deliberate Practice" (Desenvolvimento de desempenho de elite e treino deliberado), em J. L. Starkes e K. Anders Ericsson (org.), *Expert Performance in Sports: Advances in Research on Sport Expertise* (Desempenho especialista nos esportes: avanços na pesquisa sobre expertise esportiva). Champagn, Ill.: Human Kinetics, 2003.

6 Embora tenha estudado e ensinado na Universidade de Cambridge, Thupten Jinpa me contou que seu sotaque na realidade vem de ter aprendido a falar inglês na juventude ouvindo as transmissões de rádio da BBC Mundo para a Índia.

7 Eu entrevistei Herbert Simon para o *New York Times*. Ver Daniel Goleman, 1994, op. cit.

8 Wendy Hassenkamp et al. "Mind Wandering and Attention During Focused Attention" (Divagação da mente e atenção durante a atenção focada), *NeuroImage* 59, n. 1 (2012): 750-760.

9 Em pessoas com experiência em meditação, a conectividade do estado de repouso estava aumentada entre a região medial e as regiões parietais envolvidas em desligar a atenção. Isso sugere que as regiões que controlam o desligamento da atenção têm maior acesso às regiões do córtex pré-frontal medial que podem fundamentar a divagação da mente relacionada ao eu – sugerindo um efeito neuroplástico, à medida que a prática fortalece essa conectividade. Wendy Hasenkamp e Lawrence Barsalou, "Effects of Meditation Experience on Functional Connectivity of Distributed Brain Networks" (Efeitos da experiência de meditação na conectividade funcional de redes cerebrais diversas), *Frontiers in Human Neuroscience* 6, n. 38 (2012): 1-14.

10 As reações de Larry David ao público do Yankee Stadium foram relatadas na reportagem "The Neurotic Zen of Larry David" (O Zen neurótico de Larry David), *Rolling Stone*, 4 de agosto de 2011. p. 81.

11 Taylor Schmitz et al., "Opposing Influence of Affective State Valence on Visual Cortical Decoding" (Influência antagônica da valência do estado afetivo na decodificação cortical visual), *Journal of Neuroscience* 29, n. 22 (2009): 7.199-7.207.

12 Barbara Fredrickson, *Love 2.0* (Amor 2.0). Nova York: Hudson Street Press, 2013.

13 Davidson e Begley, 2013, op. cit.

14 Anthony Jack et al., "Visioning in the Brain: an fMRI Study of Inspirational Coaching and Mentoring" (Visualização no cérebro: um estudo com ressonância magnética do treinamento e aconselhamento inspiracional), submetido para publicação, 2013.

15 M. Losada e E. Heaphy, "The Role of Positivity and Connectivity in the Performance of Business Teams: A Nonlinear Dynamics Model" (O papel da positividade e da conectividade

no desempenho de equipes de negócios: um modelo de dinâmica não linear), *American Behavioral Scientist* 47, n. 6 (2004): 740–765.

16 B. L. Fredrickson e M. Losada, "Positive Affect and the Complex Dynamics of Human Flourishing" (Afeto positivo e a complexa dinâmica da prosperidade humana), *American Psychologist* 60, n. 7 (2005): 678–686.

CAPÍTULO 16. CÉREBROS EM GAMES

1 A história de Daniel Cates foi contada por Jay Kaspian Kang em "The Gambler" (O apostador), *The New York Times Magazine,* 27 de março de 2011. p. 48-51.

2 O pôquer, é claro, não é apenas uma habilidade: uma rodada com uma mão ruim pode deixar até mesmo o melhor jogador em desvantagem. Mas uma ligeira vantagem na habilidade, se perseguida ao longo de milhares de jogos, compensa. Um traço dos vencedores de pôquer on-line é, compreensivelmente, uma espécie de abandono destemido sobre a tomada de riscos, uma atitude essencial quando se pode perder centenas de milhares de dólares num piscar de olhos.

3 Marc Smith foi citado no *Boston Globe,* 28 de julho de 2012. p. A6.

4 Daphne Bavelier et al., "Brains on Video Games" (Cérebros em video games), *Nature Reviews Neuroscience* 12 (Dezembro de 2011): 763-768.

5 Douglas Gentile em Bavelier et al., 2011, op. cit.

6 Bavelier et al., 2011, op cit.

7 Agressividade aumentada foi a descoberta da mais abrangente meta-análise realizada até hoje, baseada em 136 estudos separados de um total de 30.296 jogadores ou controles. Craig A. Anderson, "An Update on the Effects of Playing Violent Video Games" (Uma atualização sobre os efeitos de jogar video games violentos), *Journal of Adolescence* 27 (2004): 113-122. Mas veja também John L. Sherry, "Violent Video Games and Aggression: Why Can't We Find Effects?" (Video games violentos e agressividade: por que não conseguimos encontrar os efeitos?), em Raymond Preiss et al. (org.), *Mass Media Effects Research: Advances Through Meta-Analysis* (Pesquisas sobre os efeitos dos meios de comunicação de massa: avanços através da meta-análise). Mahwah, NJ: Lawrence Erlbaum Associates, 2007. p. 245-262.

8 A parte-chave: o giro cingulado anterior. Ver M. R. Rueda et al., "Training, Maturation, and Genetic Influences on the Development of Executive Attention" (Treinamento, amadurecimento e influências genéticas no desenvolvimento da atenção executiva), *Proceedings of the National Academy of Sciences* 102, n. 41 (2005): 1.029-1.240.

9 Há outro correlato cerebral para o TDAH: a baixa atividade nas áreas pré-frontais que gerenciam a atenção, as funções executivas e o autocontrole. M. K. Rothbart e M. I. Posner, "Temperament, Attention, and Developmental Psychopathology" (Temperamento, atenção e psicopatologia do desenvolvimento), em D. Cicchetti e D. J. Cohen (org.), *Handbook of Developmental Psychopathology* (Manual de Psicopatologia do Desenvolvimento). Nova York: Wiley, 2006. p. 167-188.

10 O. Tucha et al., "Training of Attention Functions in Children with Attention Deficit Hyperactivity Disorder" (Treinamento de funções da atenção em crianças com transtorno de déficit de atenção e hiperatividade), *Attention Deficit and Hyperactivity Disorders,* 20 de maio de 2011.

11 Merzenich em Bavelier et al. 2011, op. cit.

12 Gus Tai, citado em Jessica C. Kraft, "Digital Overload? There's an App for That" (Sobrecarga digital? Existe um aplicativo para isso), *The New York Times,* 22 de julho de 2012. Suplemento de Educação, p. 12.

CAPÍTULO 17. PARCEIROS DE RESPIRAÇÃO

1 A voz que eles ouvem é a minha, num CD que eu narrei para Linda Lantieri, *Building Emotional Intelligence* (Construindo Inteligência Emocional). Boulder, CO: Sounds True Publishing, 2008. O roteiro que li foi escrito por Linda, baseado em seu trabalho com crianças nas escolas públicas de Nova York e de outros lugares.

2 Linda Lantieri et al., "Building Inner Resilience in Students and Teachers" (Construindo resiliência interna em alunos e professores), em Gretchen Reevy e Erica Frydenberg (org.), *Personality, Stress and Coping: Implications for Education* (Personalidade, estresse e gerenciamento: implicações para a educação). Charlotte, NC: Information Age Publishing, 2011. p. 267-292.

3 Foi o que Richard Davidson me contou, se referindo a um estudo ainda em andamento no Centro para Investigação de Mentes Saudáveis.

4 Joseph A. Durlak et al., "The Impact of Enhancing Students' Social/Emotional Learning: A Meta-Analysis of School-Based Universal Interventions" (O impacto de melhorar o aprendizado social/emocional dos alunos: uma meta-análise das intervenções universais baseadas na escola), *Child Development* 82, n. 1 (2011): 405-432.

5 Nathaniel R. Riggs et al., "The Mediational Role of Neurocognition in the Behavioral Outcomes of a Social-Emotional Prevention Program in Elementary School Students: Effects of the PATHS Curriculum" (O papel de intermediário da neurocognição nos resultados comportamentais de um programa de prevenção socioemocional em alunos de escolas de ensino fundamental: efeitos do currículo PATHS), *Prevention Science* 7, n. 1 (Março de 2006): 91-102.

6 É claro que a força de vontade de algumas crianças vem naturalmente com a prática espontânea, seja estudando para a prova da próxima semana ou economizando para comprar um iPod.

7 Philip David Zelazo e Stephanie M. Carlson, "Hot and Cool Executive Function in Childhood and Adolescence: Development and plasticity" (Função executiva quente e fria na infância e na adolescência: desenvolvimento e plasticidade), *Child Development Perspectives* 6, n. 4 (2012): 354-360.

8 Rueda et al., 2005, op. cit.

9 A menos que aquele diabinho provocador de impulsos o tenha incitado a ler esta nota de rodapé.

10 Mark Greenberg, num e-mail.

11 Enquanto escrevo isto, há pouca pesquisa direta sobre os efeitos da atenção plena em habilidades de atenção nas crianças, embora vários estudos estejam sendo conduzidos. Por exemplo, em um estudo-piloto com crianças em idade pré-escolar que receberam treinamento de atenção plena mais "treinamento de gentileza", o grupo de Richard Davidson descobriu melhorias na atenção e na própria gentileza. Neste exato momento, esse estudo está sendo replicado com uma amostra de duzentos alunos de pré-escola. Ver http://www.investigatinghealthyminds.org/cihmProjects.html#prek.

12 Smallwood et al., 2007, op. cit.

13 Stephen W. Porges, *The Polyvagal Theory* (A teoria polivagal). Nova York: W. W. Norton & Co., 2011.

14 Eu ouvi esses dados pela primeira vez sendo apresentados por Barbara Fredericksson numa conferência para a inauguração do Centro para Mentes Saudáveis da Universidade de Wisconsin, em 16 de maio de 2010. Ela relatou os resultados em seu livro *Love 2.0* (Amor 2.0), citado anteriormente.

15 Judson Brewer et al., "Meditation Experience is Associated with Differences in Default Mode Network Activity and Connectivity" (Experiência de meditação é associada com diferenças em atividade e conectividade de rede no modo-padrão), *Proceedings of the National Academy of Sciences* 108, n. 50 (2011): 20.254-20.259.

16 Para outra analogia com uma abordagem não orgânica com consequências involuntárias, pense na Revolução Verde na agricultura. Nos anos 1960, a introdução de fertilizantes químicos baratos, em lugares como a Índia, mostrou que estavam erradas as terríveis previsões da época de que o mundo logo ficaria sem alimentos. Mas essa solução tecnológica para a prevenção da fome teve um inconveniente inesperado: rios, lagos e enormes faixas de oceano onde houve concentração de fertilizantes começaram a "morrer". O crescimento de plantas impulsionado por nitrogênio teve um impacto fatal sobre as águas do mundo.

17 Richard J. Davidson et al., "Alterations in Brain and Immune Function Produced by Mindfulness Meditation" (Alterações cerebrais e na função imunológica produzidas pela meditação de atenção plena), *Psychosomatic Medicine* 65 (2003): 564-570.

18 A atenção plena (que demanda sessões curtas e regulares para ser aprendida, e não horas e horas diariamente) evita um perigo inerente a jogar video game, que pode privar jovens de imensas porções de tempo quando eles poderiam estar com outras pessoas – conversando, jogando, brincando. Esses são os laboratórios de aprendizado da vida, onde crescem os circuitos sociais e emocionais.

19 Daniel Siegel, *The Mindful Brain* (O cérebro em atenção plena). Nova York: W. W. Norton, 2007.

20 Por outro lado, a atenção plena não é solução para toda necessidade. Aqueles de nós desligados dos próprios sentimentos – ou que não registramos dor e aflição nos outros – podemos também nos beneficiar de aprender a prestar atenção de um jeito diferente. Focar propositalmente em nossas próprias aflições e na dor dos outros pode significar trabalhar para nos aprofundarmos em nossas emoções e para manter esses sentimentos em nossa consciência. Uma abordagem como a Gestalt-terapia, combinada com uma atenção plena às nossas próprias sensações, pode fortalecer o circuito que repercute na ínsula.

21 Ver http://www.siyli.org.

22 Eu parafraseei essas perguntas de Gill Crossland-Thackray, "Mindfulness at Work: What Are the Benefits?" (Atenção plena no trabalho: quais são os benefícios?), *Guardian Careers*, 21 de dezembro de 2012. http://careers.guardian.co.uk/careers-blog/mindfulness-at-work-benefits.

23 Normalmente, esse modo focado-no-eu de mente opera durante todo o dia (e toda a noite também – estudos do sono demonstram que se acordarmos alguém a qualquer hora da noite e perguntarmos o que ele estava pensando, ele sempre terá um pensamento novo para relatar).

24 Norman Farb et al., "Attending to the Present: Mindfulness Meditation Reveals Distinct Neural Modes of Self-Reference" (Comparecendo ao presente: meditação de atenção plena revela modos neurais distintos de autorreferência), *Social Cognitive Affective Neuroscience* 2, n. 4 (2007): 313-322. Ver também Aviva Berkovich-Ohana et al., "Mindfulness-Induced Changes in Gamma Band Activity" (Mudanças induzidas pela atenção plena na atividade da banda gama), *Clinical Neurophsyiology* 123, n. 4 (Abril de 2012): 700-710.

25 Aqui está uma explicação técnica de Farb et al., 2007, op. cit: "Em participantes treinados, o teste de funções executivas resultou em reduções mais marcadas e predominantes no córtex pré-frontal medial e no envolvimento aumentado de uma rede direta lateralizada, compreendendo o córtex pré-frontal lateral e áreas viscerossomáticas como a ínsula, o córtex somatossensorial secundário e o lobo parietal inferior. Análises da conectividade funcional demons-

traram uma forte ligação entre a ínsula direita e o córtex pré-frontal medial em principiantes que estavam desligados no grupo de atenção plena."

26 Feidel Zeidan et al., "Mindfulness Meditation Improves Cognition: Evidence of Brief Mental Training" (Meditação de atenção plena melhora a cognição: evidências de um treinamento mental breve), *Consciousness and Cognition* 19, n. 2 (Junho de 2010): 597-605.

27 David M. Levy et al., "Initial Results from a Study of the Effects of Meditation on Multitasking Performance" (Resultados iniciais de um estudo dos efeitos da meditação num desempenho multitarefa), *Proceedings of CHI '11 Extended Abstracts on Human Factors in Computing Systems*, 2011. p. 2.011-2.016.

28 Ver Tim Ryan, *A Mindful Nation* (Uma nação plenamente atenta). Carlsbad, CA: Hay House, 2012, e Jeffrey Sachs, *The Price of Civilization* (O preço da civilização). Nova York: Random House, 2011.

CAPÍTULO 18. COMO LÍDERES CONDUZEM A ATENÇÃO

1 Adam Bryant entrevistou Steve Balmer em "Meetings, Version 2.0, at Microsoft" (Reuniões, versão 2.0, na Microsoft), *The New York Times*, 16 de maio de 2009.

2 Thomas H. Davenport e John C. Back, *A economia da atenção*. Rio de Janeiro: Campus, 2001.

3 Ver, por exemplo, o encontro "Future of Story-Telling" (Futuro da narração de histórias): http://futureofstorytelling.org/.

4 Ver Howard Gardner com Emma Laskin, *Leading Minds: An Anatomy of Leadership* (Mentes líderes: uma anatomia da liderança). Nova York: Basic Books, 1995.

5 Davenport e Beck (2001, op. cit.) citam dados de uma pequena empresa mostrando uma correlação muito grande entre aquilo em que líderes se focavam e o foco dos funcionários. Para uma multinacional, havia ainda uma grande correlação entre os dois, mas menos forte.

6 William Ocasio, da escola de administração Kellogg, que defende que corporações sejam vistas em termos do fluxo da atenção, define a estratégia de negócios como os padrões organizacionais de atenção num foco distinto de tempo e esforço pela empresa num conjunto particular de questões, problemas, oportunidades e ameaças. William Ocasio, "Towards an Attention-Based View of the Firm" (Rumo a uma visão da empresa baseada na atenção), *Strategic Management Journal* 18, S1 (1997): 188.

7 Steve Jobs citado em Walter Isaacson, "The Real Leadership Lessons of Steve Jobs" (As verdadeiras lições de liderança de Steve Jobs), *Harvard Business Review*, abril de 2012. p. 93-102. Quando Jobs estava morrendo de câncer de fígado, ele foi visitado por Larry Page, o cofundador do Google que estava prestes a assumir como CEO da empresa. O conselho de Jobs para Page: em vez de se espalhar por todos os lados, foque num punhado de produtos.

8 Michael Porter, "What Is Strategy?" (O que é estratégia?), *Harvard Business Review*, novembro-dezembro de 1996. p. 61-78.

9 Ian Marlow, "Lunch with RIM CEO Thorsten Heins: Time for a Bite, and Little Else" (Almoço com o CEO da RIM, Thorsten Heins: tempo para uma boquinha, e pouco mais), *The Globe and Mail*, 24 de agosto de 2012.

10 James Sruowiecki, "Blackberry Season" (Temporada de Blackberry), *The New Yorker*, 13 a 20 de fevereiro de 2012. p.36.

11 O primeiro iPod da Apple foi lançado em 2001, e o Zune, em 2006. A Microsoft encerrou o Zune em 2012, incluindo o software em seu Xbox.

12 Clay Shirky, "Napster, Udacity, and the Academy" (Napster, Udacity e a Academia), 12 de novembro de 2012, www.shirky.com/weblog.

13 Charles O'Reilly III e Michael Tushman, "The Ambidextrous Organization" (A organização ambidestra), *The Harvard Business Review*, abril de 2004. p. 74-81.

14 James March, "Exploitation and Exploration in Organizational Learning" (Exploração e investigação no aprendizado organizacional), *Organizational Science* 2, n. 1 (1991): 71-87.

15 Daniella Laureiro-Martinez et al., "An Ambidextrous Mind" (Uma mente ambidestra), Documento de trabalho, Centro de Pesquisa em Organização e Gerenciamento, Milão, Itália, fevereiro de 2012. Estratégias de exploração estão associadas com atividades nas redes de dopamina do cérebro e nas áreas pré-frontais ventromediais; estratégias de investigação, nas áreas de função executiva e controle de atenção.

CAPÍTULO 19. O FOCO TRIPLO DO LÍDER

1 Rainer Greifeneder et al., "When Do People Rely on Affective and Cognitive Feelings? A Review" (Quando as pessoas recorrem a sentimentos afetivos e cognitivos? Uma revisão), *Personality and Social Psychology Review* 15, n. 2 (2011): 107-141.

2 Gird Gigerenzer et al., *Simple Heuristics That Makes Us Smart* (Simples heurística que nos faz inteligentes). Nova York: Oxford University Press, 1999.

3 David A. Waldman, "Leadership and Neuroscience: Can We Revolutionize the Way that Inspirational Leaders are Identified and Developed?" (Liderança e neurociência: podemos revolucionar a forma como líderes inspiracionais são identificados e desenvolvidos?), *Academy of Management Perspectives* 25, n. 1 (2011): 60-74.

4 Entre as áreas cerebrais cruciais para a inteligência emocional que também desempenham papéis-chave em variedades de atenção estão: o giro cingulado anterior, a junção tempo-parietal, o córtex orbitofrontal e a área ventromedial. Sobre as áreas cerebrais em comum para a atenção e a inteligência emocional, ver, por exemplo, Posner e Rothbart, 2007, op. cit; Bar-On et al., "Exploring the Neurological Substrate of Emotional and Social Intelligence" (Explorando o substrato neurológico da inteligência emocional e social), *Brain* 126 (2003): 1.790-1.800. A história sem dúvida se tornará mais complexa, e as conexões entre atenção e inteligência emocional se tornarão mais fortes, com mais pesquisas do gênero sendo feitas usando uma variedade mais ampla de medidas de inteligência emocional e métodos neurocientíficos.

5 Steve Balmer, CEO da Microsoft, em Adam Bryant, 2009, op. cit.

6 Scott W. Spreier, Mary H. Fontaine e Ruth L. Malloy, "Leadership Run Amok: The Destructive Potential of Overachievers" (Liderança fora de controle: o potencial destrutivo de perfeccionistas), *Harvard Business Review*, junho de 2006. p. 72-82.

7 McClelland foi citado em Scott Spreier et al., 2006, op. cit.

8 George Kohlrieser et al., *Care to Dare* (Cuidar para ousar). São Francisco: Jossey-Bass, 2012.

9 Estimativas calculam os prejuízos da BP com o vazamento do Deepwater Horizon em torno de 40 bilhões de dólares. Quatro executivos da BP enfrentam acusações criminais por negligência.

10 Elizabeth, Shogren, "BP: A Textbook Example of How Not to Handle PR" (BP: um exemplo de manual de como não fazer RP), *NPR*, 21 de abril de 2011.

11 Lyle Spencer e Signe Spencer, *Competence at Work* (Competência no trabalho). Nova York: Wiley, 1993. Signe Spencer é líder de treinamento global para avaliação de capacidades no Hay Group.

CAPÍTULO 20. DO QUE DEPENDEM OS BONS LÍDERES?

1 Outro motivo pelo qual o debate continua: modelos de competência são tipicamente informações confidenciais, utilizadas por uma organização para obter vantagem competitiva. Por isso, não costumam ser compartilhados publicamente, que dirá publicados em periódicos da categoria – e tantos psicólogos acadêmicos perdem as provas de que precisariam (embora muitas tenham sido publicadas em periódicos da categoria também). Enquanto isso, outros psicólogos – principalmente especialistas industriais/organizacionais – continuam criando modelos de competência, que são usados extensivamente através do mundo organizacional. Isto evidencia uma divisão mais ampla entre acadêmicos e práticos, que vai muito além deste debate em particular.

2 Gerald Mount, "The Role of Emotional Intelligence in Developing International Business Capability: EI Provides Traction" (O papel da inteligência emocional no desenvolvimento da capacidade de negócios internacional: IE oferece tração), em Vanessa Druskat et al. (org.), *Linking Emotional Intelligence and Performance at Work* (Ligando inteligência emocional e desempenho no trabalho). Mahwah, NJ: Lawrence Erlbaum Associates, 2005. Há muito poucos estudos publicados como este, analisando modelos de competência, em parte porque os modelos costumam ser confidenciais.

3 Isso foi baseado numa amostra de 404 líderes que tinham dados sobre competências de inteligência emocional, estilos de liderança e clima organizacional, analisada por Yvonne Sell, do Hay Group Londres.

4 De forma reveladora, esses líderes contavam exageradamente com uma gama estreita de estilos de liderança – normalmente marcadores de ritmo e comando e controle. Estilos de liderança demonstram competências de inteligência emocional subjacentes; os estilos geram o clima, e o clima é responsável por aproximadamente 30% do desempenho nos negócios, de acordo com dados analisados no Hay Group.

5 Alastair Robertson e Cathy Wail, "The Leader Within" (O líder interior), *Outlook* 2 (1999): 19-23.

6 Foi o que me disse Cary Cherniss, do Consórcio Rutgers para Pesquisa sobre Inteligência Emocional nas Organizações, que avaliou muitos modelos de competência.

7 Vanessa Druskat e Steven Wolff, com seu colega dr. Joan Manuel Batista-Foguet, da Escola de Administração ESADE de Barcelona, usaram este método. Vanessa Druskat, Joan Manuel Batista-Foguet e Steven Wolff. "The Influence of Team Leader Competencies on the Emergence of Emotionally Competent Team Norms" (A influência das competências do líder na emergência de normas de equipe emocionalmente competentes), apresentado na Conferência Anual da Academia de Administração, em San Antonio, TX, agosto de 2011.

8 A métrica: os estilos de um líder respondem por entre 50% e 70% do clima. E o clima, por sua vez, leva a aproximadamente 30% dos resultados de negócios devido a esse líder. Quanto mais pontos fortes um líder tem nas competências de inteligência emocional subjacentes, mais estilos ele terá em seu repertório. (O problema: menos de 10% dos líderes são tão eficientes. A maioria dos líderes tem apenas um estilo dominando – apresentar três ou mais é muito bom – e raro.) No caso dos líderes com muita autoconsciência, seus seguidores consideraram o clima positivo em 92% do tempo, enquanto para aqueles com pouca autoconsciência a avaliação foi positiva em apenas 22% do tempo.

9 Jeffrey Sanchez-Burks e Quy Nguyen Huy, "Emotional Aperture and Strategic Change: The Accurate Recognition of Collective Emotions" (Abertura emocional e mudança estratégica: o reconhecimento preciso das emoções coletivas), *Organization Science* 20, n. 1 (2009): 22-34.

10 T. Masuda et al., "Placing the Face in Context: Cultural Differences in the Perception of Facial Emotion" (Situando o rosto no contexto: diferenças culturais na percepção da emoção facial), *Journal of Personality and Social Psychology* 94 (2008): 365-381.

11 Partnership for Public Service, "Critical Skills and Mission Critical Occuptions, Leadership, Innovation" (Habilidades críticas e ocupações críticas à missão, liderança, inovação) *Research Report*, 2011. http://ourpublicservice.org/OPS/publications/viewcontentdetails.php?id=158.

12 Simon Baron-Cohen, *The Essential Difference: Men, Women, and the Extreme Male Brain* (A diferença essencial: homens, mulheres e o cérebro masculino extremo). Londres: Allen Lane, 2003.

13 Vanessa Urch Druskat e Steven B. Wolff, "Building the Emotional Intelligence of Groups" (Construindo a inteligência emocional de grupos), *Harvard Business Review*, março de 2001. p. 80-90.

CAPÍTULO 21. LIDERANDO PARA O FUTURO DISTANTE

1 Alvin Weinberg preferiu reatores baseados em tório, porque eles são imunes a acidentes como o de Fukushima. O combustível gasto tem uma meia-vida muito mais curta do que a do urânio e, ao contrário do urânio, não pode vir a ser usado em armas nucleares. Existe um movimento para ressuscitar os reatores de tório e substituir os que utilizam urânio: ver http://www.the-weinberg-foundation.org/.

2 Não sei se Alvin algum dia assumiu essa visão publicamente. Quanto a mim, eu preferiria um dia ver nossas necessidades energéticas serem atendidas por sistemas que não fossem baseados em energia nuclear, carvão ou petróleo.

3 Alvin Weinberg, "Social Institutions and Nuclear Energy" (Instituições sociais e energia nuclear), *Science*, 7 de julho de 1972. p. 33.

4 Conselho de Inteligência Nacional, "Global Trends 2025: A Transformed World" (Tendências Globais 2025: Um mundo transformado), novembro de 2008.

5 Os dois poderiam ser estudos de caso (mas não são) de Ronald Heifetz e Marty Linksy, *Leadership on the Line* (Liderança em risco). Boston: Harvard Business Review Press, 2002. A teoria de Heifetz de liderança adaptável encoraja os líderes a assumirem posturas impopulares como essas quando forem para o bem do público – e sugere formas hábeis para lidar com a resistência inevitável.

6 Jonathan Rose, *The Well-Tempered City* (A cidade tranquila), deverá ser publicado em 2014.

7 Jim Collins expõe um argumento parecido em seu clássico *Empresas feitas para vencer* (Rio de Janeiro: Campus, 2001). O que Collins chama de líderes "Nível Cinco" têm visão de longo prazo, criando a mudança sustentável. Eles buscam a prosperidade ao longo de décadas, não apenas para o retorno trimestral; eles envolvem muitos interessados – não apenas acionistas – e criam orgulho e lealdade nos funcionários. Eles inspiram comprometimento com uma visão convincente e o equivalente corporativo de imenso foco e força de vontade, enquanto se mantêm eles próprios humildes. Esses são os líderes, Collins argumenta, de empresas que não são apenas boas, mas ótimas.

8 Uma pesquisa da Accenture, com 750 CEOs globais, descobriu que mais de 90% aprova a sustentabilidade como uma meta da empresa. http://www.accenture.com/us-en/Pages/insight-un-global-compact-reports.aspx.

9 A Unilever não compra diretamente dos fazendeiros, mas através de fornecedores, e irá expandir o número de fornecedores para incluir aqueles com fortes redes de pequenas fazendas.

10 Embora isso vá corresponder a mais lucros, a quantia exata vai variar de safra para safra e de temporada para temporada.

11 Banco Mundial, "The Future of Small Farms: Synthesis Report" (O futuro de pequenas fazendas: relatório síntese), World Development Report 2008. http://wdronline.worldbank.org/worldbank/a/nonwdrdetail/87.

12 John Mackey, co-CEO da Whole Foods Market, tem sido o principal porta-voz dessa visão, que ele encara como parte do "capitalismo consciente". Mackey, por exemplo, recebe um salário apenas 14 vezes maior do que o funcionário de menor salário da Whole Foods; os peixes vendidos lá são cuidadosamente escolhidos para que não esgotem a biodiversidade do oceano – entre uma longa lista de outros princípios. Ver John Mackey e Raj Sisodia, *Conscious Capitalism* (Capitalismo Consciente). Boston: Harvard Business Review Press, 2013. A visão compreendeu o Zeitgeist. Ver, por exemplo, Rosabeth Moss Kanter, "How Great Companies Think Differently" (Como ótimas empresas pensam diferente), *Harvard Business Review*, novembro de 2011. p. 66-78.

13 A lâmina de cinco rúpias não é a mais barata na Índia, mas está num nível que a maioria pode pagar. Ellen Byron, "Gillette's Latest Innovation in Razors: The 11-Cent Blade" (A mais recente inovação da Gillette em lâminas de barbear: a lâmina de 11 centavos), *Wall Street Journal*, 1º de outubro de 2010.

14 Níveis de empregos parecem estar, grosso modo, ligados a horizontes de tempo, argumentava o falecido consultor Elliott Jacques. Ele acreditava que empregos como de vendedor ou de policial estimulam o pensamento num horizonte de tempo de um dia a três meses. Supervisores e pequenos empresários tendem a pensar em termos de três meses a um ano. Os CEOs de empresas menores e diretores de áreas de empresas maiores podem pensar até dez anos à frente. E os CEOs de companhias globais deveriam pensar décadas à frente. Ver Art Kleiner, "Elliott Jacques Levels with You" (Elliott Jacques é sincero com você), *Strategy + Business*, Primeiro Trimestre, 2001.

15 O mais conhecido livro de Peter Senge é *A Quinta Disciplina: Arte, teoria e prática da organização de aprendizagem*. Rio de Janeiro: Best Seller, 1990.

Índice

Índice

Índice

1ª EDIÇÃO [2014] 27 reimpressões

ESTA OBRA FOI COMPOSTA PELA ABREU'S SYSTEM EM ADOBE GARAMOND
E IMPRESSA PELA LIS GRÁFICA EM OFSETE SOBRE PAPEL PÓLEN DA
SUZANO S.A. PARA A EDITORA SCHWARCZ EM JANEIRO DE 2025

A marca FSC® é a garantia de que a madeira utilizada na fabricação do papel deste livro provém de florestas que foram gerenciadas de maneira ambientalmente correta, socialmente justa e economicamente viável, além de outras fontes de origem controlada.